金融危機をめぐる10のテーゼ

Crisi dell'economia globale

金融市場・社会闘争・政治的シナリオ

Mercati finanziari, lotte sociali, e nuovi scenari politici

A.フマガッリ／S.メッザードラ 編

Andrea Fumagalli　Sandro Mezzadra

朝比奈佳尉／長谷川若枝 訳

以文社

目次

金融危機をめぐる10のテーゼ

金融市場・社会闘争・政治的シナリオ

序文
サンドロ・メッザードラ

1. 知識への情熱、世界を理解し、変革したいという抑えがたい欲求。もちろんUniNomadeの内部、それもとりわけ叢書の一冊目となる本書には、「理性」もふんだんに具わっている。だが、ネットワークに活力をあたえ、その主要な「付加価値」を生み出させているのは、繰り返される議論の「感情的な温度」なのだ。二〇〇五年一月二九日、三〇日に、イタリアのパドヴァで「戦争と民主主義」というテーマのもと、グループ第一回目のセミナー[1]が開かれてからはや四年、イタリアのオペライズモ〔労働者主義運動〕の伝統を受け継いで育った少なくとも三世代にわたる研究者や活動家たちが、定期的にセミナーで顔を合わせ、これまでの参加者は数百人にのぼる。「ヨーロッパとネットワーク」、「大都市が身にまとう新たな形態と〈ガバナンス〉」、「コモン〔共有物、共有財。詳しくは「訳者あとがき」を参照〕の諸制度」、「現代芸術とアクティヴィズム」、「労働と大学の変容」などが、各大陸で展開しつつある似かよった経験とともに、ここ数年間の継続的な議論において扱われてきたテーマの一部である。

わたしたちの活動が出発点とするのは、自分たちの生きている時代において、知のとりきめそのものが根本から変容し、知識の生産と、それを独占してきた古典的な制度上の場〔学問的・政治的〕との関係の見直しを迫っている〔最近では、イタリアにおける「異常な波《オンダ・アノマラ》」運動〔二〇〇八年秋、財政圧縮および組織改革の影響で国立大学が民営化される危機に対して学生を中心に発足した社会運動〕の展開が、そのことをきわめて効果的なかたちで示してくれた〕という自覚である。[2]知識が――「技術的」知識ばかりでなく、「人文学的」なものもまた――生産力に直結するようになるとき、知の批判とは政治経済学の批判に他ならない。大学が大都市における生産にとって本質的な結び目となるとき、その伝統的な「自由」を頑なに守ろうとすることは、何の役にも立たない。階級闘争の発展にとって本質的な勝負が繰り広げられるのが知の領域であるとき、理論を生み出すにあたり優位を主張しうる政党はもはや存在しない。「思想闘争」の特権をあたえられた「有機的知識人」はもういないのである。

驚嘆すべき複雑ないくつもの変容、それが本書において簡潔だが問題を提起するかたちで示唆されている。わたしたちには提示すべき単純な解決策はない。あるのはただ切迫感、そして知識の生産、政治的実践、闘争の発展のあいだにこれまでとは異なる関係を実践するための新たな場、新たな制度を作り出さなくてはならないという確信だ。UniNomade はこの方向へと向かう最初の試みである。男女数百人もの活動家が、教育されるべき主体としてではなく、正真正銘の主役として、セミナーおよびプロジェクト作成の作業に参加していることは、それゆえ、ここ数年間わたしたちが生きてきた経験を特徴づける要素だといえる。わたしたちは今後もこの経験を生かし、深め、さらに効果的なものにしてゆくつもりだ。本書を皮切りに刊行されるこの叢書は、わたしたちが手に入れたひとつめの道具であり、対話し連帯する相手を探すべく、自分たちの議論の範囲を拡大し、より鋭く直接的に公共の議論へと入ってゆくことを目的とする。

すでに述べたように、わたしたちの出自はイタリアの革命的オペライズモの偉大な伝統であり、それゆえその作業は、国際的な議論において、むろん満足のいくものではないにせよ、有効性に欠けるわけでもない呼び名、すなわち〈ポスト・オペライズモ〉の名で呼び慣わされているもののうちに位置づけられる。だが同時に、自分たち自身の理論装置を議論の俎上にのせ、近年、現代の批判的理解に貢献してきたさまざまな思潮や〈理論的実践〉（すこしだけ例を挙げれば、ポストコロニアル研究から最新のフェミニズムの発展、新しいメディアの考察から政治哲学の新たな地平など）との議論に開かれている必要性も痛切に感じている。

政治的な面においても、わたしたちの提案する議論はあらゆる分野にわたっている。わたしたちは転覆の科学を

（したがって合理性を）歓迎する。それゆえ、いまもそしてこれからも、自分たちを革命的と定義することにためらいはない。とはいえ、わたしたちの理論的・政治的作業の糧となるのは、もちろん空疎な決まり文句ではない。わたしたちが関心をもつのは闘争であり、その闘争のなかで生き、苦しみ、喜びと協働を構築する主体である。こうした主体にこそ、身分証明書など求めることなく、わたしたちは語りかけようとしている。現在についてなにも言うべきことをもたない者だけが、自分たちが栄光あるものと信じる過去の遺産をめぐって口論を繰り返す。それはわたしたちの立場ではない。

2. 現在わたしたちが生きている〈グローバル危機〉、UniNomade叢書の一冊目は、是が非でもこの問題を取り上げないわけにはいかなかった。本書は二つのセミナーがもとになっている。ひとつはボローニャ大学の政治・制度・歴史学科および社会的拠点Teatro Polivalente Occupato〔多目的占拠劇場〕で二〇〇八年九月一二日、一三日に行われたセミナーであり、もうひとつはローマ大学サピエンツァ校および占拠アトリエESCで二〇〇九年一月三〇日、二月一日に行われたものである。だが本書はこれら二回のセミナーの議事録を提示するわけではない。これはそれをはるかに越えるもの、わたしたちが作成した議論リストをもとに、イタリア、スペイン、スウェーデン、ブラジルそしてフランスにおける幾たびもの会合を通して、数ヶ月にわたり継続された集団的議論の成果なのである。この集団的考察は、それゆえ、本書を締めくくる10のテーゼにその一部がまとめられているにすぎない。

ひとつの根本的な確信が、現在の危機をめぐる時事報道が飛び交うなか、ここ数ヶ月間のわたしたちの作業を導いてきた。すなわち自分たちが経験しているのは新しい種類の危機であり、一九七〇年代の深刻な危機を乗り越えるにあたり、例の金とドルの兌換停止（これは一九七一年八月に変動相場制を導入し、通貨システムを多国籍大衆労働者の賃金闘争から切り離すことが主眼であった）をはじめとする変化を遂げた資本主義形態の全体を巻き込むものだという確信である。もちろん「金融化」が新しい現象ではないということは――フェルナン・ブローデルや〈世界システム論〉の理論家の教えを通じて――よく知られていることである。たとえば、一四世紀末から一五世紀初頭にかけて、北イタリアに点在する資本主義的地域をおもな拠点に生じた金融拡大の重要性が知られているが、その過程においては「蓄積システムの第一サイクルの主体が形成され、その後の金融拡大すべてに共通する主要な特色が前もってみられる」(3)のである。

だが、にもかかわらずわたしたちは、過去についてどれだけのことを考察しうるかを別にすれば、たとえばジョヴァンニ・アリギの研究において中心的なテーゼ、すなわち「蓄積システムのサイクル」を形成するのが「物質的拡大」の局面につづく「金融拡大」の局面であるというテーゼは、現代においてもはや有効ではないと確信している。(4)わたしたちにとっては明白だと思えること、そして本書ではとりわけクリスティアン・マラッツィとアンドレア・フマガッリが詳細に論じていることとは、ここ三〇年間でいくつもの根本的に新しい特徴をもつようになった資本主義における、金融の浸透性という特徴である。今日では「実物経済」と「金融経済」（つまり「物質的拡大」と「金融拡大」）という区別自体が、まず分析手段としての根拠を失うにまで至っているのだ。

このことは、過去そして現在における資本主義的生産様式を、わたしたちが歴史的にどのように理解するかにかかわる問題である。すでに膨大な歴史学研究をもとに、産業革命以前にもひとつの資本主義、つまり商業をその本質的な基盤とするプレ産業資本主義が存在したことがわかっている。だとすれば、ポスト産業資本主義なるものが存在しうることは明白であり、本書に掲載されているいくつかの論考は、それを暫定的に「認知資本主義」や「生《バイオ》-資本主義」という用語で定義することを提案している。だがこうした用語が果たして妥当かどうかということ以上に重要なのは、これらがとりわけ金融の果たす役割との関連において提示している問題である。一九〇九年に出版された画期的著作において、ルドルフ・ヒルファディングは、当時の状況を読み解く鍵をにぎるふたつの現象（株式会社および、産業信用を行うドイツ型兼営銀行の発展）をもとに、まさに産業革命、つまり資本主義が産業化してゆく起点となった歴史的転換点によって開始されたプロセスの頂点で金融に生じていたさまざまな変容を分析している。(5)わたしたちは、今日の金融研究もまた同じ方法論上の観点から、つまりここ数十年間に金融に生じてきたさまざまな変容を、産業革命と同様の画期的転換点を示すものとして考慮に入れつつ、行われるべきだと確信している。

3. ここではっきりさせておこう。資本主義的生産様式の根本的な変容、つまりもはや「産業」を基盤とはしない資本主義について論じるとしても、わたしたちは産業的生産・労働が、イタリアはもちろんグローバルなレベルでも持ち続けている（ある種の側面では高まってさえいる）重要性を否定するわけでは決してない。むしろ主張したいのは、こうした生産と労働もまた、いわゆる「産業的」なものとは異なる論理にしたがって機能する資本の価値増殖・蓄積プロセスにおいて段階的に「分節化」(6)され（それによって支配され）ているという事実である。また、抽象的なコモンの潜勢力——知から〈ビオス〉〔人間の生命のうち、動物的な生（ゾーエー）と区別される社会的な生〕、社会的協働からカルロ・ヴェルチェッローネが「人間による人間の生産」と呼ぶものまで——がもつ生産力の搾取・「捕獲」を背景に、こうしたプロセスがますます拡大しつつあるという事実にも注意を喚起しておきたい。ティツィアーナ・テッラノーヴァがその論考で描いてみせた金融資本とウェブ2・0のあいだの異種交配は、この新たな状況についての驚くほど示唆に富んだ例証となっている。さらに、本書においてヴェルチェッローネの論考とアントニオ・ネグリのあとがきが提示している「利潤のレント〔地代や金利など、働かずに得られる所得。詳しくはヴェルチェッローネの章を参照〕化」というテーゼもまた、このことをもとに読まれるべきである。

ここから帰結する問題は、資本の価値増殖・蓄積が決定されるグローバルなレベルにおいて、今日の〈階級構成〉をいかに定義するかをめぐる、途方もなく大きなものだ。本書に掲載されている論考の多くが、この点に関して「マルチチュード」というカテゴリーをいま一度取り上げているのに対し、カール・ハインツ・ロートは、もともとはドイツのインターネットマガジン『ワイルドキャット(7)』に掲載されたテキストにおいて、「絶え間なく変容を繰り返すグローバル労働者階級の多元宇宙」という表現について考察することを提案している。この提案は、分析方法論という視点からも政治的な視点からも、きわめて興味深い提案であると思われるが、ここではそれがなによりもまず、プロレタリアと労働者階級の歴史研究をその根底から刷新した「グローバル労働史」との実り多き対照から生まれたものであることを強調するにとどめよう。(8) この観点は長いスパンを見据えると同時に、ロート自身が述べているように、「国家とヨーロッパを中心とする」狭量な視点から逃れうるものであり、とりわけ労働の「不安定性」と「柔軟性」をめぐる論争の再定義を可能にする。そしてそれらを「通常の労働関係」というイメージ（一連の「社会権」をそなえた終身雇用契約）の束縛から解き放つことができるのである。こうしたイメージは、実のところ西洋では「フォーディズム」の特徴のうえに構築されたものであり、資本主義的生産様式の長くグローバルな歴史のなかで考察してみると、通常であるどころかまったく例外的なものとして現れてくる。(9) ここでいま一度、扱われているのが歴史的・分析的な視点からだけでなく、政治的視点から見ても根本的な問題なのだということを指摘しておこう。

その一方でこの問題は、本書で提起されているその他の問題とともに、まさしくイタリアのオペライズモがその理論的実験において鍛え上げてきたいくつかの基本概念に疑問を呈している。このことについては別の機会に、資本による労働の「形式的包摂」と「実質的包摂」の関係、そして「絶対的剰余価値」と「相対的剰余価値」の関係（ネグリはこの問題を本書であらためて取り上げ、レントの分析という分野で発展させている）について論じた際に触れておいた。(10) より広くとらえれば、景気循環と危機のあいだ、そして闘争と発展のあいだで決定される関係が問われているわけだが、資本のもつ進歩的力の枯渇というヴェルチェッローネの議論を真摯に受け止めるならば、こうした図式はもはや維持しうるとは思えないのである。それゆえ傾向を分析する方法論そのものが、いうまでもなく歴史的オペライズモがもたらしたもっとも貴重な遺産のひとつであるとはいえ、いまやついにその最終局面として危機のなかに組み込まれたかに見える資本主義的発展のリズムに合わせて計測されなおさなくてはならない。

4. ここでも説明が必要だろう。わたしたちには、資本主義の崩壊という仮説をいまさら持ち出すつもりなどさらさらない。資本とは危機であり、危機のなかで幾世紀も生き延びかねないのだから。また、資本主義のあとにはよりよいなにかがやって来ると決まっているわけでもない。いずれにせよわたしたちは、ヴァルター・ベンヤミンにならって、「資本主義はけっして自然には死滅しないだろう」[11]と考えたい。考察の対象となるのは、グローバルな現代において資本主義の「時間座標」（この語はまず、資本が人間の時間と生を組織し、彼らをその支配下に置くとともに、搾取という現実を生きさせようとする、その様態を意味する）に生じつつある変容である。これは、資本主義の「空間座標」に生じている変容に劣らず根本的なものだ。わたしたちが試みるのはとりわけ、危機を読み解くにあたって採用すべき政治的カテゴリーという側面について、いくつかの結論を導き出すことである。こうした意味において、フマガッリが現代資本主義の発展を「改良主義的」に安定させようとすることに常につきまとう問題性を強調する一方、マラッツィとベルナール・ポールレは、フランスのレギュラシオン学派において近年進められてきた危機解釈との生産的な対話を始めつつ、危機において〈ガバナンス〉というカテゴリーが被っているいくつもの歪みを考察している。

ほかにも、危機を分析することで浮上するさまざまな政治的概念・問題の変容という視点から、さらなる考察を加えることが可能だろう。たとえば近代政治学におけるひとつの古典的概念、すなわち「世論」の変遷について時間をかけて論じることができる。遅くともケインズが『雇用、利子および貨幣の一般理論』第十二章で論じて以来[12]、わたしたちはこの概念を株式市場という領域において研究することを学んできた。「解読の可能性」を危機に陥れかねない（つまり、労働を搾取することで生きているにもかかわらず、資本がその構成を解読できなくなる）ほどに、世論が「データの霧」（テッラノーヴァ）の内部で作用することになっている状況にあって、世論の役割とは何なのか？　さらにもうひとつ、ステファノ・ルカレッリとフェデリコ・キッキが本書で取り組んだ非常に重要なテーマをかいつまんで示しておこう。それは、本書で示されているさまざまな変容に呼応してその姿を変えつつある権力と主体性のありようを、厳密なかたちで定義するにはどうすればよいか、というテーマである。

だが、本論を締めくくるにあたって最後に足を止めておきたいのは、また別の点である。すなわち、本書の全体から浮かび上がる、今回の危機が指し示すリスク、そしてチャンスは、本書の全体を眺め渡したとき、精確には何を意味するのかという点だ。ここ数ヶ月イタリアで見られた移民の立場に対する（あきらかに人種差別的な）攻撃とはこうしたリスクの最初の見本であり、世界中の国々でまったく同じ事例を見出すことが出来るだろう(13)。さらにその背景には、マラッツィが論じたように、地政学《ジオ・ポリティック》・地‐金融学《ジオ・マネタリー》上の強い緊張関係があり、その先には現在進行中の、あるいは準備されつつある戦争の亡霊が常につきまとっている。だが、本書に含まれる論考はその総体として、まさに危機において切り開かれる闘争の根源的な場をいくつか示している。こうした場は前に向かって、つまりコモンの新たな領域を構築し、そこで平等と自由を再創造する方向へと危機から脱出することに取り組む可能性をあますところなく明らかにしている。このコモンの構築こそ、UniNomade の歩みをいままでも、そしてこれからも導いてゆく正真正銘の赤い糸である。なかでも所得および賃金をめぐる闘争、そして〈福祉〉をめぐる闘争は、危機においてまったく新しい性質を帯びて現れてきている。これらの闘争が、先入観抜きの改良主義――その構造的限界をふまえながら――と、新たに切り開かれるべき革命的展望との総合を実験すべき特権的な場となっている。ロートの論考とネグリのあとがきはいずれも、相違はあれど最終的には合流することになる言葉をもちいて、このことについて考えるよう促している。

注

（1）Marcello Tarì (a cura di), *Guerra e democrazia*, *Manifestolibri*, Roma, 2005 収録の資料を参照のこと。

（2）この点についてはマルコ・バシェッタとサンドロ・メッザードラによる UniNomade プロジェクトの紹介文、*Il sapere come passione*, in “il Manifesto”, 1 aprile 2005 を参照のこと。この文は次のサイトで読むことができる（http://archive.globalproject.info/art-4255.html）

（3）Giovanni Arrighi, *Il lungo Ventesimo secolo. Denaro, potere, e le origini del nostro tempo*, trad.it. Il Saggiatore, Milano 1996, p124〔邦訳『長い20世紀——資本、権力、そして現代の系譜』土佐弘之・柄谷利恵子・境井孝行・永田尚見訳、作品社、二〇〇九年、一五三頁〕

（4）同上。とはいえこの観点から見ても、アリギの重要な近作は革新的なヒントが豊富である。Giovanni Arrighi, *Adam Smith a Pechino. Genealogie del ventunesimo secolo*, trad. it. Feltrinelli, Milano, 2008.

（5）Rudolf Hilferding, *Il capitale finanziario*, ed. it. A cura di G.Pietranera, Feltrinelli, Milano 1961〔邦訳『金融資本論』岡崎次郎訳、岩波書店、一九八二年〕を参照。

（6）グローバル資本との関連における「分節化」という概念については、Sandro Mezzadra, *La condizione postcoloniale. Storia e politica nel presente globale*, ombre corte, Verona 2008 の第六章を参照。

（7）http://www.wildcat-www.de/ イタリア語訳テキストは著者の了解をえて本書に掲載されている。カール・ハインツ・ロートについては、*Der Zustand der Welt. Gegen-Perspektiven*, VSA, Hamburg 2005 を参照。本書掲載論考のテーゼは、その多くがこの本のなかでくわしく論じられている。

（8）少なくとも、Marcel Van Linden, *Transnational Labour History. Explorations*, Ashgate, Aldershot 2003; Id., *Labour History: An International Movement*, in "Labour History", 89 (2005), pp.225-233; Id., *Workers of the World. Essays Toward a Global Labor History*, Brill, Leiden-Boston (MA) 2008 を参照のこと。だが Peter Linebaugh と Marcus Rediker の素晴らしい著作も忘れてはいけない。*I ribelli dell'Atlantico. La storia perduta di un'utopia libertaria*, trad.it Feltrinelli, Milano 2004.

（9）この点については、Marcel Van Linden の重要な記事を参照。*Normalarbeit – das Ende einer Fiktion. Wie "der Proletar" vershwand und wieder zurückkehrte*, in "Fantomas", 6 (Winter 2004-2005), pp. 26-29.

（10）ここでも前出 Sandro Mezzadra, *La condizione postcoloniale* の第六章と補遺を参照。

（11）Walter Benjamin, *Parigi capitale del XIX secolo*, trad.it. Einaudi, Torino 1986, p.848 (x, 11a, 3)〔邦訳『パサージュ論　第4巻』今村仁司・三島憲一訳、岩波書店、二三八頁〕

（12）John Maynard Keynes, *Occupazione, interesse e moneta, Teoria generale*, trad. it. Utet, Torino 1947, pp.129-143.〔邦訳『雇用、利子および貨幣の一般理論（上）』間宮陽介訳、岩波書店、二〇〇八年、二〇二—二八頁〕。さらにケインズはこうも書いている。「大勢

の無知な個人の群集心理によって打ち立てられた慣習的評価は、期待収益にとっては実のところ大した違いをもたらすわけでもない諸要素に起因する意見の突然の変動によって、激しい変動を被りやすい」（邦訳、二一二頁）。だがその四〇年も前に、マックス・ヴェーバーが——産業資本主義経済の欠くべからざる「調整・組織装置」としての株式市場の分析において——「株式市場の（〝相場〟の）価格の形成と固定が堅実かつ適正に行われること」が、きわめて重要であると強調している (Max Weber, Die Börse[1894], in Id. *Gesammelte Aufsätze zur Soziologie und Sozialpolitik*, Mohr, Tübingen 1988, S.278)。さらに「世論」(Das Publikum) の「計算」しがたい介入が引き起こす混乱の影響についても注意を喚起している（同書 S.308, 313 および 316)。

(13) ここでは簡単に触れるにとどめるが、移民労働に対する危機の影響は、移動性がグローバルレベルにおける生きた労働構成の中心要素となっている状況下で、分析および政治的介入の基礎となるテーマである。昨年の一二月初めに、ウラジーミル・プーチンがテレビの生放送で、大部分が旧ソヴィエト連邦諸国出身である数百万の移民をロシアから追い出す意思を事実上宣言したことには触れないでおくことにして、二つだけ例を挙げておこう。どちらも最近の報道記事からとったもので、最近の中国経済発展の牽引力の一つとなった国内移民と、ペルシャ湾岸諸国へのインド人移民を取り上げている。二〇〇八年一二月三〇日付け "International Herald Tribune" 誌に掲載された、Simon Rabinovitch, *Economic Crisis Reverses Flood of Migrants in China* (http://www.iht.com/articles/2008/12/30business/col31.php)、および二〇〇九年一月一四日付け "daijiworld.com" 掲載の N.Raghuraman, *Indians Flee Dubai as Dreams Crash – Fall out of Economic Crisis*(http://www.daijiworld.com/news/news_disp.asp?n_id=55704&n_tit=Indians)

金融資本主義の暴力

クリスティアン・マラッツィ

1. 危機の行方

金融資本主義の危機を政治的に解釈するまえに、不動産・金融バブルの崩壊から一年強を経て現われてきている状況を、いくつかのデータを用いてマクロ経済学とグローバル金融の視点から要約しておこう。まず言っておくべきは、自由主義的グローバリゼーションの聡明な支持者であるマーティン・ウルフが述べているように[1]、アメリカ連邦政府が抱える赤字の大幅な増大と、世界中の中央銀行による信用拡大は、必要であるとはいえ、一時的な効果しか持ちえず、正常な継続的成長率を回復するには到らないだろうということだ。おそらく二〇一〇年以降も、わたしたちが目にすることになるのは相次ぐ偽りの回復であり、株式市場の断続的な動向の後には下落が繰り返され、各国政府が幾度も介入して危機を抑制しようとするだろう。つまり、目の前にあるのはシステムそのものの危機であり、〈抜本的な変革《ファンダメンタル・チェンジズ》〉が求められているが、すくなくとも現時点では、本当に説得力のある対処法を提示できる者は誰もいないのである。金融政策は、景気後退から経済を立ち直らせるのには何がしかの効果をもっとしても、わたしたちが経験しているような経済危機に突入してしまうと、まったく効果がない。というのも、九〇年代に日本が経験したものに似たところのある現在のような危機では、金融介入（政策金利の引き下げ、流動性の注入、為替相場への介入、支払準備金の増大）の伝達ルートは蚊帳の外におかれるからだ。つまり消費回復に必要な信用への刺激を、企業と家計に伝えることができないのである。違いは、日本の場合、八〇年代末の時点でバブル崩壊によって不振に陥った資本投資がGDPのわずか一七%だったのに対し、アメリカではGDPの七〇%以上に及ぶ規模で消費者がバブルに巻き込まれているということだ。さらに「アメリカの消費者が世界中でもずばぬけて重要であるため、バブル後のアメリカにおけるいや気売り《シェイクアウト》が及ぼすグローバルな影響は、日本が被ったものよりはるかに厳しいものとなる」(2)。

メリーランド大学のカルメン・ラインハルトとハーヴァード大学のケネス・ロゴフによる研究(3)をもとに、今回の危機が過去数十年間でいかにずばぬけて深刻なものであるかをみてみよう。今回のごとき金融危機は、二人の著者が回顧的に観察するところによれば、GDPの大幅な減少をもたらしながら少なくとも二年間は続く。株式市場の崩壊は深刻で、不動産資産の実質価格は六年間で平均三五%、株価は三―四年間で五五%下落する。失業率は、こちらも平均して、四年間で七%上昇し、生産量は九%減少する。さらに、公債の実質価値は平均すると八六%上昇するが、そのうち銀行を救済するための資本増強に起因する割合が最少であるのに対し、大部分は税収の激減によるという。

今回の危機を近年の危機から分ける本質的な違いとは、今回の危機がグローバルなものであり、これまでとは異なり、地域的ではないということだ。これまでのように、世界の残りの国々がアメリカに出資できる状態にあるうちは、アメリカ政府が貯蓄黒字の国に自国の国債取得を通じて出資してもらい、どれだけ広範な財政・金融刺激策を利用できるかに応じて、地域規模での危機の抑制を予測することができた。しかし現在どの国がアメリカを継続的に支援することができるというのか? 今日の困難は、危機がグローバル規模であるがゆえに、たとえ不均衡なかたちであれ、ここ数十年のあいだグローバル経済の成長を可能にしてきた力そのものが打ち砕かれてしまったという事実にある。すなわち、生産が構造的に不足している国(アメリカ)から構造的に過剰な国(過去の日本、現在の中国)へと流入する需要のことだ。しかし、世界規模で個人消費が崩壊すれば、アメリカによる需要拡大の努力だけでは足りない。つまり、需要を回復するための措置がグローバルな規模で、言い換えるなら生産過剰状態にある新興国においても必要になるのだ。いまのところ、新興国が先進国における国内需要の低下を補填しうる段階にある(いわゆるデカップリング論）とは思えない。新興国もまた危機によって非常に深刻な不景気に見舞われているからだ。とはいえ、世界銀行の評価によれば、少なくとも中期的（二〇一〇年―二〇一五年）に、中国、インド、ロシアそして南米諸国が、それぞれかなりの差はあるにせよ、平均して四―五％の成長率を保ち続ける可能性は否定できないという。これが可能か否かは、新興国からの総輸出量（過去五年間では平均して新興国ＧＤＰの三五％）のうち、先進国向けの輸出は二〇％に過ぎず、一五％は新興国が形成する経済ブロック内での貿易によるものだという事実にかかっている。(4) いずれにせよ、世界的な需要を牽引するため新興国は、国内賃金を上昇させることに加え、その貯蓄を今後は赤字の西洋諸国にではなく、国内需要に向けなくてはならない。そうすることで、深刻な構造的不均衡にもかかわらず、というよりむしろそのおかげで、何年にもわたりグローバル経済を機能させてきた当のメカニズムにそなわる、貨幣と金融のグローバルな循環が絶たれることになる。つまり危機を経た後、新興国の経済力が主導権を握り、先進国の貯蓄を投資させることで資本の流れを逆転させ、先進国の消費レベルを少なからず下げる結果をもたらすことは可能なのである。とはいえ、今回の危機の持続時間を予測し、すでに現れてきている社会・政治的矛盾が累積的に拡大してゆくのを、経済的にはもちろん政治的にも押し止める可能性を想定できている者は、誰ひとりいない。

したがって先進国、とりわけアメリカにおける需要の動向に注目しないわけにはいかない。アメリカでは二〇〇七年の第三四半期と二〇〇八年の第三四半期のあいだに、民間部門の信用需要がＧＤＰの一三％分減少していることを考えれば、純貯蓄額が何年にもわたり増加し続けるのは間違いない。これはアメリカに限ったことではない。言い換えれば、民間部門は債務を減らすためにあらゆることをするだろうが、それでは消費回復を目指すさまざまな金融政策が無駄になるだけなのだ。ここで先に引用したウルフの試算を見てみよう。経常収支の構造的赤字額を設定した上で、経済が完全雇用に近づくためにはどれだけの財政赤字が必要になるかを計算したものである。民間部門の余剰資金がＧＤＰの六％、経常収支の構造的赤字が同じく四％だとすると、国庫の赤字は一〇％でなければならないという。しかもこの数値ですら「不確定《インデフィニトリー》」だそうだ！　これでもまだ序の口といわんばかりだが、〇に近づいてゆく名目金利と価格の下落（デフレーション）が交差することで、企業による債務履行の困難が増すことも忘れてはならない。このような状況では実質金利がかなり高くなり、結果として債務返済も非常に過酷になるのである。銀行危機の第二波の可能性を否定できないのはまさにこのためだ。ミシェル・アグリエッタもこう書いている。

　このような状況において、銀行は第二の金融ショックを被るリスクを抱えている。つまり企業に対する債権の焦げ付きである。こうなると、債務履行の滞りと経済デフレーションが相互に昂進することで、経済不況が拡大しかねない。(5)

ポール・クルーグマンによれば、オバマ政権の経済支援プログラム八二五〇億ドルは、危機においてGDPの潜在的成長と実質成長のあいだに生ずる「生産ギャップ」を埋めるには、はるかに及ばないという。「生産能力に適した需要があるなら、来たる二年間でアメリカ経済は三〇兆ドルを越える価値をもつ財とサービスを生産できるだろう。けれど消費と投資の漸減とともに、アメリカ経済が生産できるものと売ることができるものの間に巨大な差が開きつつある。しかもオバマ大統領の計画は、この生産ギャップを埋めるにはまるで足りていないのだ」。そこでクルーグマンは自問する、ではなぜオバマはもっとやろうとしないのか、と。もちろん大規模な財政出動にはさまざまな危険がともなうが、「不適切な行動の結果が」日本型の長引くデフレスパイラルより「はるかにましなわけではない」。こうしたデフレスパイラルは、介入の規模が不適切（つまり約二・一兆ドル）だと避けがたいのである。さらにクルーグマンは続ける、あるいはオバマの計画を制限しているのは支出機会の欠如なのだろうか、と。「着工準備《ショベル・レディ》が完了した公的投資計画、つまり迅速に開始することにより、短期間で経済支援を行いうる計画は限られた数しか存在しない。しかしながら、善行であると同時に、必要とされるときに経済を支援しうる公的支出の方法は他にもある。とりわけ医療補助の分野だ」。さもなければ、オバマの決断の背後には政治的慎重さという理由、経済計画の最終的なコストを一兆ドル以下に抑えることで、共和党員の支持を取り付けるというもくろみがあるのだろうか？[6]

オバマ大統領の計画はその六〇％が公的支出（医療補助、インフラストラクチャーおよび教育への投資、不良資産救済プログラム（Tarp）三五〇〇億ドルからさらに四〇〇億―一〇〇〇億ドルを引き出して行われるものと推測される、債務不履行の危機にある抵当の獲得）から、四〇％が減税からなる。それに対してジョセフ・スティグリッツが主張しているのは、[7]この危機下では間違いなく失敗する減税によって刺激策を無駄にするなということだ。たとえば二〇〇八年二月に施行された減税は、わずか五〇％だけが支出増大のために用いられ、増大した可処分所得の残りの部分は個人債務を減らすために使用されている。今日、おそらく消費への高い傾向をもつ貧困層の場合を除けば、減税はかなりの確率でそのすべてが債務返済に充てられるだろう。もしどうしても減税路線にこだわるのであれば、はるかにましなのは企業に対する減税を強制的に投資、それもできれば技術革新投資の増加に結びつけることだ。「インフラストラクチャー、教育、そしてテクノロジーに支出すれば、資産が創出される。そして未来の生産性が増強されるのだ」。

より一般的な点に触れるなら、国家による刺激策が主に自由裁量支出の増大によるもの（アメリカ）か、それとも社会支出の増大がもたらす多かれ少なかれ自動的な効果によるもの（ヨーロッパ）かはさておき、国家による危機の〈ガバナンス〉は、最終的には債券市場に掛け合って元金を借り入れてくるその能力にかかっている。二〇〇九年に計画されている公債の発行額は驚くべきものだ。具体例を挙げると、アメリカの二兆ドル（GDPの一四％）に始まり、イギリスでは二一五〇億ドル（GDPの一〇％）の国債発行、さらに世界中のあらゆる国で相当額の国債が発行され、そこには当初アングロサクソン型の国庫による刺激策に抵抗しようとしたドイツ（メルケル首相は「お粗末なケインズ主義」と批判）も含まれている。

増大する赤字を補填する元金を掻き集めるべく国家が債券市場に向かうとしても、とりわけ金利の継続的な引き下げを特徴とする現在のようなデフレ期であれば、理論的にはとくべつ問題にならないはずだ（これは債券投資家にとっては相対的に実質利回りが上昇することを意味する）。

しかしながら、インフレ崩壊の結果として税収が減少し、国家が利子を返済する際の困難が増大するのではないかと市場の側が予測することで、すでに国債の実質金利が上昇しつつある。それは経済的にもっとも裕福な国でも同じことだ。公債に投資する国際的な投資家は、国家による債務不履行《デフォルト》のリスクから身を守るため、名目上であれ実質的にであれ、結局はもっとも高い利回りを求める。アナリストによれば、どれだけ債券市場に投機バブルの兆候があり、市場価格の歪みに説明がつくとしても、「各国政府が借入れを始めるや否や実質金利が上昇したというのは、やはり不安材料なのだ」[8]。スペインやギリシャ、アイルランドやイタリアのような国にとって、二〇〇七年までは一般国債での利回り格差はドイツよりすこし高いくらいだったのが、すでに二〇〇八年一二月から国債発行による財源確保にはっきりと問題が増えつつある。ヨーロッパ単一通貨ユーロの発効から一〇年が経つにもかかわらず、市場はユーロ圏内で各国家のリスクを明確に区別しており、この問題は加盟国による信用創造〔銀行の貸付けにより通貨の供給量が増大すること〕や、ユーロ圏の大国にペナルティーを課すことになるだろう共通公債の発行では容易に解決し得ない。この事実は、EUの内部において、諸国家の政策、とりわけ社会政策を本当に統一するという緊急の課題をあらためて提示している。

さらにこうした状況では、公債を獲得する意欲をもつ少数の投資家に対して、債券の発行数が極端に多いため、〈締め出し《クラウディング・アウト》〉（債券市場からの民間の排除）の生じる危険性がきわめて高い。債券市場において私企業と政府が競合し、企業側の債券発行コストが極端に高くなってしまうと、最終的に危機の克服が妨げられかねない。ここまで来ると各国は、アメリカの自動車産業支援にすでに見られるように、私企業をその債券の獲得を通して直接的に支援せざるを得なくなるかもしれない。つまり、非金融企業の半‐国有化〔国家は株主として議決権は持たないが〕の開始である。銀行と金融の分野では、ここ数ヶ月の中央銀行の介入により、こうした事態がすでに起こりつつある。さらに、世界経済が回復するはずだという仮定が成り立つのであれば、〈締め出し〉の反対のプロセス、つまり公債から民間債への移行によって、債務を抱えているすべての国で少なからず公債の利払い金が上昇することになるだろう。

わたしたちが直面しているシナリオは、財政赤字の総額が目も眩むほど大幅に増加するなか、世界レベルで大規模かつ継続的に失業率が上昇し、所得とレントが全般的に減少するというものだ。自由主義的な各国政府が「社会主義的転換」を遂げ、銀行、金融そして保険システムを保護すべく増資や財政出動、銀行の差押さえや為替レートの管理といった手段をとろうとも、信じがたい額の不良債権を抱えている銀行の連鎖的破綻を防ぐことができるとは思えない。二年後、あらゆる国の経済が、さまざまな経済刺激策にも関わらず、いまだ不況から抜け出せていない（スタグ・デフレーション）可能性はもちろんあるし、各国が平価切下げと保護貿易主義政策によって自国に相当量の需要を再輸入し（反グローバリゼーション）、財政赤字のツケを払うことになる納税者との決済を、できるだけ遅らせようとする可能性もある。危機を効果的に管理するための経済・金融政策の範囲は非常に限られている。古典的なケインズ主義的政策には、国家による景気刺激策を実物経済、つまり消費・サービス需要と投資財需要に伝えるルートが欠けている。一方、新たなブレトン・ウッズ体制（国際的通貨管理体制）を論じるにしても、国際通貨体制の深刻な変化、すなわちグローバリゼーションがもたらした国家主権の危機を反映している、さまざまな変化を考慮しないのであれば、さして意味がない。それに対して、新たな〈ニューディール〉、つまり所得、雇用ならびに信用システムを「下から」支えるプロセスを論じようとするのであれば、政治の革新を通して危機からの脱出を実現しうる、社会的な力・主体・闘争形態を分析しなくてはならない。

2. 金融の論理

いまわたしたちが経験している危機をもたらした金融化プロセスは、二〇世紀の歴史上に生じたどの金融化の時期からも区別される。古典的な金融危機が位置していたのは、経済サイクル（G-W-G'）における特定の瞬間、とりわけサイクルの最後であり、いくつもの社会的な力により国際分業体制の地政学的バランスが脅かされ、さらに国際的規模で資本主義的競争が生じた結果、利潤率が低下する時期と一致していた。つまり二〇世紀に典型的な金融化は、もはや実物経済で捉えることができなくなったものを、資本が金融市場において取り戻そうとする、寄生的で絶望的な側面をもつ試みを表していたのである。「利子生み資本」（マルクスは『資本論』第三巻でこう定義しているが、「擬制資本」とも呼ばれ、おもに銀行によって運用される）が蓄積され、特別な重要性を獲得したことは、貨幣による自律した貨幣生産という意味で、二〇世紀に生じた金融化プロセス（マルクスは一九世紀後半すでに明らかにしていたが）の主要な特徴のひとつをみごとに要約している。つまり、いままでの金融危機は、実物経済と金融経済の矛盾・対立する関係に起因していたわけだが、この関係はいまやこれまでとは異なる様相のもとにある。

今日の金融経済は浸透的である。つまり経済サイクル全体にわたって蔓延しており、言うなればそれに最初から最後まで付きまとっている。ひとつイメージを使うとすれば、今日では、スーパーに買い物に行くにしても、クレジットカードで支払いをするのであれば、人は金融のなかにいる。ひとつだけ例を挙げると、自動車産業はすべてが信用メカニズム（分割払いやリースなど）に則って機能している。つまりわたしたちがおかれている歴史的状況では、金融があらゆる財・サービス生産そのものと同質かつ不可分なのである。いまや金融化の糧となる源は、各国経済のなかで生産手段と賃金に再投資されない産業利潤にとどまらず、続々と増えている。具体例を挙げると、海外直接投資がもたらす配当と〈特許権使用料《ロイヤルティーズ》〉の還流に由来する利潤や、「第三世界」の債務が生み出す利子があり、そこに国際銀行による新興国への貸付金利の流れ、さまざまな原料から引き出される資本利得、個人と裕福な家庭が株式市場、年金ファンドそして投資ファンドに投資することで蓄積されるものの合計などが加わる。「利子生み資本」の源と担い手が増殖し広がっていることは、間違いなく新たな金融資本主義をこれまでの資本主義から区別する特徴のひとつだが、と同時にこのシステムを修正し、「脱金融化」することで、実物経済と金融経済のあいだに「よりバランスの取れた」関係を築き直す可能性を考察するための問題を提起してもいる。

これまで同様、今回の金融化もまた蓄積の遮断、すなわち利潤が直接的な生産プロセス（可変・不変資本）に再投資されないことに端を発する。その証拠にこの金融化は、七〇年代以降フォード型の資本主義が成長の危機を迎えるとともに始まっている。その当時、実物経済と金融経済という二分法に基づく古典的な金融化を再現するためのあらゆる前提が揃っていた。その結果、利潤の一部が蓄積をともなわない収益の増大を確保すべく、金融市場に振り向けられることになる。八〇年代の初頭以降、「金融バブルの主な源は蓄積されない利潤の段階的な増加だが、このこと自体が二重の動きに起因する。賃金が全般的に低下する一方、利潤率がふたたび安定したにもかかわらず、蓄積率は停滞（後退とすら言える）していたのである」[9]。蓄積率は純資本総量の増加率を、利潤率は収益と資本のあいだの関係を意味する。一九八〇年に始まるこれらふたつの率の乖離は、金融化の、唯一ではないが確実な指標である。しかし、ポストフォーディズム時代の発展-危機モデルに生じている変容を理解するためには、先に述べたこと、すなわち再投資されない産業利潤に、金融資本を蓄積するその他の源がだんだん加わっていったという事実を覚えておくべきである。

事実、生産者が経営するフォード型の産業資本主義から、今日の金融資本主義の基盤である「株主資本主義」への移行は、一九六〇年代から七〇年代にかけて産業利潤が約五〇％も減少しているという事実に照らせば説明がつく。この減少はフォーディズム型の技術・経済的基盤が枯渇したこと、とりわけ生産プロセス、不変資本、そして政治的に低く固定された労働者賃金が硬直化した結果、大量消費財市場が飽和したことに起因する。その発展の頂点、つまりある特定の資本の有機的構成に到り、フォーディズム型資本主義は、労働者の生きた労働から剰余価値を吸い上げることがもはやできなくなったのである。

それゆえ、七〇年代後半以降の世界経済を推進してきた主な力とは、資本主義的企業が——所有者と投資家に急き立てられて——様々な手段を通して二〇年前よりも高いレベルの利潤率をもたらそうとする不断の試みであった[10]。

その結果はわたしたちの知るところである。労働コストの削減、労働組合への攻撃、労働プロセス全体の自動化と機械化、賃金が低い国々への移転、労働の不安定化と消費様態の多様化。そして他でもない金融化、つまりコストに対して利潤を超過させる（フォーディズムの論理）のではなく、「t_1の時点とt_2の時点（この二点の間隔はわずか数日でも構わない）のあいだで」株式市場における価値を超過させることで収益をあげるという手法である。

実際のところ、企業が金融市場において利潤率を回復させようとしたことと、新株発行による企業活動の資金調達とは、これまでずっと無関係だった。というのも、企業はつねに自己資金調達手段を豊富に持っていたからである。アメリカ企業、すなわち世界で最も証券化が進んでいる国の企業が、株式の発行を通じて資金調達を行ったのは、必要な量の一％に過ぎない。ドイツ企業では二％だ。言い換えれば、経済の金融化とは、利潤率が低下した後で、資本の収益率を回復させるプロセス、生産に直接関わるプロセスの外部で資本の収益率を高めるためのからくりだったのである。まさしくこのからくりにより、企業は「無責任な」やり方で〈株主《シェア・ホルダー》価値〉というパラダイム、つまり〈利害関係者《ステイク・ホルダー》〉（賃金労働者、消費者、小売業者、環境、将来の世代）と呼ばれる「利益生産者」の多種多様な価値に株価を優先させるパラダイムを内面化することになった。企業の総所得に対する（産業）利潤の割合は、一九六〇年代から七〇年代にかけてのアメリカでは二四％から一五―一七％に低下していたが、それ以後いちども一四―一五％を越えておらず、その結果として金融化が構造化され、あらゆる面から見て現代資本主義の活動方法《モドゥス・オペランディ》となったのである。

グレタ・クリップナーが、利用可能なデータの網羅的分析をもとに示したように、アメリカの金融、保険ならびに不動産会社があげた総収益の割合が、製造業部門があげた収益に八〇年代で追いつき、さらに九〇年代には超えてしまっただけではない。さらに重要なのは、七〇年代から八〇年代にかけて、非金融企業が設備投資に比べて金融商品への投資を急激に拡大し、生産活動よりも金融投資からあがる収益と利潤にますます依存するようになったという事実だ。とりわけ注目すべきは、この非金融経済の金融化という傾向において、製造業が量的に見て圧倒的なだけでなく、このプロセスを導いてさえいたというクリップナーの指摘である[11]。

産業利潤と「擬制」金融利潤の区別に基づく、実物（産業）経済と金融経済の区別をお役御免にするには十分だろう。また、理論的・歴史的観点から見て、資本主義と産業資本主義の同一視（アリギが書いているように、これは正当化しようのない正統派マルクス主義の信仰表明である）もやめるべきである。もしここ三〇年間に企業が取り入れた〈株主価値〉というパラダイムを描くにあたり、「無責任な企業」について真剣に論じようとするのであれば、カルロ・ヴェルチェッローネの秀逸な表現、すなわち「利潤のレント化」に基づく生産プロセスの変容について論じるのが正しい。

金融資本主義というポストフォーディズムが形成されるなかで、賃金は減少し不安定になり、資本への投資は停滞するが、その際に収益の実現（つまり生産された剰余価値の販売）という問題が、非賃金所得による消費の役割へと向かうことに疑いの余地はない。この分配という側面において、資本の再生産は（その特徴である富の極端な偏在をともないつつ）、レント生活者《ランティエ》による消費の増加と、賃金労働者の借金消費によって実現される。金融化により、非常に不均衡かつ不安定なかたち（拠出金の額に応じて変動する個人年金がもたらす年金収入を考えてみるといい）ではあるが、賃金労働者に対しても金融収益の再分配が、動産・不動産収入という二つの形態（アメリカではそれぞれ二〇％と八〇％）で行われた。つまり利潤だけでなく賃金もまたある意味でレント化しているのである。

とりわけ、家計債務の増加（それに対応するかたちで、アメリカとヨーロッパにおいて、程度の差はあるが相当量の貯蓄の減少がみられる）は、金融資本主義がグローバル規模で拡大再生産されていくことを可能にしたものである。社会国家による再分配機能の縮小と並行してこの期間に見られるのは、ケインズを思い起こさせる〈赤字財政支出〉の民営化、つまり私的債務（とそれにともなう家計へのリスクの移動）を利用した追加的需要の創出だと言える。この私的債務の爆発的拡大が容易に起こりえたのは、とりわけ二〇〇〇年から二〇〇二年にかけてナスダック指数が崩壊して以降、拡大傾向を強めた金融政策と金融〈規制緩和〉のおかげである。このような政策は債権の証券化を後押しした。具体的には〈債務担保証券（ＣＤＯ）〉や〈ローン担保証券（ＣＬＯ）〉、そして〈クレジット・デフォルト・スワップ〉など、投資リスクを防ぐために金融投資家のあいだでやりとりされるデリバティブ保証債券のことだ。こうした信用デリバティブ商品は全部で六二兆ドルにものぼる。一〇年間で一〇〇倍になったのである。(12)

証券化によって金融機関（抵当銀行やクレジット会社）は、顧客に貸し付けた債権を投資銀行に売却し、バランス・シートから切り離せるようになる。投資銀行はリスクの異なるさまざまな債権をプールし、これをもとに債券を発行する。この債券をそのために《アド・ホック》設立された「特定目的事業体《スペシャル・パーパス・ビークル》」が短期負債として取得し資金を供与する。そして最後にこの債券が〈ヘッジ・ファンド〉や証券会社、年金ファンドなどに捌かれる。この複雑な金融工学は最終的に、信用取引の総額を人工的に増加させ（レバレッジ効果）、金融機関のバランス・シートを実行された貸付から解放することで、彼らが新たな貸付を行うことを可能にする。このように富を増大させるやり方は、ある種のパンの増殖〔キリストが行った奇跡のひとつ〕である。というのも、証券化により信用取引を増殖させるこの仕組みには、創出された剰余価値の一部に対する権利としての債券のフローと、純粋に貨幣的な利子と配当のフローが乖離するリスクが本質的に孕まれているからだ。

アメリカにおける抵当負債は、GDPの九三%に匹敵する家計負債の総計によりGDPの七〇%を超え、二〇〇〇年からは消費増大の主な財源に、二〇〇二年以降は不動産バブルの原動力となった。この消費はいわゆる〈リモーゲイジング（remortgaging）〉、つまりインフレ的に上昇する家屋の価格によりさらなる貸付を受けるべく、不動産ローンを売買する可能性から資金を引き出していた。〈ホーム・エクイティ・エクストラクション〉と呼ばれるこのメカニズムが、アメリカの経済成長において中心的な役割を果たしたのである。米国経済分析局の試算によれば、二〇〇二年から二〇〇七年にかけて、この〈ホーム・エクイティ・エクストラクション〉の増加によりGDPは平均一・五%増加している。抵当貸付と消費の増大というプラスの影響がなければ、アメリカにおけるGDPの成長率はユーロ圏のそれと同等、あるいはそれ以下だっただろう。(13)

この〈サブプライムローン〉から明らかなのは、成長し利潤をあげるために、金融は中産階級だけでなく貧困層をも巻き込む必要があることだ。この資本主義が機能するためには、いかなる保証を与えることもできず、自分自身以外にはなにも差し出すものをもたない人びとの剝き出しの生に投資することが必須となる。つまりこれは、剝き出しの生を利潤の直接的な源泉にする資本主義なのである。しかも金融の機能は、不動産価格が無限に上昇してゆくという期待（資産効果）に支えられている。このインフレ的上昇なくしては、潜在的な無産者階級を巻き込むことは不可能であり、金融収益の継続性を保証することもできないだろう。問題となっているのは、ある種のポンツィ・スキーム〔Charles Ponzi (1882-1949) の名前に由来する一種のネズミ講〕あるいは飛行機ゲームであり、ナスダック元会長バーナード・マドフが設計した聖アントニオの鎖が教えているように、最後の参加者が最初の参加者の報酬を可能にする。マドフは驚くべき数の善良な金融投資家を巻き込むことで、五〇〇億ドルなどという額を手に入れることに成功したのである。

この内包的プロセスの限界を画すのは、社会的所有権（たとえば家）と私的所有権、社会的ニーズの拡大と市場の私的論理との矛盾だ。この限界上に、みずからが招いた危機を資本が乗り越える可能性のみならず、階級闘争もまた賭けられている。問題となっているのが時間的限界であることは、たとえば〈サブプライムローン〉に典型的な抵当契約の構造を考えてみればわかる。〈二／二八ハイブリッド型ローン〉という方式、つまり最初の二年間はまさに「所有者」をどんどん増やすために支払い金利は低く固定されているが、残りの二八年間は変動利息制であり、それゆえ一般的な景気変動と金融政策の動向に左右されるという方式は、社会的所有権と私的所有権の矛盾を代表するものだ。使用価値（住居へのアクセス）が相対的に優位な二年間を過ぎると、交換価値が優位な二八年間へと移行し、きわめて暴力的な追放／排除という結果がもたらされる。こうして金融の論理は〈コモン〉（の財＝共有財）を生産しておきながら、あらゆる種類の稀少性——金融手段、流動性、諸権利、欲望、権力——を人為的に創出することによって、〈コモン（＝共有地）の住人〉を排除し、〈コモン〉（の財）を分割・私有化するのである。このプロセスは、一七世紀の〈囲い込み《エンクロージャー》〉の時代を思い出させる。当時、共有財《コモン》としての土地のうえで／によって生活していた農民は、共有地の私有化・分割プロセスにより排除された。このプロセスが近代プロレタリアとその剝き出しの生の起源となったのである。

主権の規範と規律に対するスピノザの抵抗について論じながら、アウグスト・イッルミナーティは囲い込みプロセスの法‐規範的本質を強調している。曰く、スピノザは、

> 土地を無視したのではない。けれどスピノザの言う土地とは、一七世紀の〈囲い込み〉により周縁化され、家畜飼育と狩りのために囲い込まれ、（水平派《レベラーズ》の言葉を借りれば）羊が人間を食い殺す平原ではないし、人間が無気力な羊に貶められ奉仕することだけを学ぶ土地でもない。なぜならそれは平和でも市民権でもなく、solitudo〔孤独〕つまり砂漠だからだ。[14]

つまり、本源的あるいは原初的蓄積、すなわちサンドロ・メッザードラが明らかにした、数百万の人々が賃金労働者・プロレタリアと化す現象は、資本が拡大し、資本主義的な搾取の法則に縛られない、さまざまな社会関係と協働が生み出すコモンと衝突するときにはかならず生ずる歴史的プロセスなのである。[15]ということはつまり、コモンの創出は、資本主義の発展に先立ち、そこから逸脱し、その将来の分節を規定するのである。

3. レント化する利潤

金融のもつ寄生的ではない機能、つまり消費の増大を保証しつつさまざまな収益を産み出す能力は、いずれにせよ分配という視点だけでは説明できない。利潤が増大すれば、資産所有者に剰余価値の配当を分配できるというのが事実である一方、金融の糧となる利潤は蓄積されない、つまり（不変・可変を問わず）資本に再投資されることがないにもかかわらず、金融工学によって急激に増殖するということも紛れもない事実なのである。こうした分配という観点

から金融化を分析することで明らかになるのは、疑いようもなく有害なプロセスである。つまり、金融資本があらゆる集団的利害（賃金と雇用の安定性、年金収入や株式投資された貯蓄の激減、クレジット消費にアクセスできない状況、奨学金の蒸発）から自律し、その自己言及的な力学においては、より高い株価配当への飽くなき追及が、あらゆる規則・管理の外にあるがゆえに統治不可能な金融商品の増殖を通じて、擬制利潤の増大をもたらすのである。その結果、この生産様式の成長‐危機モデルは、社会的ニーズと、過剰な収益率を基準とする金融の論理との乖離を広げることになる。具体的にいうと、先進国では人間生成《アンソロポジェネティック》モデル、つまり人間による人間の生産モデルが有力となり、消費はますます社会や健康、教育そして文化などの分野へと向かっているが、この流れが、これまでは公的規準に従って運営されてきた広大な分野の民営化と衝突している。一方、新興国・発展途上国では、価値増殖の空間が拡大することで、過剰搾取と地域経済の破壊というプロセスが引き起こされている。金融資本主義により社会全体に収益率という要求が課され、富を分配するためなら喜んで社会的紐帯と生そのものの質を犠牲にする成長モデルに追い立てられて、社会的退行が昂進している。賃金デフレーション、労働ストレスに起因する医療コストの増大（GDPの三％！）をもたらしながら病的になってゆく労働、社会格差の拡大などは、金融の論理、そして金融資本主義に典型的な脱地域化の帰結である。

問題は、（究極的には経済至上主義的な）分配という観点から分析すると、金融資本主義の成長‐危機モデルが行き止まりに辿り着かざるをえないということだ。窓から投げ捨てられたもの、つまり金融の寄生的性質という常套句《コモン・プレイス》が、こっそりと正面入り口から戻ってきてしまう。実践的‐政治的にはもちろん、まず理論的にみて、袋小路は誰の目にも明らかだ。このような観点では、危機から抜け出す戦略を練り上げることは不可能であり、さまざまな経済刺激策は、金融（わたしたちはまさにその人質である）の救済を前提とする一方、経済復興の可能性そのものを無化してしまう。

批判的に、ということは政治的に金融資本主義の危機を分析するには、スタート地点、つまり金融化の起源である例の蓄積をともなわない利潤の増大に立ちもどる必要がある。言い換えれば、フォードモデルが危機に陥り、資本が生きた直接労働（工場における賃労働）から剰余価値を引き出すことができなくなって以来、支配的になってきた価値生産プロセスと表裏一体をなすものとして金融化を分析する必要があるのだ。本論考では次のテーゼを提示したい。すなわち、金融化とは、剰余価値と集団的貯蓄のなかで非生産的／寄生的な方向に逸脱する部分が増大することではなく、新たな価値生産プロセスと対称をなす資本の蓄積形態である。とすれば、今日の金融危機は、資本蓄積を欠いた価値生産プロセスが内部崩壊した結果ではなく、新たな資本の蓄積形態が遮断されたことに起因するものとして理解されなくてはならない。

　消費領域において金融の果たす役割以外で、ここ三〇年間に起こってきたこと、それは剰余価値そのものを生み出すプロセスの変貌である。変貌を遂げた価値増殖プロセスは、もはや価値の抽出が財・サービス生産という委託地に限定されているとは見なさず、工場の鉄柵を越えて拡大し、資本が流通する領域、すなわち財とサービスが交換される領域に直接入ってゆく。つまり価値を抽出するプロセスが、再生産と分配の領域にまで拡大しているのだ（これははるか昔から女性のよく知る現象だということは言うまでもない）。経営側の理論・戦略という場面においても、ますます公然と生産プロセスの外部化、〈クラウドソーシング〉、つまり大衆《クラウド》とその生のかたちに価値を付与する方法が論じられている(16)。

　この生産という観点から金融資本主義を分析するとは、生《バイオ》経済(17)、あるいは生資本主義を論じるということである。その対象とはつまり、

　人びとの生との結びつきをいっそう強めていることが特徴の〔資本主義〕形態。これまで、資本主義が主として頼ってきた手段は、機械や労働者の肉体によって行われる原料の変形だった。それに対し生資本主義は価値を生産するにあたり、労働の物質的道具として機能する身体を越え、その全体性《グロバリタ》において把握される身体からも価値を抽出する(18)。

金融危機をめぐる本分析では、ここ数年のあいだに発展してきた生資本主義と認知資本主義に関する研究・理論への言及は、方法論的なものにとどまる。ここではその重要な特徴を入念かつ余すところなく描写するよりも（こうした作業を行っている研究者は、先に引用した者たちをはじめとしていっそう増えつつある）、新たな資本主義の発展‐危機モデルの基礎にある、金融化と価値生産プロセスのつながりを明らかにすることに焦点を当てたい。

価値生産が外部化され、再生産領域にまで拡大している具体例はいまや非常に多い(19)。企業による〈アウトソーシング〉の最初の段階、つまり非正規労働・自律的労働の第二世代が登場し、流通領域が資本主義によって植民地化される段階から、消費者が正真正銘の経済的価値の生産者に変容させられるまでは地続きである。分析が単純化される恐れはあるが、すでに典型例となっているものについて考察しておこう。Ikeaである。この会社は一連の機能すべて（購入する商品のコードを特定する、商品を探す、棚からおろす、車に積む、など）を顧客に任せたのち、本棚Billyの組み立て作業を外部化している。つまり具体的な固定費と変動費が外部化され消費者に負わされるが、その対価は価格に最低限反映されるだけなのに対し、企業にとっては大幅なコスト削減となっている。他にも例を挙げることができる。マイクロソフトやグーグルをはじめとするソフトウェア会社は、プログラムの新バージョンを、日常的に消費者にテストさせている。こうしたいわゆる〈オープンソースソフトウェア〉は多くの人びと、つまり「生産的消費者」が行う改良作業の成果である。

こうした資本による新たな価値増殖プロセスがもたらす最初の帰結は次のものである。すなわち、価値を抽出するためのさまざまな新手段を通じて創出される剰余価値の量が莫大だということ。この莫大さは、直接・間接賃金（年金、社会的セーフティネット、個人的・集団的貯蓄の収益）の圧縮、網状のフレキシブルな企業システムによる、社会的必要労働の削減（雇用の不安定化、非正規雇用）、そしてますます増大してゆく自由＝無償労働の創出（消費・再生産領域における労働、さらには認知的労働の強化）に依拠している。大量の剰余価値、つまり未払い労働が生産領域に再投資されない利潤増大の源にあるため、そうした利潤が増大したところで、雇用創出はもちろん賃金成長はなおさらもたらされないのである。

それゆえ、こうした側面から危機の原因をめぐるマルクス主義者の論争[20]に言及するのであれば、部分的にはアラン・ビールのテーゼに賛同できる。彼によれば、私たちはすでに「剰余価値の過剰」を目撃しているということになる。だがここでビールやハッソン（既出）との異見を述べると、これは蓄積の欠如、つまり不変／可変資本に再投資されない利潤の結果ではない。この剰余価値の過剰とは、反対に、資本の流通・再生産領域においてフォーディズムの危機このかた構築されてきた新たな蓄積プロセスの結果なのだ。だとすれば、ビールに対するフランソワ・シェネの反論、つまり相当数のアメリカ・ヨーロッパ多国籍企業が実際には海外直接投資（中国、ブラジル、そしていくらかの困難はありながらもインドに対して）を増大させたことを考えれば、剰余価値の過剰がもたらしたのは市場による新たな販路の追求だけではないという反論は敷衍されるべきだろう。資本の利潤への渇望を典型的に反映する直接投資は、経済的先進国の外部に対してのみならず、まさにその内部で、すなわちその流通と再生産の領域でも行われたのである。そしてこれは、望むと望まざるとにかかわらず、フォード型の労働者階級に対する資本の長きに渡る進軍の結果であり、資本自身にとっても必ずしも幸福とはいえない結果なのである。

認知資本主義に関する研究は、付加価値の創出における認知的／非物質的労働の中心性を明らかにするにとどまらず、固定資本（物理的生産財）の戦略的重要性がいっそう失われ、一連の生産‐道具的機能が労働力の生きた身体に移転していることをも示している[21]。

知識に基づく経済はその内部にある興味深いパラドクスを含んでいる。どんな新しい財もその最初のユニットは企業にとって非常にハイコストである。というのも、それを生産し商品化するには研究段階で莫大な投資が必要だからだ。一方、そのあとのユニットにかかるコストは非常に低い。単純にオリジナルを複製すれば済むわけで、生産拠点の移転、使用可能なテクノロジー、そしてデジタル化プロセスなどがもたらすさまざまな利点により、経済的に実行することができる。その結果、企業はその努力と資源をアイデアの生産に集中させるが、コストの漸進的増大傾向に直面することになる。[22]

収穫逓増の理論に関わる認知資本主義のこの特徴が、活動過程すべてを労働コストの低い国へ外部化する諸形態、独占価格販売により初期コストを償却するのに必要な稀少性の創出プロセス（特許、免許、コピーライト）、そして最後に資本財への直接投資が減少していることの起源にある。さらに、初期コストを減らすため、多くの企業が「設備投資をしない代わりに、必要な物的資産をリースの形で借りて短期の経費、つまり営業費として計上している」[23]。

それゆえ、蓄積、利潤そして金融化の関係を解釈しなおすためには、ポストフォーディズム型生産プロセスの主な特徴をこそ出発点にすべきである。利潤が増大し、金融化の糧となりえたのは、生資本主義においては資本蓄積の概念そのものが変容したからだ。それはもはやフォード時代のように、不変資本と可変資本（賃金）にではなく、生産に直接かかわるプロセスの外部で価値を生産・捕獲するための仕組みに投資することから成り立っている。こうした〈クラウドソーシングの技術〉は、新たな資本の有機的構成を表している。つまり、不変資本が社会に拡散／普及する一方、可変資本もまた、再生産、消費、さまざまな生のかたち、個人・集団の想像力などといった領域のなかで境界を失い、脱空間化され、分散しているのである。新たな不変資本を構成するのは、フォード時代に典型的な（物理的）機械システムではなく、情報・コミュニケーションテクノロジー、そしてなにより労働者をその生活のあらゆる時間にまで追いかけることで、剰余労働を吸い尽くす非物質的組織システムの全体だ。その結果、労働日と生きた労働時間が拡大・強化される。この生きた労働時間量の増大は、戦略的生産手段（知識、さまざまな知、協働）が労働力の生きた身体に移行していることを反映するだけでなく、古典的な生産手段が経済的価値を失いつつあることも説明してくれる。それゆえ、近年ずっと続いている株式市場依存の目指すところが、直接的に雇用と賃金を増大させる投資ではなく、純粋かつ単純な株価の上昇だとしても不思議ではない。先に述べた自己金融による投資が何かを明らかにしているとすれば、それは、〔現代資本主義の〕蓄積の動力が、社会の内部で価値を生産・捕獲する装置としての金融化に関わっているということである。

それゆえ、ここ三〇年間の利潤の増大は、古典的な生産プロセスの外部にあるという意味で前代未聞の蓄積であるとはいえ、やはり蓄積をともなう剰余価値生産に帰することができる。この意味で、生産に直接かかわる空間の外部で生み出される価値が捕獲されるようになった結果、「利潤（そして賃金そのものの一部）がレント化」しているという考察は正しいと言える。興味深いことに、今日の生産システムは、重農主義者が理論化した農業を中心とする一八世紀の流通経済に似ている。ケネーの『経済表』において、地代〔土地のレント〕は賃金労働者の農業労働（土地を借りている資本家の労働も含まれるが、その収入は利潤ではなく、彼が雇う労働者の賃金とおなじものと見なされていた）が生み出す純生産物〔剰余価値〕の割合を表しており、物理的生産手段は考慮の対象にすらなっていなかった。ケネーの定義では、生産財（不変資本）の生産者は不毛な、つまり純生産物を生産しない階級の一部なのである。不変資本つまり生産財を純生産物の要素から除外するということは、第一次産業革命とともに現れた古典派経済学の父たちがのちに示したごとく、あきらかに間違いだった。しかしその結果として不変資本がもつ経済的価値と、可変資本に対するその質的差異が発見され、それが近代資本主義を根本的に特徴づけた認識上の飛躍、つまり生まれつつあった資本主義において危機‐発展モデルが果たす梃子としての役割とともに、資本・労働という「生産要素」が分離しており、相互に自律していることを認識させる基礎になったというのが真実だとすれば、この間違いは認識を生み出すものだったと言える。

社会体を刺激するさまざまな生のかたちは、リカードの地代論における土地の同等物だと言えるだろう。唯一の違いは、リカードの（絶対／差額）地代とは異なり、今日のレントはまさしく金融化プロセスのおかげで利潤と同一視できるということである。みずからに特有の論理――とりわけ貨幣による貨幣生産が、直接的な生産プロセスから自律すること——を備えた金融化は、生資本主義に典型的な価値生産の外部化と表裏一体の関係にある。金融化は生産された剰余価値の実現／換金に必要な有効需要の創出に貢献するだけではない。つまりさまざまなレントと債務を大量に創出し、GDPが控えめなまま停滞してしまうことを防ぐだけではない。金融化は、生資本主義の継続的革新、つまりその生産の継続的飛躍を根本的に規定するのであり、しかもその際に、株価を最優先させる超生産至上主義的な自己の論理を社会全体とすべての企業（上場しているかどうかは問わない）に強要するのである。金融化が規定するこの生産の飛躍は、資本の「創造的破壊」、すなわち危機の頻度を高めることで体系的に実行される。そうした危機において、社会的富へのアクセスは、［レントを生み出す］手段として刺激されたのち、そのつど破壊されるのである。

したがって、七〇年代にフォーディズムが危機を迎えて以来の投機バブルは、流通領域を「資本が植民地化してゆく」長期的プロセスにおける危機の瞬間として理解すべきだ。このプロセスはグローバルなものである。つまりグローバリゼーションとは、社会・経済的周縁部のなかで、地域的にもグローバル規模でも、金融生資本主義の論理にしたがい包摂される部分が拡大してゆくプロセスであることを説明してくれるのである。帝国主義から〈帝国〉への移行、つまり〈南〉の経済が本質的に安価な原料供給地として、さらに市場の外部にある販路として機能していた先進国‐発展途上国間の相互依存関係から、内部／外部という二分法が失われる〈帝国的〉グローバリゼーションへの移行もまた、価値生産プロセスの外部化という資本主義の論理に帰せられるべきである。金融化とは、新たな資本主義にふさわしい有害な蓄積様態を表している。

4. グローバル〈ガバナンス〉の危機

二〇〇七年八月、サブプライムローンの爆発をもって始まった今回の金融危機は、ますます長引く様相を呈している。危機を覆い尽くす〈信用収縮〉に銀行破綻、相次ぐ金融当局の介入は危機の構造に影響を及ぼすには到らず、経済再生策にかかるコストは膨らみつづけ、各国は財政破綻のリスクに晒され、デフレ圧力がかかり、インフレは暴力的に回帰しかねず、失業率は上昇し、所得は減少している。あらゆる面から見て、今回の危機は歴史的なものである。つまりフォード型の蓄積様態が危機を迎えてからのち、経済が段階的に金融化していくなかで積み重なってきたさまざまな矛盾をその内部に抱えている。(24)

とはいえ、この危機が決定的になると同時に加速したのは、一九九七年と一九九九年のアジア通貨危機からである。アジア通貨危機は、国際金融秩序における体制転換を印している。というのも、ドル債務超過が引き起こした不動産投機と地域通貨への過剰産業投資による危機を乗り越えるべく、東南アジア諸国がそのとき以来、国際通貨での貯蓄を決定し、世界的な通貨・金融システムの不安定性に内在する更なる破壊的危機のリスクに備えようとしたからだ。つまりアジア諸国が、内需に牽引される成長から、輸出を基盤とする成長モデルを選んだという意味で、経済モデルに根本的な転換が起こったのである。こうしてアジア諸国はドル債務者から、とりわけアメリカの債権者になった。(25)外貨を蓄積するため、アジア諸国は国際取引において「略奪的／攻撃的」政策を採用し、大幅な平価切下げ、デフレ競争政策、そして国内消費の制限を実施した。これに中国やインドといった国々にたいする国際貿易の開放を加えれば、アジア諸国の転換がもたらした具体的結果が、デフレ効果をもつものだったことが理解できる。つまり、世界規模でいきなり倍増した活動人口の影響を受けた賃金はもちろん、中国と、より小規模だが質では劣らないインドで生産され輸出された産業消費財にもデフレ効果をもたらしたのである。賃金デフレーションは「さらに、レバレッジド・バイアウト〔LBO。被買収会社の資産を資金調達の際の担保とし、買収後に被買収会社の資産により借入等を返済するM&Aのこと〕による企業買収の進行などを通じて、実物経済分野の企業に金融の論理が入り込むことで大幅に深刻化した」。(26)

デフレリスクはインターネットバブルの崩壊後さらに現実味を帯びる。事実、インターネットバブルの拡大期（一九九八年―二〇〇〇年）に借入れを行った企業が、二〇〇二年以降に債務の返済を行ったため、アラン・グリーンスパン率いる連邦準備制度（Federal Reserve）は拡大金融政策を進めざるを得なくなっている。九〇年代に日本が経験したデフレスパイラルに突入するのを避けようと、アメリカの金融当局は長期間にわたり政策金利を低め（一％前後）に維持することを決定するが、その理由には、二〇〇二年以降に生じた企業の倒産（たとえばエンロン）をうけて、拡大金融政策が株式市場の信用を回復できずにいたということもあった。いずれにせよ、マイナスの実質金利は私的負債を後押ししたわけだが、それと同時に銀行もまた、昨今非難の的となっている一連の金融商品と証券化（いまや有名な〈不良資産〉）を展開し、貸付け量を増やすよう刺激されたのである。

サブプライムローンバブルはこのような文脈において始まった。企業はマイナスの実質金利のおかげで、部分的とはいえ、債務の返済を果たしたが、その一方でアメリカの家計は急激に債務を増やしていった（多くの場合喜んで債務を増やすよう唆されたのである）。この債務による消費の増大は、アメリカの貿易赤字を拡大させ、その結果として、アジア諸国（すでに述べたように、大量にドルを購入しその減価を避けることで獲得された利益を不胎化〔通貨当局が外為市場介入にともなう通貨需給の変動を、それとは反対のオペレーションにより相殺し、結果として通貨量が変動しないようにすること〕し、財政黒字によって国家ファンドを設立した）の重商主義的な金融政策をさらに強化することになる。デフレ傾向が深刻化したもうひとつの理由は、アジア諸国の貿易超過が（その不胎化政策にもかかわらず）、輸出国である同諸国への投資を生み出し、この投資が今度は、安価な労働力だけでなく、高品質と最高の付加価値をも備えた新興国の競争力を高めたことだ。

図式的ではあるが、サブプライムバブルの崩壊をもたらした力学を描写することで明らかになるのは、まさしくひとつの資本主義的蓄積プロセスが世界的に形成されるなかで、今回の危機が高まっていったということだ。この形成過程において金融化は、金融レントと消費に充てられる債務を産み出すことで、国際貿易にシステム上の一貫性を与えつつ、グローバル資本が成長することを可能にした。グローバル規模で成長していくなかで資本は、とりわけITバブルが崩壊し、それに続き企業が債務の返済を果たしてから後、外部化のプロセスをさらに進め、生きた労働のコストを削減すると同時に、不変資本への投資の増加とは無関係な剰余価値の量を増大させつつ、その有機的構成を変えていった。事実、とりわけ一九九八年から二〇〇七年にかけて、大企業（S&P500〔アメリカのスタンダード&プアーズ社が算出している株価指数。ここではその基となる上場企業五〇〇社のこと〕）では再投資されない利潤の割合（フリーキャッシュフローマージン）が非常に高くなっている。こうして蓄積された流動性は、家計貯蓄の減少や家計負債の増大により、こちらも大幅に増加した消費と完全に並行している。

常なることだが、資本の危機というものは、その成長を規定してきたのとおなじ諸力が原因となって爆発する（取引サイクルに典型的ないわば回文的動向）。しかし今回の危機はこれまでの危機と比べると、何かしら前代未聞のことを明らかにしている。それは、一九九七年から九九年の危機以降、アジア諸国が採用した「重商主義的」金融政策を受けて自国市場にやってきた流動性を、アメリカ金融当局が管理しきれなくなったということである。この特質（アラン・グリーンスパンは「謎《カナンドラム》」と呼んだが、ミシェル・アグリエッタとロラン・ベルビがすでに明らかにしている）[27]は、新興諸国と原油の生産・輸出国からアメリカの債券市場——とりわけ財務省長期債権（Treasury bond）と連邦住宅抵当公庫（Funnie Mae）、連邦住宅金融抵当金庫（Freddie Mac's）の債務証券——へと流れ込んだ流動性の影響に目を向けさせる。事実、新興国から流れ込む継続的かつ巨額の流動性によって、たとえば財務省長期債権のような長期金利は引き下げられたわけだが、その一方で連邦準備制度は二〇〇四年から二〇〇七年にかけて、短期政策金利を一%から五・二五%まで引き上げ、何度も信用取引量の増大に歯止めをかけようとしていたのである。「長期金利が短期金利より低くなるという、利回り曲線が逆転したこの非常に特殊な状況、ここまで長期間にわたると異常な状況こそが、緊縮の度合いを増していく金融政策にもかかわらず、アメリカにおいて長いあいだ貸付けコストが非常に低いままだった要因である」[28]。貨幣市場で大量に借り入れを行うことのできた銀行は、リスクが高まるなかでも家計に貸付けを行う手段を手にすることになった。その結果、アメリカでは二〇〇六年まで、その他ヨーロッパ諸国では二〇〇八年まで不動産資産価格が上昇し続ける（一〇年間でフランスでは六〇—八〇%、イギリスとスペインでは二倍に上昇）。

してみると、アメリカ金融当局による〈ガバナンス〉が危機に陥っているのは、世界中、それもとりわけ新興諸国から流れ込む流動性の影響を、彼らが管理しえなくなったからだと説明できる。実際のところ、アジア経済危機後のグローバリゼーションは、先進国において取引サイクル上の危機リスクが高まっていることを隠蔽するのである。というのも、長期債務証券のリスク・プレミアムが減少することで、金融セクターの貸付けはあらゆる資産を評価するよう仕向けられるからだ。このような推移のなかで危機を分析するにあたり中心となるのは、またしても時間的次元である。不動産危機の兆候は二〇〇四年からすでに明らかになりつつあった。その証拠に、連邦準備制度が政策金利の引き上げを実施し始めているのである。しかし外部から流れ込む流動性のせいでさまざまな金融政策は無化されてしまい、結果としてバブルはそのまま二〇〇七年八月まで膨らみ続ける。それだけではない。二〇〇六年半ばにはすでに、不動産価格は上昇を止め、同年末には下降しているのだ。しかしバブルが弾けるのは、二〇〇七年八月、格付け会社がようやく（すでに不良化していた）債務担保証券の格下げを決定し、さらに一年後、取引サイクルが逆転したからである。[29]

言葉を換えれば、貨幣〈ガバナンス〉の危機は、経済サイクルと金融サイクルの乖離を暴き出している。つまり前者は後者よりも短期間で展開するのである。実物経済サイクルでは、あらゆる〈ビジネスサイクル〉同様、価格のインフレ的上昇（たとえば不動産価格）が止まり、需要の減少がもたらされるときに危機が始まる。そこから需要の拡大ペースが下がってゆくのは、ある財に生じているバブル、つまりその価格の「非合理的」上昇を、将来利益の割引現在価値によってはもはや正当化できなくなるからだ。これまでの経済サイクルであれば、こうした減速は完全雇用に近づくにつれ現れるものだった。金融システムにとってこのことは、サイクルの上昇局面で行われた貸付けの返済リズムが遅くなることを意味する。つまり企業と債務を抱えた消費者は、企業にとっては売上高、家計にとっては所得の額が減少し始めるがゆえに、債務返済に困難の兆候を見せるのである。小規模金融機関から中央銀行にいたるまでの銀行にとり、これが金利を上昇させるときである。

金融のグローバル化によって決済、つまりサイクルの反転が先送りにされるのは、国内実物経済サイクルが反転の兆し（不動産財価格の下落）を見せているにもかかわらず、企業と消費者に対する貸付け量がなおも増大しうるからである。アメリカ国際収支の動向もまた、差し迫る危機の兆候を隠蔽した。事実、高くはなくとも確実な収益率を求めて新興国から流れ込む多額の貯蓄が、アメリカの対外直接投資（とりわけ他の通貨と比較してドルが安いときには、国内投資よりも収益率が高く、アメリカ企業の利潤を増加させる）の流れと釣り合っている限り、アメリカ金融当局は国際貿易収支の不均衡という、以前から誰の目にも明らかな問題に直面することを避けられるのだ。

さらに、アメリカによる金融〈ガバナンス〉を危機に陥れているこの時間的乖離は、地域的危機が間をおかずグローバルなものへと変容する発端でもある。もちろんこうした事態は、リスクと不良債権がこの時期に撒き散らされ、世界中の銀行、保険会社、〈ヘッジ・ファンド〉、〈エクイティ・ファンド〉、年金ファンドそして投資ファンドのポートフォリオが汚染されたことに起因する。しかしよく見れば、問題となっている危機が不良債権の世界的拡散をはるかに超えるものであることは、流動性を大量に注入することで銀行・保険システムの資本増強を行うべく、世界中の政府がこれまで実施してきた介入政策がことごとく無効だったという事実から明らかである。したがって、金融〈ガバナンス〉の危機は、私たちが現在経験している危機の一部、その始まりを示すに過ぎないと言える。その証拠に、金融危機の最悪の局面（二〇〇八年一〇月）において、大方の予想に反し、ドルはあらゆる通貨に対してレートを高めたのである。「異常なのは、ここ数週間の間にドルがほかのあらゆる通貨に対して堅調になったことである」[30]。しかし、二〇〇七年八月、つまり〈サブプライムローン〉危機の最中に起こったように、いったん復調したドルが再び下落し始め、原油・食料品価格の高騰によって二〇〇七年から二〇〇八年にかけて生じたのと同じインフレ効果をふたたび世界中にもたらすということもありうる。こうしたことから推測されるのは、アメリカやイギリスのごとき構造的な赤字にある国々と、新興諸国やドイツ、日本のごとき構造的な黒字にある国々とのグローバルな不均衡は、今後も長引かざるをえないということである。長引くとはつまり、経済救済策が実施され、ITバブルの崩壊以降、アメリカへと流れ込んだ流動性が、先述した信用取引におけるレバレッジ効果を生み出すことを許してしまった銀行・金融規則が改善された後もということだ。

このことを理解するためには、一見すると挑発的に思われるかもしれないが、次のように問うてみるだけでいい。

アメリカと世界中の金融当局はほかに何ができたというのか、と。もちろん、あとからであれば何でも言える。たとえば、慎重な金融政策、銀行の支払準備金の増加、発行される証券のより詳細な点検、サブプライムローンを担保とした証券化に対するより厳しい規制などを（まさしく事後的に）声高に求めることもできる。しかし、アメリカの金融当局と新興諸国の中央銀行にいったい何ができただろう？ 前者はデフレリスクに直面し、後者は一九九七年から九九年にかけての危機からぼろぼろの状態で抜け出してきたところだったのだ。答えは、実際になされた以外の何もできなかったというものである。連邦準備制度が金融引き締め政策を実施することで、経常収支の対外赤字を抑える、あるいは減らそうとしていたとしても、まずアメリカ、それから新興国において景気後退がもたらされるだけだっただろう。そもそも、問題となっているのがインフレではなくデフレだったときに、連邦準備制度はどうすれば金融引締め政策を正当化することができただろうか？

今日の金融資本主義とそれに固有の金融政策の特徴が、経済‐金融サイクル内部で起こっている事態を、その外部から管理することの不可能性である点を思い起こしてみればいい。アンドレ・オルレアン、ミシェル・アグリエッタ、ロバート・シラー、ジョージ・ソロス、フレデリック・ロードンらのものをはじめとする理論的分析が、バリューアットリスク（Value at Risk）モデルを用いて金融投資家の行動を理解しようとしても、多種多様な行為者《アクター》の認識行為と市場操作行為、経済的合理性と模倣行動とを区別するのは不可能であることを明らかにしている。市場の完全かつ透明な情報をもとに合理的予測が可能であるとする新古典派経済学の理論は、有効性を失って久しいが、それは金融市場の中心的要素、つまりその特徴である不確実性、すなわち実物経済と金融経済、グローバル経済システムの外部と内部という二分法が失われたことに起因する不確実性を除外しているからだ。事実、リスク評価に用いられる確率計算モデルは、ある特有の存在論的脆弱性を抱えている。これは金融投資家間の相互作用に内在する性質によるものである。[31] このことから、「リスク評価の間違い」は、格付け会社に典型的なスキャンダラスとも言える利益相反のみに帰すべき間違いではなく、（BIS規制・新BIS規制が試みたように）ルールあるいはメタ・ルールを設定し、言うなれば合理的な規則に則って市場の秩序を保つことの（存在論的）不可能性が表れたものとして説明できる。

結論として、これまで見てきた〈ガバナンス〉の危機は、ふたつの抵抗にその起源があるのだと主張できる。まず、自分たちを従属者《サバルタン》の地位に留めようとする先進国のあらゆる試みに対する新興諸国の抵抗。この抵抗はアジア経済危機以降、成長モデルを修正するよう新興諸国を導いたものである。具体的に言えば、〈輸出重視《エクスポート・オリエンテッド》〉のアジアモデルにより、国内で再投資されない貯蓄は、流動性の進路を海外に向けなおすことで金融レントへと変容したのである。つぎに、アメリカ家計による抵抗は、社会的レントという、言うなれば金融化する経済の内部であるとともにそれに抵抗するカードを切った。ある一定期間、アメリカの家計は、たとえ金融という観点からすれば不安定なかたちだったとはいえ、さまざまな社会的所有権、つまり家を所有し、（負債により）財とサービスを消費する権利という土壌で行動した。ここで思い起こしておくべきは、この行動が、教育や人間の育成といった根本的な分野に対する投資を国家が減少させた時期に重なるということだ。こうした投資の減少は教育コストの驚くべき上昇をひきおこし、自分たちの子供に教育を受けさせるため家庭が債務を抱えるよう強いたのである。私的な〈赤字財政支出〉は、みずからの所有する手段を超えて生きようとするアメリカ特有の傾向とは程遠い。それは八〇年代初頭の自由主義的転回と、それに続く〈福祉国家《ウェルフェア・ステイト》〉の危機に根をもつ現象なのである。

5. 地-金融学《ジオ・マネタリー》のシナリオ

危機とは、サイクルの上昇局面において成熟したさまざまな抵抗という社会的な、そして政治的でもありうる次元を、資本主義が経済的秩序に引き戻すその様態である。しかしながら、今回の危機が爆発したもとには、グローバル規模の矛盾と固定性がいくつも絡まりあっているため、地域レベルでケインズ主義的な介入を行っても、それを解きほぐすことは容易ではないだろう。してみると、経済再生策が地政学的・地-金融学的に明確な戦略に組み込まれていてはじめて、危機からの脱出が可能なのは明らかだ。

現在の危機から推測される中期的（五年から一〇年）シナリオは次の三つである。

まず、アメリカ・中国というカップル（チャイナメリカ）、すなわちドルと人民元に基づくもの。二つ目はロシアと、ドイツ、フランスを筆頭にした西欧諸力が登場するもの。この両者はユーロ圏とルーブル間の特別な合意で結びついている（ユーロシア）。これが中国・アメリカの軸と並行して、スーパーブレトン・ウッズ体制、つまりあらゆる巨大権力間の全方位型協定を決定する。三つ目のシナリオは、旧大陸の紛糾《マヨネーズ》や進行中の紛争をはじめとする不均衡が深刻化してゆき、システムを完全に統治不可能にしてしまうというもの。ここにカタストロフィが加わると、一九一四年八月が、今回は核を備えた惑星規模のものとして再現される。(32)

これらのシナリオはどれも、アメリカが握っているヘゲモニーの衰退、つまり〈信用《クレジット》／債権なき帝国〉（この表現は、世界最大の権力が同時にグローバル規模で最大の債務国だというパラドクスを描き出す）の衰退が避けられないことを前提としている。しかし、今回の危機が中国からシンガポール、日本から韓国までのアジア諸国に非常に深刻な影響を与えている(33)一方で、アメリカが、どれだけパラドクシカルに見えようと、いまだに貯蓄を投資できる唯一安全な場であり続けているというのが事実だとすれば、アメリカが衰退するという自明の仮説については疑ってみるべきだろう。

現在の危機が高まってきたのは複雑な地 - 金融学上の軸においてであり、自己言及的な利害によって相互に結びついた多くの役者が現れてきた。たとえば中国は、アメリカ人は貯蓄を増やすべきだと主張できるが、それもさらなる貯蓄がアメリカに対する自国の輸出に影響を及ぼさないかぎりの話である。一方アメリカ人は、論調を弱めつつも今まで主張し続けてきたように、中国人に対して平価を切り上げ、国内需要を増大させるよう求めることはできるが、中国によるアメリカ国債の取得にブレーキをかけることのないよう苦心している。また、今回の危機によりすでに新興諸国に投資される民間資本の流れも大幅に減少しはじめている（二〇〇九年には一六五〇億ドルを超えないだろうが、これは二〇〇八年の四六六〇億ドルの半分以下、二〇〇七年に流れ込んだ資本の五分の一である)。新興諸国にすれば、西洋が行う財政刺激策や銀行破綻を防ぐための方策は、新興市場における〈締め出し〉を引き起こさずにはおかないし、なによりも彼らの国債利子を増大させてしまう。このことにより、いくつかのアジア諸国がさらに外貨準備高を増加させ、その貯蓄を先進国経済の債務に投資することで自己防衛するよう導かれ、アメリカにおいて信用取引を爆発させる一助となった力学が繰り返されかねないことには触れておこう。

したがって、国際的な協力という道を模索し、グローバルな不均衡の管理を改善するよう迫っているのは、アメリカ帝国の衰退ではなく、今回の危機が長期間つづく運命にあるものの、いかなる国家も世界経済を導く役割を果たすことはできないという事実である。デイヴィッド・ブルックスが述べているように、現在のグローバルシステムにおいて資本主義を麻痺させているのは、決定の不可能性である。権力の分散は「理論上はよいことであるべきだが、多極性が実際に意味するのは集団行動に対する拒否権である。事実、この新たな多元的世界は惑星規模の硬直化、つまり次々に問題を解決する能力の欠如を生み出した」(34)。言い換えるなら、今回の危機は、一元的であれ多元的であれ、経済 - 政治的ヘゲモニーという概念そのものを根本から脅かしたのであり、それゆえ新たな世界的〈ガバナンス〉形態を模索せざるを得ないのである。

この方向への第一歩は、流動性の危機が起きたとしても、見捨てられることはないと新興諸国に保証することだ。二〇〇八年一〇月に連邦準備制度が四つの新興国に対し、相手国が潤沢な貯蓄をもっているにもかかわらず提示した信用供与枠は、こうした方向性をもつ革新として解釈されるべきである。その目的とはより円滑に政治政策を摺り合わせ、ドルとそのほかの通貨との均衡を損なわずに、国内需要を刺激するようなかたちで資本の流れを新興諸国に向けなおすことである。この戦略はヨーロッパにある国をも含んでいることに注目してほしい。たとえばドイツもまた構造的な貿易黒字にあり、それゆえ内需拡大政策を追求し、外需の減少に対応することに多大な関心をもつのである。

最後に、こうした地政学的・地 - 金融学上の戦略を実行するにあたり、いまのところＩＭＦ(国際通貨基金)の果たす役割が完全に周縁的なものでしかないことに注目されたい。扱われている額は、IMFが利用できるものをはるかに超えている。実際には、なんらかの形でIMFを有効に作り変える必要がでてくるだろうが、それは単にアメリカが新興諸国に対する「予防的」信用供与枠を中期的には保証しえないからである。新ブレトン・ウッズ体制を構築し、IMFをその右腕にするという案は、サルコジ仏大統領をはじめとする国家元首によってこれまで何度も表面的に主張されてきたが、その際IMFの特徴をひとつ考慮しなくてはならない。それはここ数十年間におけるアメリカの新自由主義的政策の本質を要約する特徴、つまりアメリカの強力な主張でIMF基本法に記入された、それ以前の現金兌換に代わる資本収支による兌換の義務化である（ブレトン・ウッズ協定の準備作業中、ケインズはこの兌換性をあらゆる力をもちいて阻止しようとした）。

このふたつの概念の違いは決定的なものである。後者（現金兌換）において重点がおかれるのは通貨の流れであり、それは実際の商取引、財とサービスの貿易、観光収支をカバーし、あるいはまた移民が自国に送金する所得に対応する。前者（資本収支兌換）においては、あらゆるポートフォリオ上の操作、あらゆる可能な投機手段が認可される。[35]

したがって、新ブレトン・ウッズ体制という案は、資本収支による兌換を基本法から削除するものになるだろう。このシステムが前提となって八〇年代このかた、国際市場が自由化され、グローバル規模の不均衡が積み重なり、くり返し金融危機が引き起こされてきたのである。いまやIMFさえ、この自由化された資本の動向が、少なからず国際的な商業貿易と金融フローの不安定化に力を貸してきたと認めている。だがしかし、IMFを改良する際にその基本法から資本収支兌換の義務を削除するとすれば、その根本的な目的となるのは、超国家的な金融システムに支えられた貿易関係の均整と、各国家の経済的主権を再構築することだが、その結果必ず、驚くほどの矛盾を積み上げ、金融の浮遊を招きながらも、生資本主義の発展と成功を保証してきた仕組みを停止させることになるだろう。ひとつ例を挙げておくと、アメリカはもはや新興諸国から流れ込む大量の流動性を利用することはできなくなる。この仕組みを用いて、アメリカ資本が債務による家計の消費を急増させてきたことはすでに見たとおりである。新ブレトン・ウッズ体制という仮説をどのように評価するかはともかく、こうした方向での改良がひとつの社会モデル、すなわち〈福祉国家〉を解体したのち、消費と負債をみずからが機能する原動力としてきたモデルにめざましい影響を与えることは間違いない。

古き金融無秩序を支持する者と、本当に再構築された貨幣・金融システムを支持する者との断絶点は、ふたつの問題に集中するだろう。ひとつは資本の管理、もうひとつは他国の政策による景気後退の影響が輸入されるのを避けようとする、さまざまな形態の保護貿易主義の管理である。(36)

経済的に、そしてなにより政治的に現在進行中の危機から抜け出す可能性は、すぐさま実行できるわけではないがそれでも緊急のものであるこうした観点にかかっている。グローバル規模で生じている資本蓄積の遮断は、これらふたつの相矛盾する力に照らして再解釈されなくてはならない。つまり、一方には今回の危機が非常に長引く、あるいは似たような危機が構造的に続いてしまう可能性があり、他方にはこの危機から抜け出すために、国際金融システムを各国家の主権と商業貿易の対称性の名のもとに定義しなおす可能性がある。(37)

それと並行して政治については、新たな〈ニューディール〉をめぐり、オバマ政権がどれだけのことをなしうるかを見守るといい。さまざまな国内経済再生策のうち、いまからでも注視すべきものがひとつある。〈家族の住宅保護支援法案〈Helping Families Save Their Homes Act〉〉のことだ。これは破産した家主のローンを軽減する権限を倒産裁判所の判事に与えるものである。この処置は歴史的先例となる。実住案件〔投資目的ではない居住用家屋〕のローンは倒産裁判所において軽減されえない唯一のものだからだ。しかもこれは、金融・保険システムを救うことにいまのところ完全に失敗しているこれまでのさまざまな介入に比べ、まさしく革新的な金融処置となる。というのも、担保をもとにアメリカ家計に再融資するための基金を設立することは、今日世界的な銀行システムを停滞させているデリバティブ証券にいまいちど価値を与える唯一の技術的処置であり、なにより、三〇年にわたるローンに対してなされる融資であるがゆえに、財政赤字に直接的な影響を与えない介入策だからである。言い換えるなら、銀行を救うために家計を救うのだ。さらにわかりやすく言えば、金融システムを改良するために下から始めるのである(38)。

これまでどおり、わたしたちの〈ニューディール〉は、こうした下からの突き上げ、すなわち金融資本主義を危機に陥れると同時に、それを克服するための前提を示してもいる、社会的レントという場における抵抗から始まる。この社会的レントという土壌で動員を行うために必要な時間は、さまざまな矛盾を解決しうる〈ガバナンス〉を取り戻すための長き時間である。コモンへの権利を、そしてそのなかで生きる権利を制定する〈ガバナンス〉を。

注

（1）Martin Wolf, *Choices made in 2009 will shape the globe's destiny*, on "Financial Times", 7 January 2009.

（2）Stephen Roach, *US not certain of avoiding Japan-style 'lost decade'* on "Financial Times", 14 January 2009.

（3）Carmen Reinhart and Kenneth Rogoff, *The Aftermath of Financial Crises*, December 2008, www.economics.harvard.edu/files/faculty/51_Aftermath.pdf

（4）*Emerging markets : stumble or fall?*, on "The Economist", 10 January 2009.

（5）Michel Aglietta, *La crise. Pourquoi en est-on arrivé là? Comment en sortir?*, Michalon, Paris, 2008, p.118.

（6）Paul Krugman, *Il piano Obama non basta*, "la Repubblica", 10 gennaio 2009.

（7）Joseph Stiglitz, *Do not squander America's stimulus on tax cut*, on "Financial Times", 16 January 2009.

（8）Chris Giles, David Oakley and Michael Mackenzie, *Onerous issuance*, on "Financial Times", 7 January 2009.

（9） Michel Husson, *Les enjeux de la crise*, in “La Brèche”, novembre 2008.

（10） Luciano Gallino, *L'impresa irresponsabile*, Einaudi, Torino, 2005.

（11） Giovanni Arrighi, *Adam Smith a Pechino. Genealogie del ventesimo secolo*, trad.it., Feltrinelli, Milano, 2007, pp.159-160.

（12） 債権の証券化およびさまざまな金融デリバティブ手法の用語については、Charles R. Morris, *Crack. Come siamo arrivati al collasso del mercato e cosa ci riserva il futuro*, trad.it., Eliot Edizioni, Roma, 2008 を参照。

（13） Jacques Sapir, *L'économie politique internationale de la crise et la question du “nouveau Bretton Woods” : Leçon pour des temps de crise*, mimeo, http://www.lhivic.org/travaux/articles/sapir_brettonWoods2.pdf

（14） Augusto Illuminati, *Spinoza atlantico*, Edizioni Ghilbi, Milano, 2008, p.15.

（15） Sandro Mezzadra, *La “cosidetta” accumulazione originaria*, in Aa. Vv., *Lessico marxiano*, manifestolibri, Roma, 2008.

（16） Jeff Howe, *Crowdsourcing. Why the power of the crowd is driving the future of business*, New York 2008〔邦訳『クラウドソーシング——みんなのパワーが世界を動かす』中島由華訳、早川書房、二〇〇九年〕

（17） Andrea Fumagalli, *Bioeconomia e capitalismo cognitivo*. Carocci, Roma, 2007.

（18） Vanni Codeluppi, *Il biocapitalismo. Verso lo sfruttamento integrale di corpi, cervelli ed emozioni*, Bollati Biringhieri, Torino, 2008.

（19） Marie-Anne Dujarier, *Le travail du consummateur. De McDo à eBay: comment nous coprodusions ce que nous achetons*, La découverte, Paris, 2008.

（20） “La Brèche”, cit.

（21） Christian Marazzi, *Capitalismo digitale e modello antropogenetico del lavoro. L'ammortamento del corpo macchina*, in J. L. Laville, C. Marazzi, M.La rosa, F.Chicchi (a cura di), *Reinventare il lavoro*, Sapere 2000, Roma 2005〔邦訳「機械＝身体の減価償却」多賀健太郎訳、『現代思想』二〇〇七年七月号〕

（22） Codeluppi, cit. p.24. この点については次の基本文献も参照されたい。 Enzo Rullani, *Economia della conoscenza. Creatività e valore nel capitalismo delle reti*, Carocci, Roma, 2004.

（23） Jeremy Rifkin, *L'era dell'accesso. La rivoluzione della new economy*, trad. it. Mondadori,Milano, 2000, p.57〔邦訳『エイジ・オブ・アクセス——アクセスの時代』渡辺康雄訳、集英社、二〇〇一年、五七頁〕

(24) これまた七〇年代に始まった金融システムの規制緩和の分析としては次を参照。Barry Eichengreen, *Anatomy of the financial crisis*, in"Vox",http://www.voxeu.org/index.php?q=node/1684

(25) Michel Aglietta, cit. p.33-37.

(26) J. Sapir, cit. p.5.

(27) Michel Aglietta e Laurent Berrebi, *Désorde dans le capitalisme mondial*, Odile Jacob,Paris, 2007.

(28) Michel Aglietta, cit. p.39.

(29) アジア危機後の危機をこのように再構築することの傍証としては次を参照。*When a flow becomes a flood*, in "The Economist", 24 January 2004.

(30) Eichengreen, cit.

(31) André Orléan, *La notion de valeur fondamentale est-elle indispensable à la théorie financière?* in "Regards croisés sur l'économie. Comprendre la finance contemporaine", 3 marzo 2008.

(32) "Limes", *L'impero senza credito*, maggio 2008.

(33) *Asia's suffering*, in "The Economist", 31 January 2009.

(34) David Brooks, "Herald Tribune", 2 August 2008.

(35) J.Sapir, cit, p.3.

(36) 同上 p.32.

(37) Martin Woolf, *Why President Obama must mend a sick world economy*, in "Financial Times", 21 January, 2009 http://www.ft.com/cms/s/0/dd14a46e-e72f-11dd-aef2-0000779fd2ac.html

(38) Frédéric Lordon, *Jasqu'à quand? Pour en finir avec les crises financières*, Raisons d'agir, Paris, 2008.

グローバル経済危機と経済・社会的〈ガバナンス〉*

アンドレア・フマガッリ

序文

金融危機は早くも色あせた記憶となった。だが終わりを迎えたわけではない。問をおかずいきなり経済危機へと変容したのだ。今回のグローバル経済危機は、これまで認知資本主義が担おうとしてきた蓄積・分配〈ガバナンス〉のメカニズムが、システムとして構造的に不安定であることを明らかにしている。この点から見ると、問題となっているのは飽和の危機というよりむしろ成長の危機である。蓄積の危機であるよりは分配の危機なのである。一九二九年と同じように。

すでに述べたように、わたしたちが直面しているのはシステム上の危機である。このシステム上の危機は、過去に由来するというよりはむしろ未来から訪れている。事実、危機に陥っているのは、認知資本主義という新しいパラダイムがひそかに行ってきた社会と分配をめぐる調整の試みである。正確を期するなら、調整の欠如と言った方がいいだろう。認知資本主義の力学が九〇年代初めから依拠してきたのは、経済政策がその責任において行う制度的介入ではなく、市場のとてもよく見える手だったのだから。つまり私たちが目撃しているのは、市場〈ガバナンス〉とそのヒエラルキーの危機なのである。

別の機会に論じられてきたように[1]、認知資本主義は以下の三本柱を基盤とする蓄積体制として構造化されている。

1. 投資に資金を供給することで蓄積の原動力として、また所得分配メカニズムを回転させる軸として金融市場が果たす役割（生政治的支配としての金融化プロセス）

2. グローバル規模で資本が価値を増殖させる主要な源泉として、知識の産出（学習プロセス）およびその普及（ネットワーク）が果たす役割。これは生きた労働と死んだ労働のあいだの関係を再定義するよう導く（〈コモン〉の協働、すなわち〈一般的知性《ジェネラル・インテレクト》〉が搾取される、認知‐非物質的蓄積プロセス）

3. 認知的分業という状況において、個々の主体性の差異に価値が付与された結果として、国際的規模で解体される労働力（労働の不安定化ならびに認知的余剰の支配というプロセス）

これら三つの新たな状況は、以前のフォード型産業パラダイム内部における資本‐労働の対立関係がもたらした危機の結果であり、新たな蓄積の道を規定している。この道が目指すのは、中・長期的には維持しえないという結果をもたらしつつ、短期を重要視する視点から貨幣価値を増殖させるための新たな条件を創出することである。以前のフォード型パラダイムと比べると、空間‐時間の座標が変わっているのだ。

時間に関しては、短期‐長期という関係が再定義されている。つまり、蓄積の時間が変更されているのである。非物質的に価値を増殖させる諸形態に移行することで、蓄積プロセスに必要な時間が劇的に減少し、その結果、修正のために介入しうる場も縮小している。

空間に関しては、国家が自律的な介入を行う能力を、さまざまな超国家権力の台頭が深く条件づけているという状況のなか、グローバリゼーションならびに金融化プロセスが国際的ヒエラルキーの新たな軸を規定しつつある（国民国家の危機）。

ここから先、まずは空間的・時間的力学が設定している諸条件の理解を深め、それから経済・社会的〈ガバナンス〉を委任されているさまざまな機関・制度がどのようなことを実施しているかを分析し、さらに調整を目的とした介入は想像可能かということに加えて、なによりもそれが実践可能なのかどうかを実証していこう。

1. 経済危機の時間-空間力学

a 短期-長期の弁証法

今回のグローバル経済危機の複雑さを最もよく包含している要素のひとつは、短期-長期という弁証法から生ずる矛盾である。金融市場の力学はますます短期化してきているが、これは交換の回転運動を実質価値に固定することとなく、つねに象徴的なものの交換という段階に留めるための必要条件である。だがこのような時間的環境は、そこに参加する主体の環境とは両立しえない。その理由はたわいもない。短期間に利得を獲得する可能性は、実際のところ、生全体を通じて安全を保証することを許さないのだ。フォード型産業資本主義の時代に金融投資を刺激してきたのが、生の長さに一致し、安定した収入を平均的に保証してくれる中・長期的な貯蓄への意図だったとすれば、認知資本主義では、金融市場は短期投機の場でもあり、かなり広範な証券ポートフォリオを活用できる者だけがより安定した収益(つまり資本利得)を期待することができる。しかしこの特権は少数者のものだ。

こうした短期-長期の二分法が導くふたつ目の矛盾要素は、〈福祉《ウェルフェア》〉の解体に関わっている。周知のように、フォード時代には国民国家が(相当の保証とともに)果たしていた社会保障の役割を、現在は金融市場が(保証なしで)果たしている。ますます多くの労働所得が株式市場に流れ込んでいるが、それは社会サービスを要求し、その支払いを行うために現在・未来の収益を確保するためである。こうしたサービスはもはや無償かつ普遍的に提供されないどころか、ますます個人による出費を要求している(勤労福祉制度《ワークフェア》)。

家(およびそのローン)のような基本財の獲得をめぐり、所得が不安定であり、それゆえより大きな破産リスクを抱えた社会層にまで「クライアント・パーク」を拡大する必要性は、この傾向を実証していると思われる。ローンは、たとえ非常に期限が短いデリバティブ証券によって保証されているとしても、長期の投資なのである。こうして短期-長期の二分法がふたたび前面に出てくる。

この短期‐長期という関係が抱える解消不可能な矛盾は、支援的介入や制度的〈ガバナンス〉を実行する可能性に対しても深刻かつ否定的な影響を与えている。

世界の主要株式市場において株価指数が平均一％下落すると、一兆四五〇〇億ドルの流動性が失われる。例を挙げれば、二〇〇七年一〇月以降、ダウ・ジョーンズ指数はその価値が四三％下落した。[2] 国際決済銀行（BIS）の計算によると、平均して五八〇兆ドルの流動性が失われたことになる。参考までに、世界の不動産資産全体の価値は七五兆ドル、世界全体のGDPは五〇兆ドルに満たない。たしかにここで問題となっているのは名目価値である。しかし同BISによれば、この名目価値は、資本損失が生じることで、実物経済における一一兆ドルの損失に変化するという。これはアメリカのGDP総額、[3] 世界のGDP総額の二〇％[4]に匹敵する額である。こうした貨幣および実物資産の破壊が一二ヶ月、つまりここまで莫大な資産の減少にとっては極端に短い期間に生じたのであり、GDPの力学に今日、劇的な影響を及ぼし始めている。これまでアメリカとヨーロッパ諸国（つまり株価指数の下落により大きな被害をこうむった地域）の政府・中央銀行が着手した対策によって、約五兆ドルの流動性が投入されることになった。[5] この額ならば効果をもちはじめるのは、株価指数がさらに下落する可能性があるとして、早くて二〇〇九年の第二四半期以降だろう。つまり金融危機が深まってゆくその瞬間に介入することは不可能なのである。流動性の破壊が広まるスピードは、その再建に必要なスピードを構造的に上回る。しかもすばやく直接的に流動性が投入されたとしても、金融市場における否定的観測と信用危機に短期間で立ち向かうことはできない。病を治すのに必要な時間が過ぎるあいだに、患者が死んでしまうリスクがあるのだ。こうして「タイミング」という構造上の問題が生じる。

時間の弁証法というレベルにおける第二の問題は、〈一般的知性〉を搾取・収奪することで価値を蓄積するプロセスと、その価値をすぐさま金融市場で増殖させることのあいだの矛盾に関わっている。認知資本主義の到来とともに、生産時間を基準に価値増殖プロセスを直接計算することができなくなった。フォード型産業パラダイムでは、生産の物質的尺度が商品生産に必要な労働の内容によって何らかの形で規定されており、一方その商品生産は、生産そのものとそれに必要な時間という物理性を基準に計測可能だった。だが認知資本主義の到来により、非物質的なものの価値が知識の、さまざまな情動と関係の、そして想像的なものと象徴的なものの価値になっている。(6) こうした生政治的変化の結果、まず労働価値という伝統的な尺度が、続いてフォーディズム時代に確立された利潤という概念（収益とコストの差）が危機に陥る。そして蓄積が社会化するまさにその瞬間に、〈資本のコミュニズム〉(7)に内在する価値増殖の尺度は、株式市場で値をつけられる社会資本（つまり期待される未来の価値と現在のそれのあいだの差）において実現するようになる。その結果、社会的協働と〈一般的知性〉の搾取が、株価力学の決定において影響力をもつことになる。こうして利潤はレントに変容し、金融市場が労働価値を決定する場となり、労働価値は金融価値へと変わる。(8) しかし今回の金融危機は、この暫定的な尺度の指標が安定しているとはとても言えないことを示している。こうした尺度の危機は長期‐短期のあいだの矛盾の結果でもある。短期が〈一般的知性〉を搾取することから生まれる未来の価値をすぐさま現在化／現金化しようとする一方で、その〈一般的知性〉を生産し普及させるのに必要な時間を決定するのは長期だからだ。

　認知資本主義がかかえる時間的矛盾の第三のレベルは、労働形態に関わっている。つまり、学習とネットワーク（蓄積プロセスの基盤である社会的生産性を向上させる要因）の動学的経済からより多く搾取するためには、社会的協働と〈チーム〉作業を広める必要がありながら、労働生産物そのものと知識には直接的な（つまり短期的な）支配を及ぼさなくてはならない（たとえば知的財産権）という矛盾のことだ。この弁証法の両項において、剰余価値の生産が行われ、認知資本主義の搾取プロセスが記録され、新たな形態の疎外が生み出される。資本‐労働の新たな関係が現実として決定されるのはまさにここなのだ。一方では参与、関係そして企業生産におけるさまざまな意図の共有《コミュニオン》が要請され、他方では個人関係が不安定化し、不安、不確実さそしてこれらに起因する心理的・実存的フラストレーションが生まれている。労働力の提供や、人間の育成・学習プロセスが中・長期的なものである一方、多くの場合短期のものでしかない個人契約が結ばれる。

短期‐長期という弁証法の危機は、金融市場、つまり現代の資本主義的蓄積を管理し、調整を行うことの不可能性というテーマへと導く。しかし同時に、そうした矛盾を、マルチチュードは新たな闘争のシナリオを切り開くために利用しうる。この側面については先で触れよう。いま強調しておきたいのは、こうした問題群が一九二九年の大恐慌のときにも見られたということだ。当時の場合、国家が市場の外部から超‐個人的な経済主体として介入し、生産的蓄積の局面と実現／販売の局面のあいだに生じた時間的乖離を埋めることが可能だった。ケインズが長期に対する短期の優位を強調したその目的とは、まさしく「将来から現在を護」(9)ることを目指す、〈微調整《タイム・チューニング》〉という経済政策の可能性を保証するためである。二九年の大恐慌において短期‐長期という二分法が完全に生産サイクルのなか、つまりまさに蓄積と実現／販売のあいだにあったとすれば、今日それは完全にグローバル金融市場の内部にある。

大恐慌の時代、国家は（戦争が迫っていたこともあり）、各国当局が経済政策によって果たした保証人としての役割と、国際決済の場で明確に定められていた諸規則の助けを借りて、生産サイクルにおける負債と価値増殖のあいだの時間的弁証法を再構築する役割を十分に果たしえた。また、一九四四年のブレトン・ウッズ協定（すなわちある明確な国際ヒエラルキー）における国民国家の自律は、国際地政学上の緊張関係に起因する不安定性のリスクを巧みにやわらげることで、フォード型蓄積プロセスに必要な安定性を可能にしていた。

今日わたしたちがおかれている状況では、階層化されていたとはいえ、国際的な管理と調整を行っていたあらゆるメカニズムが構造的に吹き飛んでしまい、グローバルな金融化と生産の選択的国際化を成長基盤とする認知的蓄積システムの展開を許してしまった。

b 国際的な地‐経済学《ジオ・エコノミック》の弁証法

フォード型産業パラダイムの危機により、第二次世界大戦直後に決定され、ヤルタ会談とブレトン・ウッズ体制で承認された国際的な秩序ヒエラルキーにひびが生じた。西洋の社会運動や〈第三世界諸国〉における政治・経済上の自由化プロセスが七〇年代の危機を誘発し、資本主義がそれに反発するかたちで、国際分業の構造が修正されたのである。テイラーシステムに典型的だった伝統的な分業（アダム・スミス）に、さまざまな形態の知識にアクセスできる段階に応じた新たな分業体制（認知的分業）が加わり、一部は取って代わった。こうした変化が起こりえたのは、新たなテクノロジーパラダイム、つまり言語とコミュニケーション技術（情報通信技術ICT）に依拠したパラダイムがますます大規模に導入されつつあったからである。輸送コストの減少に加え、いくつもの現実的・ヴァーチャルなコミュニケーション形態が爆発し、グローバル規模で生産・労働組織に大きな影響を与えるのが見られた。

八〇年代、すなわち国民国家が経済政策の方向を決定し、国家レベルでシステムの革新を決定しえていた時代、日本テクノロジーによるアメリカへの挑戦が生じた。それに続く九〇年代には、第一次湾岸戦争を戦ったアメリカ軍が、ベルリンの壁崩壊とソヴィエト連邦の内破を受けて覇権を確立すると、金融化が優勢となり、〈アウトソーシング〉と海外移転という政策により、西洋巨大多国籍企業の生産戦略が描きなおされる。東南アジアとラテンアメリカにおける新たな労働市場の開放は、新自由主義的政策を掲げる国際通貨基金（IMF）と世界銀行により構造調整政策（悪名高きSAP）という形で促進され、生産基盤が国境を越えて広範に拡大することを可能にした。最初のうち、つまり〈ネット・エコノミー〉のおかげでアメリカがテクノロジー分野におけるリーダーシップを取り戻した時期には、国際的な主要生産ラインは西洋による堅固な支配下におかれていた。テクノロジーと金融フローが一極集中する過程をまたしてもアメリカが主導する。そうしたなか、一九九七年の金融危機（タイ・バーツの減価に起因）は、二〇〇〇年の危機とは異なりアングロサクソン株式市場の金融ヘゲモニーをさらに堅固にした。だがこれは束の間の幻想だった。金融市場主導の認知資本主義パラダイムが蓄積・価値増殖のパラダイムとして支配力を増しつつあったまさにその瞬間に、その内部でいくつもの新たな矛盾が爆発していたのである。市場を東洋に拡大する必要性、世界貿易機関（WTO）への中国の加入、二〇〇〇年三月に金融市場を直撃したインターネット・コンベンション〔共有信念。市場参加者に共有されている一群の信念を指す。この場合であれば、インターネット関連企業の収益は将来的に上昇する、という共有信念により、実際には収益をあげたことのないインターネット関連株が上昇した状況を指す。後に言及される市場の「自己言及性」をもたらしているのもこの共有信念《コンベンション》である」の危機を経て強まった東洋株式市場の自律などは、テクノロジー生産分野における階層構造をさらにはっきりと組み換えつつある。アメリカはテクノロジー支配の占有権を失いつつあり、中国とインド、それにブラジルを加えた生産システムが、〈情報通信技術〉の主要分野において西洋テクノロジーのリーダーシップを脅かしている。中国に関しては、経済協力開発機構（ＯＥＣＤ）の報告書が次のように述べている。

近年、中国によるハイテク輸出が驚くべき増大を見せている。世界総輸出におけるその割合は、九〇年代初頭の五％から、二〇〇五年には三〇％を超えるまでになっている。この輸出は主にふたつの製品カテゴリーに集中している。オフィス機器と、テレビ、ラジオ、コミュニケーション機器である。薬品などのハイテクノロジー輸出は相対的に弱い。二〇〇四年から中国は情報通信技術分野における最大の輸出国である。(10)

規模は小さいが、インドとブラジルもこれと同じ力学の主役となっている。その結果、アメリカは九〇年代における経済‐金融成長の基盤となったテクノロジー上の主導権を失いつつある。

技術‐生産上の軸が西から東・南へ移っていることはそれ自体、政治・経済的な不安定性の非常に重要な一要素である。ただし問題なのは、ある地域から別の地域にテクノロジー上の主導権が移る過程ではなく、テクノロジーの単独主義《ユニラテラリズム》が失われていることだ。またテクノロジー分野にいくつもの軸が同時に存在するこの状況は、国際的権力の二本柱との関連でも分析されなくてはならない。つまり金融フローの支配と軍事力である。今回の金融危機までは疑いようもなく、アングロサクソン株式市場がなお金融上の主導権を堅固に握っており、他地域の主要なグローバル金融市場だけでなく、連邦準備制度理事会（ＦＲＢ）、欧州中央銀行（ＥＣＢ）、日本銀行による金融政策の選択をも左右しうる立場にあった。これに加えて世界的な経済組織――国際通貨基金から世界銀行まで――もまた完全に掌握されていた（その一方で世界貿易機関に対するアメリカの影響力は、カンクーン・ラウンドとドーハ・ラウンドの失敗以降すでに衰退し始めていた）。

しかしながら二一世紀に入って以来、こうした金融ヘゲモニーは、さまざまな潜在的反発に苦しめられてきている。そうした反発は、一方では公的な国際的流動性（金融市場ではなく外貨準備が生みだしているもの）に対する支配力の部分的喪失に、他方ではイラク戦争の衝撃に続くアメリカの対外軍事政策の善良さに対する信用危機に帰するべきである。

最初の面については、アメリカにおいて構造的貿易収支赤字に公的赤字が加わり、同国が世界でもっとも債務額の高い国になっていることを強調しておく必要がある。このことによりまず、連邦準備制度（FED）が管理していたとはいえドルの下落が進み、ドルと主要通貨（第一にユーロ）のあいだで外貨準備高の構成における代替効果が促進された。さらに、アメリカの貿易赤字が近年産業化された国々の貿易黒字に転化し、これらの国々がアメリカ経済との関係で純債権者になった。その結果、あるパラドクスが生じた。アメリカは国際金融における主導権を維持していながらも、世界に対して純債務者になったということだ。言い換えれば、アメリカ経済の成長に資金を提供してきたのは、とりわけ近年産業化された国々であり、一方ではアメリカが発行する公債と対外国債を購入し、他方ではとりわけ国家ファンドを設立することで、アメリカ株式市場における証券を獲得してきたのである(11)。

このような金融の流れが長く続くはずはなかった。そして実際に続かなかったのである。この観点からすれば、金融危機とは単一かつ中心的な命令を決定することがもはや不可能な〈帝国〉内部で生じた摩擦の結果なのである。いくつもの地-経済学《ジオ・エコノミック》上の軸（西側の金融ヘゲモニーの中心と、東へと移る技術-生産上の重心）が共存しうるのは限られた期間だけであり、その不安定性を補強してくれる特殊な条件があってこそである。

軍事力の独占は間違いなくこうした条件のひとつである。しかしいつまで軍事力は抑止力・禁止力として有効な機能を果たすのだろうか？　アメリカはいまもこのような独占を保持しているが、第二次湾岸戦争とアフガニスタンにおいて彼らが経験している危機的状況は、このような独占が、たとえしっかりその手に握られているとはいえ、ますます先の折れた武器になりつつあることを示すものだろう。ブッシュ―チェイニーというペアによる〈ネオコン〉的単独行動主義《ユニラテラリズム》が敗北し、オバマがホワイトハウスに辿り着いてから、戦争という武器はいま一度納められたようだ（もちろん完全に放逐されたわけではないが）。グローバル経済危機にも強いられて、アメリカが追求している（あるいはすくなくとも進めようとしている）〈ガバナンス〉戦略は、いまやグローバル経済の特徴となっている地-経済学《ジオ・エコノミック》／地政学上の多国間主義《マルチラテラリズム》を考慮しているようにみえる。アメリカは〈帝国〉を認識したようだ。狐の奸計はさしあたり失敗に終わった。

2. 進行中の〈ガバナンス〉

主要な制度的経済主体（国際組織、各国中央銀行、国民国家）がこれまで実行してきたさまざまな制度上の戦略は、以下の三つの指針に従っているようである。

a **景気変動〈ガバナンス〉** 金融危機が実物経済に及ぼすドミノ効果を軽減しようとする。多くの場合、各国中央銀行が流動性を支援するために行う介入と、最終的な貸主（国家や国際機関）が公的支出を通じて救済を行おうとする介入である。つまりこうした介入は、価値増殖の諸形態ならびに危機の本質に対して構造的に影響を与えようとするものではない。その主要な目的は、危機の要因を解決することではなく、信用環境を改善しているというサインを出すことにある。その効果はほぼゼロである。

b **経済的〈ガバナンス〉** 市場の自己調整能力が挫折したという認識から出発する。その意図は、国際レベルで金融市場を管理してゆくプロセスの前提条件を創り出すことであり、新ブレトン・ウッズ体制の形成を目指して、公・私が混ざり合った性質の介入が行われる。

c **国際政治〈ガバナンス〉** 地-経済学《ジオ・エコノミック》上の緊張を緩和し、なんらかの形で新たな認知的国際分業を考慮しうる地政学的秩序を国家間に再構築しようとする。具体的には国際的な地政学的構造をめぐる新ヤルタ協定という仮説をあげることができる。

最初のレベルについてはさして言うべきことはない。現在行われている議論の要点が本質的に関わっているのは以下の点である。(12)

a **いわゆる〈規制の画定〉** すなわち金融・信用システムの中でも今回の危機に大きな責任がある部分〔シャドウ・バンキング・システム〕を特定すること。このシステムを形成する金融投資家の一団は――経済システムに有益な革新をもたらしうるという幻想のもと――管理されてこなかったのである。

b **〈マクロ・プルーデンス〔金融システム全体をマクロ的に考慮することでその安定を実現しようとする考え〕〉という次元** 個々の経済主体ではなく、システムレベルで行われる累積的リスクの分析は、不適切であることが明らかになった。さらに、行われた〔数少ない〕分析がもたらしたのは、出版物のみで政策の修正ではなかった。

c **〈レバレッジ効果〉およびそれがもたらすさまざまなリスク** とりわけ、レバレッジ効果とそれが金融市場にあたえるさまざまな影響を計測する能力を向上させなくてはならないだろう。

d **リスク評価ならびに金融派生商品の価値増殖における透明性** 市場価格システムや、〈格付け会社〉などの内部手段で行われてきた価値評価システムは不適切であることが明らかになった。

e **〈ガバナンス〉と〈インセンティヴ・ストック・オプション〔役員、従業員の報酬または賞与として与えられる株式を、一定の価格で買える権利〕〉** このせいで、つねに超短期的な目標が奨励され、中・長期的なものは犠牲にされてきた。

f **ヨーロッパ諸国の監督当局による協力** 危機的な状況に立ち向かうため、こうした協力は共通の手段によってなされるべきである。今回の金融危機が明らかにしたのは、ユーロという単一の通貨圏内においても、危機に対する介入が各国家を主要な基盤として行われており、適切な協力体制を欠いていたということである。

上記の点について分析家の意見はほぼ一致している。しかしながら、これらの点は危機を招いた本当の原因を理解するためにはまるで役に立たないように思われる。ヨーロッパの状況に言及すれば、公的機関発行の文書が提案している介入は、金融市場の悪い部分が引き起こした被害を留める必要性を出発点としている。それゆえ介入の要請は以下の手段を提示するにとどまる。

1. 各国監督委員会をヨーロッパレベルの機関に変容させること しかしすぐさま強調されているのは、こうした機関が政治化されることで、完全な自律という原則が、欧州中央銀行だけでなく、〈格付け会社〉や金融市場の管理機関においても脅かされるのではないかということだ。これでは原因と結果を混同している。他でもない金融市場の完全な自律こそが、短期・超短期的に機能することで、その金融市場を管理／調整する必要性と衝突するのである。事実、金融市場の自律と管理／調整は両立し得ない。

2. 〈リード・スーパーバイザー〉という役割の創設 これにより監督責任は銀行の〈所在国〉に委ねられる。だがこれは他国の問題に介入する可能性、そして〈所在国〉だけでなく、関係諸国すべての利害に配慮しようとする政治的意思と衝突する。つまり自律的な金融市場を、一国家が担う責任の内部に留めておこうとする〈政治的〉意思は、ヨーロッパ各国のあいだに協力体制を打ちたてる必要性とは相容れないのである。

3. ヨーロッパ単一の監督機関の設立 このような機関を設立するには〈欧州協定〉の修正、あるいは少なくともEU議会における全会一致での決定を必要とすることを指摘しておかなくてはならない。つまりこれは、マーストリヒト条約以来、ユーロ圏における通貨統合プロセスの基礎であった、マネタリズムを信奉する新自由主義型のイデオロギー基盤と矛盾するのである。

うわべだけの表明でなかったとしても、金融市場を管理／調整するためのこうした介入は、各国中央銀行の自律を維持し、より上位の国際的な協力体制を欠いたまま行動するのであれば、効果をもちうるいかなる可能性もない。つまり〈たいした重要性をもたない《ピッコロ・カボタッジョ》〉と形容できそうな類の〈ガバナンス〉なのであり、問題の中心に達することはできないのである。また、認知資本主義という新たなパラダイムが接木されたその根底に切り込まないことには、それは不可能だろう。現在ほど〈技術官僚的《テクノクラティック》〉改良主義のための場が存在しなかったことはこれまでなかった。

一方、少なくとも現在の景気変動段階において、確実により広い影響力をもちうる介入は、規制的なものではなくむしろ、拡大金融政策（政策金利の引き下げと通貨発行）あるいはケインズを思い起こさせる〈赤字財政支出〉政策による、流動性の注入に結びついたものである。興味深いのは、このような観点を、少し前までは正反対の政治経済上の選択、つまり市場の完全な〈規制緩和〉と国家の果たす経済的役割の無化を擁護していた国際機関（国際通貨基金と世界銀行）までもが強力に支持していることである。

ともかく、こうした対策については以下のことを強調しておく必要がある。

1. 政策金利引き下げ政策のもつ効果は、グローバル規模で金融化が進み、デフレリスクのある状況では低くなる。こうした政策が投資を刺激する可能性は、需要面への否定的観測という雰囲気と衝突するのである。その一方で、低い政策金利がどうにかして証券需要を刺激し、金融市場に対する信用をふたたび回復する可能性は、国際的な流動性の欠乏に直面する。事実、金融市場の自己言及的論理こそが、金融政策の意図よりも優位に立っているのであり、後者はますます金融の生権力によって課される条件設定の言いなりとなっている。

2. 〈赤字財政支出〉という政策は、なんにせよ十分な流動性をシステムに注入することが構造的にできない。[13] ポール・クルーグマンは、アメリカ経済支援プログラム九〇〇〇億ドルでは、GDPへの景気後退作用と経済が再生する可能性の隔たりを埋めるのに十分でないと主張している。[14]

3. 金融市場が牽引する認知的蓄積は、国家の経済政策による管理を逃れてしまうため、ケインズ主義的な政策にいま一度頼ったところで効果は十分ではない。さらなる高みを目指す必要がある。つまり超国家的・グローバルな経済政策を提案しうる国際的〈ガバナンス〉のことだ。

昨今の時事評論はしばしばまさにこの目標、つまり新ブレトン・ウッズ体制に言及してきた。ブレトン・ウッズ体制が論じられるのは、明らかに当時の経験を再現するための条件があると信じられているからだ。この面をより精確に分析しよう。一九四四年の協定が依拠していたのは本質的にふたつの条件だった。固定相場制を遵守することで自国の通貨を管理しえていた国民国家の存在[15]と、ドルと金の兌換性、つまり貨幣価値の物質的・量的基準を保証していた最後の結びつきである[16]。

これらの条件は今日、もはやどちらも存在しない。経済の金融化は国家による経済政策の自律性を無化してしまったし、各国通貨の価値は、多様な国際関係が〈帝国〉レベルでその都度序列を決定するさまざまな共有信念《コンベンション》の力学にますます左右されるようになっている。貨幣はとうとう完全に非物質化され、純粋な記号としての貨幣となった。いまや貨幣の価値尺度は慣習的《コンベンショナル》なもの、つまりさまざまな社会・国際関係の結果となり、資本レントと社会的協働のレント、つまり使用価値生産と交換価値生産のあいだの対立から生み出されるようになったのである。今回の経済危機に内在するこの不安定性は、いくつかの通貨の構造に対する共有信念《コンベンション》を脅かすという影響も及ぼしている。相違点はあるが、その象徴的な事例がアイスランドとジンバブエである。アイスランドの場合、金融的指標の悪化と、デリバティブ商品が証券化される過程でとくに活発だったいくつかの信用機関の破産により、国内通貨（アイスランド・コロナ）の価値が五ヶ月で三〇%下がり、信用水準が脅かされ、政治危機が生じ、ユーロへの移行が要求され、貨幣主権が放棄されようとしている。ジンバブエの場合、政治が不安定化していく過程で生じた経済・人道的危機を前に、まさに国の中央銀行が統治権の執行（国家による通貨発行権の独占）を放棄し、貨幣の鋳造を凍結した。もちろん互いにかなりの違いがあるケースだが、貨幣主権の喪失という共通点がある。これまでの歴史に学ぶならば、こうした状況は国家の独立が失われた結果として現実化するものだった。今日、歴史上初めて、貨幣主権と領土主権が同じメダルの両面ではなくなっている。

新ブレトン・ウッズ体制を成立させるためには、単独のヒエラルキー構造が安定的に存在し、それが（強制あるいは説得によって）グローバル規模で容認された唯一の蓄積・搾取形態《コンベンション》の認識を起点に決定されていなくてはならない。別の言い方をすれば、ここで提起されている問題とは、その定義からして多極的・多面的な〈帝国〉に、単一の〈ガバナンス〉は可能かということだ。このパラドクスに対する解決方法がありうるとすれば、それは新たなヤルタ体制の創設である。金融市場を通じて行われる認知資本主義による価値増殖を安定させうる地勢配置が可能かどうかは、なによりまず国際レベルにおいて均質かつ単一なやり方で新たな認知的分業の先行きを管理・決定できるかどうかにかかっている。

一九四五年のヤルタにおける合意は、大規模なグローバル紛争の結果だった。ヤルタ合意によって、国家を基盤に各々の蓄積プロセスに境界線を引こうとしていた第二次世界大戦の戦勝国間に協定が結ばれた。同じ結果を得るためには新たな戦争が起こるのを待つべきなのだろうか？

現在、新たな戦争が予見されていないのは、オバマ政権の対外政策が、対話プロセスを展開する方に傾いているかに見えるからでもある。しかし、だからといって認知資本主義という段階において、より重要なのは武器の轟音ではなく商業戦争の静けさなのだという事実から目を逸らしてはならない。実際のところ、新たなヤルタ合意を結ぶ可能性が試されるのはこの領域においてなのである。一九四五年とは異なり、今日の国際関係は、単純な地政学的変数の力学よりむしろ、地‐経済《ジオ・エコノミック》学的な力学によって決定されている。今日、ヤルタ合意とブレトン・ウッズ体制は互いに切り離されることができない。どちらかが単独で存在することが不可能であるのは、まさに国民国家レベルでの経済的自律が失われてしまったからだ。〈帝国〉の到来がもたらした結果のひとつがこれである。

こうした点について、アメリカの新財務長官、ティム・ガイトナーは、米上院財政委員会への書簡のなかで、中国の通貨が「操作《マニピュレイト》」されていると述べた[17]。中国の金融当局は、アメリカ市場に自国の商業を侵入させるため、人民元を作為的に低く抑えているというのだ。だが現実を見ると、中国元は二〇〇五年七月に貿易決済に使用されるようになって以来、ドルに対して二〇％も価値を上げている。しかしこのような通貨価値の上昇は、アメリカの貿易収支赤字に対する不十分な効果しかもたらさず、この赤字の構造的原因がアメリカの蓄積システムのうちにあり、為替レートの力学のみに単純に由来するものではないということを証明した。にもかかわらず、数日後、アメリカの代議士五三人が連邦政府に対し、あらゆる公的支援が中国における中国人の雇用ではなく、アメリカにおけるアメリカ人の雇用創出を目的とするよう求める書簡に署名した。そして一月末、下院は議論中のオバマプランに、製鉄・繊維分野における「アメリカ製品を買おう《バイ・アメリカン》」条項を入れたのである。[18]

つまり同業組合的かつ保護貿易主義的な傾向は、商品の自由な流通のみならず、労働市場に関してもすでに見られるのだ。[19] 新たなヤルタ合意とブレトン・ウッズ体制の構築をめぐる、一連の多極的合意を思い描く可能性が、中国-アメリカの軸にこそかかっているのは明らかである。

3. 経済的〈ガバナンス〉と社会的〈ガバナンス〉間の潜在的葛藤

先に述べておいたように、認知資本主義における経済的〈ガバナンス〉は、金融市場が果たす二重の機能、すなわち〈一般的知性〉の収奪に資金を提供し、それと同時に資本利得を通じて〔富の〕分配と、個人による社会保障を行うという機能に基づいている。

その一方社会的〈ガバナンス〉は、二重の路線に基づいて保証されている。脅迫と同意である。脅迫の基盤とは、生と所得の不安定化であり、これは労働関係が個人化した結果である。それに対して同意は、〈所有による個人主義〉という幻想を基盤としている。

二〇〇八年まで、社会的〈ガバナンス〉は経済的〈ガバナンス〉と一致していた。これは労働運動・社会運動との協調を目指すさまざまな政策が実現した仲介の結果であり、主にふたつの条件に基づいていた。最初の条件とは、金融市場が果たしてきたふたつの役割、すなわち歪んだかたちであったとはいえ〔富を〕再分配するという役割、そして経済の乗数としての役割が規定するもので、必然的に時間的制約を受ける。ふたつ目は、それ自体が矛盾を孕んではいるのだが、〔知識に対する新たな所有形態を通じて〕〈一般的知性〉を管理し、と同時にそれを交換価値としてだけでなく、創造性と社会的協働が成長する契機としても利用する可能性に基づいている。

認知資本主義における社会的〈ガバナンス〉とはそれゆえ、一方では金融市場が無限に拡大〔つまり成長〕してゆき、負債による収入を大規模に普及させることで、〈所有による個人主義〉という幻想を保証し続けられるかどうかに、他方では社会的協働にすすんで従事する意志が存在し、その協働がさしたる見返りを求めず、そしてなにより資本主義的価値増殖メカニズムには機能させることの不可能な〔〈一般的知性〉の〕創造性にそなわる過剰さを言わば自己管理してくれるかどうかにかかっている。

これまでこうした条件が課されてきたのは、暴力、つまり同意よりも脅迫によって、非常事態と安全保障の政策、労働力の分断、象徴的なもの・想像的なものを支配する政策、差し迫る戦争の恐怖によってだった。[20]けれどこれらすべてでも十分ではなかった。そして金融危機とともに所有による個人主義という幻想が〈債務を抱えた個人主義〉[21]という悲しい現実のうちに消え去ったとき、潜在的葛藤を抱える社会的〈ガバナンス〉もまた厳しい状況におかれることになったのである。

別の機会に、社会的〈ガバナンス〉の新しい面として、認知資本主義の価値増殖プロセスに相応しい新たな〈ニューディール〉制度は実践可能かどうかが論じられた。[22]その答えは、理論的にというより、とりわけ政治的にみて否定的なものだ。

実際のところ、理論的な観点からすれば、現在のシステム危機から抜け出すための条件はいくつか存在する。金融市場によって導かれてきた価値増殖メカニズムの構造そのものに働きかけることが問題になるだろう。具体的に言うと、蓄積に関して、認知資本主義における〔剰余〕価値は、学習プロセスの経済とネットワーク経済を搾取することで生み出されているのだと認識する必要がある。認知-関係構築的労働、すなわち生《バイオ》-労働〔私法によって公式に承認されている時間を超えて、労働に捧げられる生〕は、〔認知資本主義的〕蓄積・分配を回転させる軸を代表するものである。金融市場の力学は、生経済における生-労働の価値増殖を潜在《イン・フィエリ》的に表している。

つまり、生-労働の価値に対する認識の欠如が、認知資本主義の〈ガバナンス〉が危機に陥っている主な要因なのである。これを未然に防ぐためには、以下の面で行動すべきだろう。

a　蓄積に関して：学習プロセスおよび関係に内在する生産的な社会的協働をコモンの制度として打ち立て、その基盤に〈コモンの権利〉を据えることで、知識が私的に収奪されるプロセスを制限する。

b　分配に関して：社会的に普及するものである〈一般的知性〉に対する報酬（支援ではない）として、生存所得（ベーシック・インカム）を導入する。

c　福祉政策に関して：ベーシック・インカムの支払いを支え、〈一般的知性〉が発展サイクルにあるあいだコモンの諸制度を保証するような、コモンの〈福祉〉を定める。新たな蓄積形態に相応しい〈福祉〉を改めて定式化するという面においてこそ、コモンの福祉（すなわちコモン‐フェア）の基礎を決定しうる新しいタイプの社会闘争を開始することが可能になる。[23]

いま賭けられているのは、社会的協働から生まれるレントを再回収しようとする資本と、コモンが生み出すレントを奪還しようとするマルチチュードのあいだの弁証法である。

政治が仲裁すべき点があるとは思えない。経済的〈ガバナンス〉は理論上、社会的〈ガバナンス〉を放棄して初めて可能なのである。

〈一般的知性〉の生産性に対する直接的な報酬として〈ベーシック・インカム〉を導入すれば、資本による経済的命令が労働プロセスにさまざまなかたちで支配を揮う可能性に影響を与えることができる。すべての住民に無条件の所得を保証することで、すでに確立された伝統的な労働形態を逸脱する社会的協働に報酬を与えれば、生きるためには働いて所得を得なくてはならないという状況に対する脅迫はなくなる。すでにマルクスが明らかにしていたように、[24]こうした脅迫はある階級がべつの階級を支配する際の手段のひとつである。それゆえ労働に対する社会的〈ガバナンス〉なるものを維持することは不可能だ。今日これが可能となっているのは、先に脅迫と同意の二重路線と定義しておいたものの内部で、状況が不安定化し、労働がプロレタリア化したためである。

蓄積の面についても同じことだ。蓄積メカニズムをいまいちど修復するには、さまざまな知の自由かつ生産的な流通を基盤とする労働能力が必要だが、これは資本主義システムの基礎のひとつ、すなわち生産手段（過去には機械だったが、現在は知識も含まれる）の私的所有という原則とは相容れない。

経済的〈ガバナンス〉はこうして、資本主義的な蓄積構造を乗り越える可能性へと導いてくれる。つまり社会的生産を、ポスト資本主義的な諸形態に展開させてゆく道を切り開くのである。言い換えれば、現在の危機の源にあるさまざまな理由が要請している蓄積プロセスの改良は、社会的〈ガバナンス〉の実践を放棄することを含むのである。改良主義的政治の場はもはやない。

マルチチュードの社会的動員という楔が打ち込まれうるし、また打ち込まれるべきなのは、この癒しがたい矛盾の内部である。

そしてこれこそあのスローガンの本当の意味だ。「わたしたちはこの危機のツケなど払わない！」

＊注

初稿にコメントしてくれたステファノ・ルカレッリ、サンドロ・メッザードラ、クリスティーナ・モリーニに感謝したい。それからグレイトフル・デッドのサイケデリックなサポートにも。

（1）例として以下を参照されたい。Laura Bazzicalupo, *Il governo delle vite. Biopolitica ed economia*, Laterza, Roma-Bari 2005; Carlo Vercellone (a cura di), *Capitalismo cognitivo*, Manifestolibri, Roma 2006; Andrea Fumagalli, *Bioeconomia e Capitalismo Cognitivo. Verso un nuovo paradigma di accumulazione*, Carocci, Roma 2007.

（2）ダウ・ジョーンズ指数は二〇〇七年一〇月九日に、一四一六四ポイントという最高値を記録した。二〇〇九年一月末、その価値は八〇七七ポイントである。莫大な投資・年金資金を運用してきた主要な証券会社と金融機関に目を向ければ、数値はさらに壊滅的なものになる。二〇〇七年六月から二〇〇九年一月末にかけて、モルガン・スタンレーは六七・三％、ロイヤル・バンク・オブ・スコットランドは九五・八％、ドイツ銀行は八六・六％、バークレー銀行は九二・三％、クレディ・アグリコルは七四・六％、ウニクレディトは七二%、UBSは六九・八%、ゴールドマン・サックスは六五%、JPモルガンは四八・五%、クレディ・スイスは六四%それぞれ株価を下げた。

（3） M. Whitney, "Economic depression in America : evidence of withering economy is everywhere", *GlobalResearch*, 2 June 2008.

（4） http://www.nexusedizioni.it/apri/Argomenti/Economia/STA-PER-SCOPPIARE-LA-BOLLA-DEI-DERIVATI--di-Maurizio-Blondet/

（5） 『ファイナンシャル・タイムズ』によれば、ヨーロッパとアメリカにおける国家介入は総額二・二兆ドルに達し、さらに連邦準備制度、ヨーロッパ中央銀行、日本銀行の共同介入が二・八兆ドルである。

（6） André Gorz, *L'immateriale*, trad.it. Bollati Boringhieri, Torino 2003. 九〇年代後半から、無形資本（人的、認知的、非物質的）の価値が物的資本の価値を越えたことを思い出されたい。

（7） パオロ・ヴィルノは次のように書いている。「一九八〇年代、一九九〇年代の西洋における社会諸システムの変容は、「資本のコミュニズム」という表現によってもっとも良く概括され得るでしょう。（中略）フォーディズムが、社会主義的な経験の幾つかの局面を包摂し、それらを独自のやり方で登録し直したとすれば、ポストフォーディズムは、社会主義だけでなくケインズ主義をも完全に降板させました。ポストフォーディズムは、〈general intellect〉とマルチチュードに依拠しながら、コミュニズムに典型的な諸要求を独自のやり方で活用させるのです（労働の廃棄、国家の解消など）。ポストフォーディズムは資本のコミュニズムなのです。」（Paolo Virno, *Grammatica della moltitudine. Per un'analaisi delle forme di vita contemporanee*, DeriveApprodi, Roma 2002, pp.121-122〔邦訳『マルチチュードの文法』広瀬純訳、月曜社、二〇〇四年、二一二一一四頁〕）

（8） 本書「金融危機への一〇のテーゼ」、とりわけ第二テーゼを参照。

（9） Antonio Negri, "J.M.Keynes e la teoria capitalistica dello stato" in Aa.Vv., *Operai e Stato*, Feltrinelli, Milano 1972, p.7〔邦訳『ディオニュソスの労働』長原豊・崎山政毅・酒井隆史訳、人文書院、二〇〇八年所収、「ケインズと国家の資本主義的理論」六三頁〕

（10） OECD Reviews of Innovation Policy: China. Synthesis Report, May, 2007 http://www.OECD.org/dataOECD/54/20/39177453.pdf p.12.

（11） 本書所収のクリスティアン・マラッツィ「金融資本主義の暴力」参照。

(12) F. Saccomanni, "Nuove regole e mercati finanziari", intervento alla Scuola Superiore della Pubblica Amministrazione, Roma, 19 gennaio 2009, http://www.bancaditalia.it/interventi/intaltri_mdir/saccomanni_190109/saccomanni_190109.pdf. サッコマンニはイタリア銀行の総局長である。

(13) この点については、「犯罪的な」、つまり武器や麻薬の売買と結びついた経済に由来する流動性の注入も考慮する必要がある。二〇〇九年一月二六日、イタリア人アントニオ・マリア・コスタが事務局長を務める国際連合薬物犯罪事務所は、ウィーンにおける会合でこう発表した。麻薬売買からあがる金銭が合法な経済流通に入り込み、「いくつかの銀行は今回のグローバル金融危機のこの側面のおかげで救済されたという情報がある」ほどだ、と。麻薬売買の収益は九〇〇億ドルほどだと推測できるが、これはたとえば不動産資産を獲得するのに使用できる唯一の流動資本である。さて、このような流動性の注入は、正真正銘の公的支出には登録できない。国家のさまざまな機関がしばしばそれと緊密な共謀関係にあったとしてもである。留意すべきは、この国連の告発が世界中で大きな反響を巻き起こしたのに対し、イタリアではそれを取り上げた日刊紙がひとつもなかったということである。http://www.wikio.it/webinfo?id=88781387 参照。

(14) http://www.nytimes.com/2009/01/09/opinion/09krugman.html 参照。

(15) このことが意味しているのは、各国家が潤沢な貨幣貯蓄と金貯蓄を使用できたがゆえに、為替投機が起きても対処できたということである。

(16) ドルと金のパリティー比率は金一オンス三五ドルで固定されていた。

(17) Vincenzo Comito, "Sindrome cinese per il piano Obama", 3 febbraio 2009, http://www.sbilanciamoci.info/Sezioni/globi/Sindrome-cinese-per-il-piano-Obama. 参照。

(18) 同上。とはいえ本論考執筆の時点では、そのような保護貿易主義的措置は部分的に緩和されているようだ。

(19) イギリスの工事現場におけるイタリア人労働者の雇用をめぐり生じている衝突はその最たる例である。

(20) 本書所収のクリスティアン・マラッツィ「金融資本主義の暴力」参照。

(21) イタリアの状況について言えば、二〇〇八年を通して、年金基金と保険基金は平均して六％の実質損失を被り(Felice Roberto Pizzuti, "Se la bolla scoppia sulle pensioni", 27 gennaio 2009, http://www.sbilanciamoci.info /Sezioni/italie/Se-la-bolla-scoppia-sulle-pensioni 参照)、結果として家計負債が三〇％以上増加している(数値はイタリア銀行)。

（22） 本書「金融危機をめぐる10のテーゼ」、とりわけ第八、第九テーゼを参照。

（23） この点については既出、Andrea Fumagalli, *Bioeconomia e Capitalismo Cognitivo. Verso un nuovo paradigma di accumulazione*, なかでも第九章と、同著者の “Trasformazione del lavoro e trasformazioni del welfare: precarietà e welfare del comune (*commonfare*) in Europa”, in Paolo Leon, Riccardo Realfonzo, (a cura di), *L'Economia della precarietà, manifestolibri*, Roma 2008,pp. 159-174 参照。

（24） 『賃金、価格および利潤』のなかで、マルクスはみずからの労働力を売る労働者の自由を皮肉ってこう書いている。「労働力の所有者はそれを自由に売ることが出来るだけではない。なによりもそうせざるを得ないのである。なぜか?:生きるためだ」。この引用はCarlo Vercellone, *Il prezzo giusto della vita*, in “il manifesto”,24 novembre 2006: http://multitudes.samizdat.net/Il-giusto-prezzo-di-una-vita, 4 Fumagalli からお借りした。

価値法則の危機と利潤のレント化

認知資本主義のシステム危機に関する覚書き*

カルロ・ヴェルチェッローネ

序文

本論稿の目的は、「利潤のレント化」および「価値法則の危機」というテーゼを起点に、今回の危機を理論的に読み解くためのいくつかの要素を提示することである。というのも、フォードモデルが危機を迎えて以来、資本主義の変貌を印しているのは、さまざまなレント形態の圧倒的な回帰とその増殖だからだ。またそれと並行して、レント・賃金・利潤の関係にもより一般的な転換が起こっている。この変化は、理論的に見てもその政治的含意を考えても、多種多様な分析を産み出してきた。

そのなかでも、マルクス主義理論の内部で広く流布している、リカード経済学に起源をもつアプローチは、レントを前資本主義の遺産、資本が漸進的に蓄積される力学にとっての障害と見なしている。その結果、本当の資本主義、純粋な資本主義、効果的な資本主義とは、レントのない資本主義だろうと考えられてきた。

今日でも同様の見かたが、鍵となる役割を地代（つまり土地のレント）から金融レントへと移しつつ、現在のシステム危機、つまりいわゆる〈サブプライム〉投機バブルが弾けたのちに資本主義を襲ったものだが、より広く捉えるならば、架空資本形態による債権の証券化に起因する危機を解読するべく提起されている。こうした分析によれば、今回の危機の意味は、レントへと向かう金融資本主義と、生産・雇用の拡大に好都合な蓄積論理をそなえた善い生産資本主義との衝突に見出せるという。

それゆえこうした解釈からは、論調に差はあれ、フランスとイタリアにおいて多くの経済学者が示唆していること、すなわち金融権力に対抗して、賃金労働者と生産資本が新リカード的妥協をするべきだという提案が導き出される。この妥協が、フォード時代に経営者資本主義が握っていたヘゲモニーを、そしてさらには完全雇用へと近づいてゆくための諸条件をいま一度回復してくれるはずであり、しかもこれらすべてが、労働を組織化し賃金関係を調整する際のフォード型方法論と本質的に変わらない文脈において進行するというのだ。それと同時に、投機という手段で非物質的資産と物質的資産（たとえば家）の価格を高騰させ、実物経済において生み出された利益を過度に横領することで、金融が引き起こしてきたさまざまな歪みに抗して、分配と価値尺度の規範としての〈労働時間という価値法則〉を、いま一度まともに機能させることが問題になるという。

このような解読の図式は、ひとつならぬ理由、なかでも相互に結びついた四つの理由から誤っていると思われる。

a　レントを、資本力学の外部にある、利潤と対立するカテゴリーと見なしているため、資本主義におけるその役割について間違っている。

b　レントが力を取り戻し、しかもその影響が有害であることへの批判が、フォーディズムの危機以来、分業と資本-労働関係の形態に生じてきた変容の分析と断絶している。こうした変容の大部分は、これから考察していくように、労働の認知的・非物質的な次元がその潜勢力を成長させていることに結びついており、金融サービスの発達は、この次元の一側面（もっともわかりにくいものではあるが）を代表するに過ぎない。

c　産業の論理が資本蓄積における主導的役割を失ったことを決定づけるとともに、産業資本主義そのものをよりはっきりとレント生活者《ランティエ》的で投機的な傾向へと導いている諸変化の重要性をなおざりにしている。

d　クリスティアン・マラッツィが、本書の基礎となるその論考において、はっきりと強調している金融の〈浸透的性質〉、つまり今日の金融が価値の生産-分配-実現という「経済サイクル全体にわたって蔓延しており」、多くの社会主体と経済主体を巻き込みながら、金融経済と実物経済との明確な区別をいっそう困難にしていることを感知していない。

もちろんいま重要なのは、金融が享受している相対的な自律と、それが利用するシステム上の権力を否定することではない。そうした権力は、成長局面であれば金融が度を越した割合の利益を横領するときに[1]、投機バブルが弾けたあとの局面であれば、地域的危機がグローバル危機に変容する脅威によって、金融が諸々の機関を人質にとり、各国の中央銀行・政府から驚くべき額の支援を無条件で引き出せてしまうとき明らかになる。

しかしながら、あたかも問題となるのが、いわゆる実物経済を食い尽くす絶対的なまでに自律した権力であるかのごとく金融にこだわっていると、資本による価値増殖の矛盾とその危機の根本にある社会・経済的要因や、金融資本と生産資本の相互浸透がいとも簡単に忘れられてしまう。

こうした見かたは、たとえば、インターネット市場コンベンション〔共有信念。五九頁訳注参照〕の危機から、不動産市場コンベンションの危機への移行が、金融論理の周期的反復に位置づけられるにとどまらず、認知資本主義の力学における根本的な転換をも印していることを見過ごしてしまう。事実、ナスダックの暴落に始まる二〇〇〇年三月の危機は、〈ニューエコノミー〉神話の終焉を告げている。この危機は、資本がインターネットをはじめとする非物質的なものの経済を、商品化の論理に従わせようとする際に遭遇する構造的限界を表しているのである。というのも、こうした経済においては、さまざまな形でアクセスに対する経済的バリアを設置し、知的所有権を強化したところで、無償とネットワーク上の自主組織という原則がなおも優勢だからだ[2]。要するに、以前はフォーディズム型成長の原動力だった分野が衰退し始め、市場の飽和と新興諸国という競争相手にでくわすやいなや、認知資本主義が抱える主観的・構造的な諸矛盾が驚くほど深刻化するのが見られるのである。実際のところ、このような構造的諸矛盾は、資本が非物質的なものの経済や知識の経済をその漸進的成長の力学に組み込み、それを基盤に販路を拡大するとともに、生産の社会的組織化におけるみずからの正当性を主張することの不可能性に結びついている。その証拠がマクロ経済におけるブッシュ時代の遺産、すなわちグローバル経済の破綻状態である。ナスダック危機のあと、経済に活気があったのは、二〇〇四年から二〇〇七年にかけてのわずか数年だったわけだが（年間平均成長率は二・八％）、それはほぼ完全に投機バブルに依存しており、そこでは不動産業界の発展と金融サービスの発展がお互いに資することで、アメリカ民間部門の四〇％という成長率を可能にしていたのである。さらに、消費者金融の異常なまでの拡大を後押しした、賃金の圧縮や所得分配における不均衡の爆発は、金融の貪欲さがもたらしたものに過ぎないと考えることはできない。そのような事態の構造的原因はなによりもまず、生産の組織化という面で自律性をいっそう強めつつある労働力に対する支配を確保するために、資本が実行した不安定化の諸戦略にこそある。

要するに、金融化に代表されるレントの役割の拡大は、その大部分が、認知資本主義に内在するこうしたグローバルな矛盾の原因であると同時に結果でもあるのだ。同様の考察は、今回の危機の性質とそれが生じた原因を理解するためにも有効である。多くの経済学者のように、それが本質的には金融に起因する危機であり、そのシステム上の帰結として二次的に実物経済を巻き込むことになったと考えるのは誤りだろう。つぶさに眺めてみれば、この図式は転倒されうる。グローバル危機を示す数々の経済的、社会的、生態学的指標は、金融危機が生ずるはるか前から現れていたのである。さきに述べておいた、いわゆる〈ニューエコノミー〉業界を商業として発展させることに内在する困難や、自動車産業にじわじわと起こっていた危機、許容範囲を超える家計債務などを考えてみればいい。経済・金融における国際的な不均衡や、原料・食料品価格の信じ難い高騰も忘れることは出来ない。

レギュラシオン学派のカテゴリーを用いるなら、今回の危機は、一九二九年の大恐慌とは異なり、本質的には機能させることが可能な蓄積体制の根本原理に関して、認知資本主義による金融の調整様式が陥っている深刻な危機であるにとどまらない。それゆえ、今回の危機で賭けられているものが何であり、そこからの脱出は可能かどうかという問いは、資本－労働間に新たな妥協を偶発的に打ち立てるという案や、金融の権力を制限し、賃金と生産性のあいだにフォード型の結びつきを回復させうる諸制度を創設するというかたちで、非物質的なものと知識を基盤とする資本主義に適した生産・消費の諸規範をバランスよく整えていくといった案に引き戻すことはできない。この点については結論で戻ることにしよう。

本論考では次の仮説を考察したい。すなわち今回の危機とその深刻さは、知識に基づく経済が発展する基盤であり、この惑星の生態学的バランスを維持するのに必要な社会的諸条件と認知資本主義が相容れないものであることを示しているのではないかという仮説である。

問題となっているのは、生産諸力の発展と社会的生産諸関係とのあいだにある矛盾を、その根本から直撃しているひとつの構造的危機なのだ。アンドレ・ゴルツの素晴らしい表現をいま一度使うとすれば、今回の危機が示しているのは、「資本主義が生産諸力の発展においてひとつの限界に到達してしまい、その先はまた別の経済に向かって自分自身を越えないことには自らの潜在的力からもはや利潤を完全に引き出すことが出来な(3)」くなっている状況なのである。

この矛盾は価値法則の危機、そして利潤のレント化というテーゼによって定義しておいた傾向と緊密に結びついている。

では、価値法則の危機という言葉で理解すべきことは何なのか？

このような危機は、何よりもまず経済学の根本的カテゴリー、つまり労働、資本、そして価値の意味そのものを揺るがす尺度の危機として現れる。だが、〈労働時間という価値法則〉の危機はさらに根本的なものであり、尺度の危機にとどまらず、とりわけ後期資本主義の段階にある国々において、資本がその進歩的力を枯渇させ、寄生的性質を強めていることを示す二つの事態に対応している(4)。

一つ目は、資本主義が生産を合理化する規準としての価値法則が枯渇したこと。この規準は産業資本主義において、単純・非熟練労働の時間を単位に計測される抽象的労働を用いて、労働を統制するとともに社会的生産性を向上させる道具にしていた。この点から見ると価値法則の危機は、労働の認知的次元が力を取り戻し、さらにはその潜勢力を拡大してすらいることに結びついている。つまり、固定資本と企業の経営者組織に組み込まれる知に比べて、労働に組み込まれる知が改めて支配的になったという現実に対応しているのである。こうした状況のなか、レントと同じく利潤もまた、生産組織に対する外部性という関係を起点に機能する価値横領メカニズムへの依存度を高めつつある。

二つ目は、商品の論理を主な規準として使いながら、使用価値生産とニーズの実現を累進的に発展させる社会関係と見なされていた価値法則が枯渇したこと。この主張をより詳しく理解するためには、マルクス、あるいはリカードにとってさえ、(商品)価値が生産の難しさ、つまり労働時間に依拠しており、豊富さと使用価値に依拠する〈富〉の概念とは根本的に異なるものであったことを思い起こしておく必要がある。資本主義の生産論理は産業資本主義の時代、単一の価値をもつ商品をより多く生産することで相対価格を下げ、実際に必要かどうかはともかく、より多くのニーズを満たすというかたちで富の増大を促進する能力に、ある種の歴史的正当性を見出したのだった。この意味で、生産諸力の資本主義的発展と利潤は、稀少性に対する闘争の手段と見なされえたのである。認知資本主義においては、〈価値〉と〈富〉のこのポジティヴな関係が崩壊し、疑いようのない分離へと変化する。実際のところ、交換価値の論理が今日その優位性を維持できるかどうかは、資本主義的所有権の場合と同じく、これまで以上に、回復不可能な稀少資源を破壊し、そして／あるいは、資源の稀少性を人為的に産み出すことにかかっている。そしてこの資源の稀少化は、利潤がレントと入り混じるメカニズムを通じて実行されているのである。

曖昧さを残さぬようすぐにはっきりと言っておこう。このことは、労働がもはや価値と剰余価値を生み出す本質・源泉ではなくなったということを意味しない。その意味とは単に、価値・剰余価値法則と搾取の法則が、マルクスによれば――その正否はともかく――資本にそなわるものと見なされる進歩的機能を失った抜け殻として生き延びるということである。この進歩的機能とはすなわち、労働を組織化し生産諸力を発展させるにあたり、稀少性と闘い、「必然の王国から自由の王国へ」の移行を果たすための手段として資本が果たす積極的・創造的な役割のことだ。

このことはまた、資本‐労働間の対立が、知識に基づく経済を支えるコモンの諸制度と、レントという形態で展開される認知資本主義における収奪の論理との対立として現れてきていることを意味する。金融は、擬制商品を架空資本に転化するというかたちで、ときに数あるレントの現象形態を要約するとはいえ、やはりそのひとつに過ぎない。

これらのテーゼが――理論・歴史どちらの観点から見ても――正しいことを示すため、ここから先の本論考は二つにわけられる。

まず最初にいま一度、賃金・レント・利潤というカテゴリーの定義に戻ろう。この考察では、理論的にも歴史的にも、レントのカテゴリーを利潤のカテゴリーから分けている境界線が柔軟に動くものだと主張することになる。この事実を示すための基礎となるのは、『資本論』第三巻でマルクスが、資本のレント化という理論を素描するにあたって展開したいくつかの手がかりである。この理論は〈一般的知性《ジェネラル・インテレクト》〉という仮説の現代的意味に結びつけられるならば、新たな光をあてられることになる。

第二節では、レントの影響力を増大させると同時に、レントと利潤の区別を崩壊させた資本-労働関係の歴史的変容を、総合的に解読する格子を提示したい。

1. 賃金・レント・利潤の定義

賃金、レントそして利潤は、マルクスによれば、所得分配の三大カテゴリーであり、資本主義的諸関係から生じるが、こうした関係同様に歴史的性質をもっている。ここではこの視点から、現代資本主義において賃金・利潤・レントの分節に生じた変遷を理解するための概念装置を、とりわけレントというカテゴリーについての理解を深めつつ、作り出したい。

では、論理的に考えて賃金から始めよう。なぜか？　理由は単純だ。資本主義において賃金が意味するのは生産的労働の対価だが、この生産的労働という概念で理解されるのは、利潤とレントが形成される源である剰余価値を生産する労働だからである。くわえて、マルクスが工場に関してすでに強調していたことだが、この剰余価値は賃金労働者ひとりひとりの個人的な剰余労働を単純に合計したものではなく、労働が社会的に協働することで生み出される余剰を無根拠に横領したものでもあるということも明確にしておきたい。この要素は、本分析の展開において本質的な役割を果たすだろう。とりわけ、賃金、生産的労働、そして搾取という概念を、上記の協働がもはや工場の内部に囚われてはおらず、社会全体に拡まっており、資本との関係においてますます自律した形で組織されつつあるという文脈で再考するためには決定的となる。

　賃金の次は、この剰余労働が生産するものを横領する二つの所得カテゴリー、つまりレントと利潤へ進もう。まずはじめに、レントという概念は理論的にみて非常に複雑である。

　今回はこのレントの概念を、緊密に関連しあっている三つの要素を起点に定義してみたい。そうすることで、生産諸関係の再生産という局面、そしてその別面である分配諸関係という局面でレントが果たす役割を、同時に理解することが可能になる。

　最初の要素は生産諸関係という視点から、資本主義的レントの発生とその本質を、生産・再生産の社会的諸条件が収奪されるプロセスの結果として特徴付けることを可能にする。事実、近代的な地代〔土地のレント〕の形成は、〈囲い込み〉《エンクロージャー》のプロセス、つまり土地と労働力が擬制商品に変容されるための必須条件であった、この最初のコモンの収奪と一致するのである。[5]

　この最初の事実から、ただちに理論上の重要な教えを引き出すことができる。資本主義の歴史上、レントの布置がさまざまに変化する重要性を担ってきたことは、カール・ポランニーの表現を借りれば、経済においては脱社会化、再社会化、そしてさらなる脱社会化という段階が歴史的に循環していることと緊密に結びついているのである。

　つまり、資本主義の歴史においてレントがとってきたいくつもの形態は、本源的蓄積時代の地代がそうであったように、生産の社会的諸条件の私有化、そしてコモンの擬制商品への変容と常に分かちがたく結びついている。この事実は、土地に基づく最初の〈囲い込み〉から、知と生けるものに基づく新たな〈囲い込み〉までを、同じひとつの論理内に包括する〈結節点〉である。同様の類比は、商業資本主義の時代に、資本の本源的蓄積の第一段階で公債が果たした役割と、現代の歴史的状況において、金融レントを増大させ、〈福祉国家《ウェルフェア・ステイト》〉の諸制度を不安定化させるうえで、貨幣と公債の民営化が果たしてきた決定的役割のあいだにも成り立つ。

だがしかし、連続性を示すこうした要素にもかかわらず強調しておくべきは、これまでの歴史的段階と比べたとき、現在の新自由主義的な経済の脱社会化プロセスが帯びる決定的な特異性である。今日、コモンの収奪は、土地のごとき資本主義の外部（ローザ・ルクセンブルクがこの語に与えた伝統的意味での）に属するプレ資本主義的条件のみに依拠しているのではない。今日進行している経済の脱社会化が依拠するのは、何よりもまずコモンの構成要素を収奪すること、つまりこれまでに闘争が、資本とは異なる論理をそなえた知識の経済の制度的・構造的基盤を据えることで、生産諸力のもっとも発展した場に打ち立ててきたコモンの構成要素を収奪することである。つまり、少なくとも潜在的には、ポスト資本主義的外部と定義可能な構成要素のことだ。例として、これまでは〈福祉国家〉の諸制度が維持してきた、保健システムや教育・研究システム、そして「人間による人間の集団的生産」を挙げておこう。この点については先でもう一度触れるが、わたしたちの考えでは、レントの回帰を理解し、現在の危機で賭けられているものを明確にするうえで中心的な役割を果たすのはこの点である。

レントの特徴を描き出す二つ目の要素とは以下のようなものである。すなわち、レント生活者に所得をもたらす資源は、一般的な傾向として、レントの規模に比例して増加しないということ。事実はむしろその反対である。言葉を換えて、ナポレオーニの定義を取り上げれば、レントとは「ある特定の財の利用可能な量が不足している、あるいは不足させられるという事実のゆえに、その所有者が受け取る所得」[6]である。要するにレントは、ある資源の稀少性、自然なこともあるが、多くの場合――独占状態がそうであるように――人為的に生み出される稀少性に結びついている。このように、レントの存在が依拠するのは、さまざまな形態の所有権や独占的な力関係であり、これらが稀少性を生み出し、生産に必要なコストによって正当化される以上の価格をつけることを可能にする。そしてこの値段の吊り上げは、たとえば〈知的所有権〉のごとき、制度的人工物の所産なのである。

最後に三つ目の要素だが、資本主義的レントは、もはや「生産過程そのものにおける何らの機能をも、少なくとも何らの正常な機能をも行うものではない」(7)がゆえに、(封建的地代とは異なり)純粋な分配関係として特徴付けることができる。

要するにレントは、有価証券や物質的・非物質的資源の所有権として現れ、生産との関係で外部に位置しながら価値を引き出す権利を与えるのである。

これらの事柄をもとに、今度は利潤と、それをレントから区別することを可能にする規準へと進もう。こうした規準は、つぶさに眺めるならば、従来考えられているよりもはるかに曖昧なものである。

そのためにはいま一度、地代の例を手がかりに考えるのがいいだろう。地代とは、土地所有者が自らの所有する土地を、他者に利用させることの対価として受け取るものである。この意味で、古典派経済学から受け継がれてきた概念に従うならば、地代とは「生産活動に貢献するもの全員が対価を受け取ったあとに、なお残るもの」と見なすことができる。

このように考えることで気づくのは、すべては「生産活動に貢献すること」と「生産活動に貢献する者」をどのように理解するかにかかってくるということだ。ここで、古典的ではあるがいまだ有効な利潤の定義を見てみると、それは資本の対価であり、生産活動に投じられた資本の量に応じて獲得される対価からなるものである。そうしたものであるならば、利潤は――スミス自身がすでに強調していたように――企業家や経営者が必要に応じて担う生産活動の調整や監督といった役割の報酬とはなんら関係がない。このことを踏まえれば、資本の対価とは、土地の対価と同じように、レントでもあると見なすことができるだろう。なぜなら資本所有者は、生産手段を供給するだけで自身は生産に関わらなくとも、なんら問題ないからだ。(8)

これこそ、経済学の歴史がその初期から、レントと利潤を明確に区別することを目標に、無数の理論的論争を繰り広げてきた理由である。この論争はさておき、レントと利潤を区別するためになされたもっとも真剣な主張は、つぎの二つであると思われる。

i　最初の主張によれば、レントとは異なり、利潤はその本質として、生産に再投資するため企業の内部に保存されるものである。それゆえ利潤は、レントとは異なり、生産諸力の発展と稀少性に対する闘争において肯定的な役割を果たすことになる。

ii　二つ目の主張は、労働の指揮・組織に必要な条件として、資本が生産プロセスの内部でもつ性質（ここでもレントとの違いが問題になる）に関わっている。この内部性は、資本家の形象と経営者の形象との一致、あるいは生産資本を体現し、生産の運営と生産力の革新・拡大に重要な役割を演ずる企業経営の論理に依拠している。どちらの場合にも、この資本の内部性が前提としているのは、知的労働（資本あるいはその諸機能者の属性）と平板化した遂行労働（労働の属性）との明確な対立関係である。

この二つ目の主張を十全に理解するには、資本主義的生産プロセスが、二つの次元の矛盾を孕んだ統一であることを、マルクスに応じて思い起こす必要がある。[9] その最初の次元とは「労働プロセス」であり、使用価値の生産を目的とする。この観点からすると、必要に応じて資本家が担う指揮の機能は、生産を組織化する客観的機能である。いまひとつの次元は「価値増殖プロセス」であり、賃金労働の搾取による商品の生産を目的とする。この観点からすると、資本家による指揮の形態は専制的なものであり、「価値増殖プロセス」に合わせて「労働プロセス」を再構築するよう資本を導く対立関係によって特徴づけられる。産業資本主義、つまり労働プロセスが資本へと実質的に包摂される資本主義においては、まさしくこれら二つの機能を同時に保証する能力が、マルクスの述べている通り、資本家を「生産の代理人」とし、労働の協働形態に対する資本の命令に、労働プロセスの指揮に必要な客観的条件という見かけを与えていた。このため、純粋な分配関係と見なされるレントとは異なり、利潤は労働プロセスに内在する分配カテゴリーと考えられたのである。

しかしながら、これから見ていくように、レントと利潤を区別する、というよりこの二つを対立させるのに必要なこれら二つの条件が実現するとしても、それはあるひとつの資本主義、すなわち産業資本主義時代が一時的に生み出した状況にすぎなかった。より精確に言えば、こうした条件が完全に実現するのは、フォーディズム型成長の黄金期、つまり資本への労働の実質的包摂の論理と、大量生産の論理がともに結果をもたらす時期以外ないだろう。反対に、認知資本主義ではこうした境界がますます入り混じっていくことになる。しかしこの点を詳しく展開する前に、マルクスに触れつつ、いま少し理論的回り道をしておこう。『資本論』第三巻、資本‐レントという仮説が示される箇所である。

補遺——『資本論』第三巻から〈一般的知性〉へ：マルクスにおける資本‐レントという仮説

マルクスはさまざまな文章で、先に述べたレントと利潤を区別する二つの規準を私たちと共有しているように思われるが、それには二つの主な理由がある。

i　最初の理由は以下の事実にある。マルクスは、古典派経済学者同様に、資本の一般的な分析において（『資本論』一巻・二巻）、原則として産業資本家は自らの資本を所有し、自分自身で企業を経営するものだと前提しているように思われるが、これは『資本論』が起草された時代には最も一般的なケースであった。それゆえ産業資本家は、生産関係に直接組み込まれ、生産諸力を発展させるべく（さらに資本の稀少性を減らすべく）投資する程度に応じて、レント生活者の形象とは対立するものと見なされたのである。

ii　さらに重要な第二の理由とは、マルクスが思考していたのは実質的包摂へと向かう状況においてであり、そこでは、彼自身の用語を用いるなら、純粋に専制的な生産諸機能と、資本家が生産を組織する際の客観的諸機能が混ざり合うように見えていたことである。この混合状態は、科学が固定資本に組み込まれ、知的労働と遂行労働が分離されることで、資本による生産の指揮が、生産諸力の物質性そのものに書き込まれた客観的根拠をそなえているかに思われていたことによる。

それゆえマルクスは、「資本家と賃金労働者の二者だけが生産の代理人である」一方で、「土地所有者という、古代ならびに中世においては生産にとってかくも本質的だった機能者は、産業時代においては無用の長物だ」[10]と断言するのである。

けれどもマルクスは『資本論』第三巻において、利子と企業利潤をもたらすものとしての資本に関する分析を展開しつつ、利潤／レントという対立項、そしてレントのカテゴリーを土地所有のみと同一視することに疑問を呈している。マルクスはこの思考をさらに推し進め、極限へと到る過程で、利潤と資本所有のレント化を考察する。この考察を行うため、マルクスはまず資本の二極、すなわち所有と機能のあいだに概念的区別を導入し、この区別をもとに、資本所有の所得である利子と、生産を指揮する企業家の活動利潤を区別する。そしてこのことを踏まえて、相互補完的な二つの仮説をさらに展開する。

最初の仮説は、信用と株式会社の発展へと向かう傾向が、資本所有とその経営の分離をいっそう深めていくことに関連している。マルクスによれば、こうして資本所有は、封建制から資本主義への移行期に地代が被ったものに似た運命を辿るという。言うなれば、資本所有が生産領域から外部化してゆき、土地所有同様に、資本所有は労働の組織化が実行される際なんら直接的な機能を果たさずに、剰余価値を引き出すことになるのだ。

その結果「残るのは、ただ機能者だけとなり、資本家は余計な人間として生産過程から消え失せるのである」[11]。このようにマルクスは、資本所有の受動的性質に、機能資本家の能動的性質を対置するが、後者は資本所有とその経営の分離を経て、ますます経営者《マネージャー》の形象のうちに実体化されるようになり、そのなかでは労働の指揮と搾取という機能が、構想と生産の組織化という課題を実行するために投じられる賃金という偽りの外見をとるのである。

いまマルクスのなかに見出した分析は、いくつかの面において、一九三〇年代の大恐慌のあいだにケインズが展開することになるものに先駆けている。つまり『雇用・利子および貨幣の一般理論』の文章のことだが、そこでケインズは企業家の形象を投資家の形象に対置し、レントの概念を資本所有そのものにはっきりと拡大している。この基礎に立ってケインズは、「金利生活者〔レント生活者〕の安楽死と、それに続く資本の希少性から価値を搾取する資本家の累積的・抑圧的権力の安楽死(12)」を予告することになる。事実、ケインズが明言しているように、「今日、利子はいかなる純粋な犠牲に対する報酬も意味しない。この点は地代の場合と同様である(13)」。

しかし『資本論』第三巻でマルクスは、ケインズをさらに越えて、資本のレント生活者的で寄生的な性質が、生産資本そのものに結びつくことになる状況を喚起している。

実際、二つ目の仮説は、資本‐労働関係に変化が生じ、生産プロセスに対する資本所有の外部性が、労働者による知の奪還プロセスに起因する実質的包摂の危機と同時進行することに関わっている。

この枠組みにおいてマルクスが伝えていることの本質とは、生産を調整する経営者、つまり資本の機能者が果たす諸機能もまた不要になり、資本との関係において自律的に組織されうる生産的協働を前にして、純粋に専制的なものとして現れるということだ。この点についてマルクスは、意義深いことにホジスキンの一説を引用している。そこでホジスキン――この人物は〈一般的知性〉という仮説を練りあげる際に決定的な影響を与えることになる――が喚起しているのは、「産業労働者のあいだに教育が広範に拡大すること(14)」で、資本の諸機能者によって実行される経営上の知的諸機能が、いっそう一時的なものになるということである。

ここまでの回り道を締めくくるにあたり、この資本‐レントという理論は、『資本論』第三巻では素描されたに過ぎないが、〈一般的知性〉をめぐるテーゼと連結されると、理論的・歴史的により強力かつ適切なものになるということを指摘しておきたい。その主な理由は二つある。

i　一般化した知性をまえに、ホジスキン的な資本の非生産性というテーゼは、資本がもつ機能全体〔所有と経営〕の特性になる。マルクスによれば、この状況において「企業家の利潤と経営賃金を混同させるために使われてきた最後の口実(15)」が無効になり、後者は「現実においても、理論的に疑いようもなくそうであるところのもの、つまり単純な剰余価値、いかなる対価も支払われていない価値であることが明らかになる」[16]。要するに、レントと同じく利潤もまた、生産プロセスにおいていかなる現実の機能も果たさず、ただ無償労働を横領することから生まれるものになるのである。

ii　知がその動力としての役割を果たす経済においては、労働時間に依拠する価値法則は危機に陥る。そのひとつの帰結とは、生産に必要な〈直接労働〉の時間がいまや最小限まで削減されているがゆえに、生産の貨幣価値、さらにそれと結びついた利潤の急激な減少が引き起こされかねないということである。その結果、資本は強制的に交換価値の優位性を維持し、利潤を確保するべく、供給の稀少化というレント生活者的なメカニズムを展開するよう導かれる。

つまり、『資本論』第三巻の分析を『経済学批判要綱』の分析に接続することで明らかになるのは――驚くべき予見の力と言うべきだが――生産の客観的諸条件と主観的諸条件どちらを考えても、資本のレント化は避けられないということなのだ。

だが、マルクス自身はこうしたアプローチをおこなっていない。というのも当時こうした仮説は来るべき潜在性、長期的な位置づけの傾向という性質しかもっていなかったからである。そしてそれは正しかった。

マルクスの死後、金融レントが興隆・拡大し、一九世紀末の大不況と一九三〇年代の大恐慌にはさまれた歴史的期間の特徴となったとはいえ、産業資本主義は、実質的包摂がいまだ進行中の空間において発展してゆくのである。

2. 産業資本主義から認知資本主義へ

ここまで述べてきたことをふまえ、それでは産業資本主義から認知資本主義への移行に際して、賃金、レントそして利潤の結びつきに生じた変容の分析へと進もう。

a　フォーディズムにおけるレントの周縁化

一九二九年の大恐慌を経た第二次世界大戦後、レントは段階的に周縁化し、剰余価値の創出に直接組み込まれた産業資本主義がヘゲモニーを獲得していった。四つの本質的な要因が、フォーディズム型成長の黄金期になぜレントが周縁化したかを説明してくれる。

i　金融市場の規制、累進課税制度、そしてケインズ主義的な貨幣供給の調整など、一連の制度的仕組みすべてが、相続財産の権力を制限することに貢献し、それと同時に、非常に低くマイナスのことすらあった実質利子率に起因するインフレ誘導的プロセスを後押ししたこと。

ii　さまざまな〈福祉《ウェルフェア》〉制度の発展により、労働力を再生産するための諸条件が社会化され、ますます多くの所得が、資本の価値増殖論理と金融権力から解放されたこと。

iii　大量生産の原動力となった巨大企業において、労働を組織する際のテイラー主義・フォーディズム的方針が展開されたことで、知的労働と遂行労働の分離傾向が徹底されたこと。その結果として、ガルブレイスが論じた経営者資本主義のヘゲモニーを認めることができる。この語が意味するのは、（ホワイト・カラーのオフィスと研究・開発（R&D）ラボラトリーにおいて）技術革新を計画し、生産を組織化する役割に自らの正当性を置く専門家集団《テクノストラクチャー》の権力である。そこから帰結する経営論理は、株主の利害や、その他の「生産的でない」資本の価値増殖形態を二次的な地位に追いやるものである。

iv　最後に、固定資本を要とする蓄積論理と一貫して、〈知的財産権〉の役割がかなり制限されるようになったこと。

こうした状況のなか、所得分配は結果として賃金と利潤、より正確に言えば賃金力学と企業利潤の衝突に集中することになるが、賃金力学は、社会化の度合いを強めるとはいえ、その主要な推進力をフォード型巨大企業のうちに見出し、生産性に迫る賃金上昇を可能にした。

レントの布置は二次的なもの、それもとりわけ都市化に起因する不動産レントの拡大に関連した役割に追いやられる。しかもこの不動産レントの拡大は、利潤と対立する論理に従っていたようにすら思われる。

その証拠として挙げられるのが、七〇年代初頭にフィアットのアニェッリが展開した提案、つまり雇用者側と労働組合が同盟を結び（新リカード主義）、都市部における家賃と地代の上昇に対抗するという提案である。彼はこの二つの要素が、インフレと〈熱い秋《アウトゥンノ・カルド》（一九六八年の学生運動に呼応する形で、一九六九年秋にイタリアで生じた労働運動）〉における賃上げ要求の原因だと主張した。

b　認知資本主義におけるレントの回帰とその役割

しかしながら、上記の形勢はフォードモデルが危機に陥り、認知資本主義が台頭したことで引っくり返ってしまった。今日目撃されているのは、レントの形態が増殖すると同時に、レントと利潤のあいだの境界線が不明瞭になるという事態だ。実際、新たな資本主義において、利潤はこれまでよりいっそう「資本の非生産的価値増殖」[17]（J・M・シュヴァリエ）に関わる二つのメカニズムに依拠するようになっている。

i　一つ目のメカニズムは、さまざまな形態の所有権（株式所有から特許まで）と有価証券（例を挙げるなら公債）が果たす中心的役割に関わっている。こうした諸形態が存在する数だけ、すでに創出されている、あるいはこれから創出されるべき価値の一部分を、生産の外部から引き出す形式的権利が作られている。

ii　二つ目のメカニズムは、生産プロセスへの直接的な支配が段階的に市場の支配に取って代わられていることから成る。こうした移行は、市場における独占的立場の構築、あるいは資本が――〈問屋制家内工業《プッティング・アウト・システム》〉を想起させる論理に従い――労働と市場の仲介者として影響力を揮うことで、企業の境界の外部で創出された価値を横領する手段を作り出す能力によって起こっている。

しかしさらに重要なのは、こうした生産からの資本の外部化が、企業の内部における労働組織と同時に、企業の外部との関係にも及んでいるということだ。

二つの傾向がこのテーゼに沿って進んでいる。まず、認知資本主義において、企業の競争力はますます外的条件と、生産力の格差に結びついたレント、つまりある地域にそなわっている認知的資源とその人間育成・公的研究の質がもたらすレントを捕捉する能力に左右されるようになっている。要するに、工場における技術的分業を中心的基盤とした産業モデル（アダム・スミス）とは異なり、「諸国民の富」は企業の囲いの外部にある生産的協働への依存をいっそう強めているのである。その一方で、価値の主要な源泉はいまや固定資本や反復される没個性的な遂行労働にではなく、生きた労働が結集する創造性と知にある。労働の自己組織能力が重要性を増してゆくにつれて、科学的管理法は消えるか、過ぎ去った時代の遺物になる。こうした文脈のなか、ほとんどの場合において、労働の管理はテイラー主義的な時間と行動の規定という直接的様態をとらなくなる。こうした管理は、結果を出すという義務に特化された間接的メカニズムや、主体性の規定、あるいは賃金関係の不安定性に結びついた純粋かつシンプルな強制にその場を譲るのである。その結果、資本は生産を組織するにあたり、他者《エテロ》によって決定された目的を達成するための手段の選択に限られるとはいえ、労働に対していっそう自主性を認めざるをえなくなる。こうした一般的状況のなか、労働の管理をめぐる古くからのジレンマが、新たなかたちで再登場してくる。資本はふたたび賃金労働者の知に依存するようになっただけでなく、賃金労働者の知識とその生の時間をまるごと動員し、それらを積極的に巻き込むことができなくてはならない。企業目標を〔労働者に〕内在化させるための〈主体性の規定〉、顧客の圧力、そしてとりわけ〔労働や生の〕不安定性に結びついた純粋かつシンプルな強制は、この前代未聞の問題に答えを出し、資本との関係で自律性を高めつつある労働力に対する支配を確保するために、資本が見つけ出した主要な方策なのである。

　つまるところ不安定性は、新自由主義が認知的労働を管理する際の、構造的とすら言える要素として現れてくる。しかも知識の経済を効率的に運営するという点からすれば、この方策は生産性を下げる効果をもたらすにも関わらずである。この事実によって、いわゆる中産階級の賃金と購買力が停滞していることをほぼ説明できる。[18]

　これと同じ論理で説明可能なのが、分配・再分配のメカニズムを改良するという可能性を排しつつ、強硬に、しかも二〇〇二年以来アメリカではっきりと加速度を増しつつ、消費者信用と家計による負債の爆発的拡大を後押しした金融・所得政策である。こうした選択は、賃金関係の調整という観点から見て、間違いなく三つの役割を果たしてきた。まず、フランス同様アメリカにおいてはGDPの七〇%を実質的に占めている消費が停滞するリスクを、ローンによって補塡すること。次に、家計が負担する利子の蓄積を通じて、間接的に剰余価値を引き出す新たな財源を資本に提供すること。最後に、ローンを普及させることで、資本に依存すると同時にそれに適した主体性を作りだすこと。この主体性においては、〈経済人《ホモ・エコノミクス》〉、つまり人的資本の合理性が、社会権や共通善という考え方そのものに取って代わる。

　ここまでの分析から、さしあたり二つの結論を引き出すことができる。まず、企業の内部で遂行される労働という公式の時間からはみ出してしまう、一連の時間の性質と活動を考慮することで、(剰余価値をうみだす)生産的労働と賃金の概念そのもの、そして団体交渉の場を再考すべきだということ。そして、ポールレが強調しているように、今日の大企業はもっぱら自社の金融構造にのみ関心をもち、ついには直接的に生産を組織すること以外であれば何にでも手を出すように思えるということ。要するに、ソースティン・ヴェブレンの予言的な表現を使うなら、「大企業はいまや産業創出ではなく、ビジネスの場になってしまった[19]」のであり、ここまでくると、企業利潤そのものをますますレントと同一視できるようになる。この観点から見ても、金融化とは経営陣と株主の力関係が変化した結果であるというよりは、巨大産業グループが資本価値を増殖させる戦略に生じた変化の結果だということに注目しておこう。あたかも協働による労働が自律化する動きに、貨幣資本という抽象的で、きわめて柔軟かつ可動的な形態をとった資本の自律化という動きが対応しているかのごとく、すべてが推移している。さらにこの傾向と並行して、経済科学が伝統的に金融市場に付与してきた諸機能――最適なリスク運営の保障(!)と資本の最適配分――が動揺しつつある。なかでも目を引くのは、株式市場が企業に財源を与えるとする理論に反して、企業こそがここ数年にわたる投機バブルのあいだ、株式市場における流動性(配当や利息など)と剰余価値によって、しばしば赤字収支になりながらも、株主を潤してきたということである。[20] こうした力学はヨーロッパ、それもとりわけフランスにおいては、生産的投資の停滞と結びついている。「資本蓄積をともなわない利潤モデル」[21] について論じる経済学者がいるのは、これが理由である。要するに、問題となるのが金融の論理だろうと新たな知の囲い込みであろうと、生産諸力の発展、そしてさらには稀少性との闘争において利潤が果たす動力としての役割は、明らかに大きく損なわれているのだ。この変化は資本のもっとも一般的な傾向、すなわち利潤をレント生活者的なメカニズムに変容させ、生産活動の外部から、そして／あるいは、資源の稀少性を人為的に創出することで剰余価値を捕獲する傾向に合流するものである。

だがしかし、ここまで論を進めてきて、さまざまなレント形態のより詳細な分析へと進む前に、次のような疑問が浮かぶ。認知資本主義において、所得分配、そしてコモンの収奪と資本‐労働関係の調整が行われる際に、レントが果たす新たな役割とはどのようなものか？　この問いに答えるためには、理論的・歴史的にみて本質的な一点を強調しなくてはならない。すなわち、一方の認知資本主義の論理、他方の集団的な創造・解放の力学――知とその普及を動力とする経済が発展してゆく端緒となったもの――のあいだの、正真正銘の対立とは言えないまでも、矛盾する関係のことである。

事実、わたしたちの考えでは、いま資本主義に起こっている変容の出発点とその主要な動力は、金融化にあるのでもなければ情報革命にあるのでもなく、フォード型賃金関係に生じた危機の中心に位置する二つの現象にある。

a　なによりもまず、大衆の就学率と人間育成の平均レベルが上昇することで、一般化した知性が構築されたこと。労働力のこの新たな知的質こそが、企業の不変資本と経営者組織に組み込まれる知と比べて、労働が組み込み作動させる生きた知識が質的に優位であるという新たな状況をもたらしたのである。

b　次に、さまざまな社会闘争が、フォーディズムモデルの許容範囲を越える賃金の社会化と、〈福祉〉という集団的サービスの拡大をもたらしたこと。この力学はしばしば、フォーディズムの危機を引き起こした要因、すなわち労働力の社会的再生産にかかるコストが増大した一因に過ぎないと解釈されてきた。だが実際には、これが知に基づく経済の発展にとって決定的な条件をいくつか設定したのだと、事後的に確認することができる。

この力学の重要性を理解するには、知識に基づく経済の到来を特徴づけるべく、経済学理論がしばしば提起するひとつの事実を強調しておく必要がある。

すなわち、本質的に人間のなかに組み込まれる、いわゆる無形資本（研究・開発、ソフトウェア、そしてとりわけ教育・人間育成・保健）の割合が、資本の実物ストックのなかで物的資本の割合を越え、成長の主要因になっていったという歴史的力学のことである。

この事実を解釈することで得られるさらに重要な三つの意義は、いわゆるメインストリームの経済学者によって組織的に隠蔽されている。だがわたしたちは、現在の危機の起源と、なにがそこで賭けられているのかを理解するためには、この三つが本質的だと考える。

最初の意義とは、非物質的資本の割合が増大する傾向が、一般化した知性の構築を支える諸要因、そして認知的労働の新たなヘゲモニーと緊密に結びついているということだ。無形資本と誤って呼ばれてきたものの割合がますます重要性を増しつつあることは、このヘゲモニーが説明してくれる。

二つ目の意義とは、いわゆる無形資本が実際に対応しているのは、本質的に労働力によって組み込まれ結集される、知性と創造性の質だということである。つまりそれは、マリオ・トロンティの言葉を借りるなら、「資本ではない生きた労働」が、コード化され固定資本に組み込まれる科学と知に比べ、いまや支配的な役割を果たしているということに対応している。この意味で、非物質的資本という概念は、産業資本主義とともに確立されてきた不変資本というカテゴリーそのものが危機を迎えていることの現れである。産業資本主義においてC（不変資本）は、機械に結晶化された死んだ労働として現れ、生きた労働に支配をふるっていた。〔それに対して〕非物質的資本とは、知的資本、無形資本、人的資本などの用語による歪曲を被っているとはいえ、集団的知性に他ならない。それゆえ、それはあらゆる客観的尺度から逃れる。その価値は、金融市場が将来期待される利潤を主観的に表明したもの以外ではありえず、この方法で金融市場はレントを手に入れるのである。これでなぜこの資本の市場価値が本質的に偽りなのかを説明できる。この価値は金融に固有の自己言及的な論理に依拠しているが、この論理は遅かれ早かれ吹き飛び、世界的な信用システムと経済全体をシステム危機に陥れる運命にあるのだ。つまり、アンドレ・ゴルツが強調するように、深刻化してゆく危機の連続を特徴とするポストフォーディズム資本主義の力学とは、単に金融の拙い調整の結果なのではなく、「非物質的資本を資本として、認知資本主義を資本主義として機能させることに内在する困難[22]」を明らかにしているのである。

だがこれですべてではない。資本だけでなく、労働生産物そのものがますます非物質的になり、擬制商品を構成するイノベーション、知識、情報サービスなどと一体化している。なぜ擬制商品か？　それはこうした商品が、同時に複数の者に使用可能であり（非競合性）、累積されるものであり、他者の使用を排除できない（非排除性）がゆえに、伝統的に商品を定義してきた諸基準から逃れてしまうからだ。

こうして極度の矛盾を抱えた状況が生み出されるが、それはすでに見てきたように、〈ニューエコノミー〉の危機の起源にあったものであり、いまも深刻化し続けている。需要という点から見ると、知的所有権が強化されているとはいえ、非物質的生産は十分な販路を見出してはおらず、伝統的な経済諸部門に取って代るには到っていないが、こうした部門では需要が飽和に近づき、国際的な価格競争にますますさらされている。その一方、なんとかして知識を資本や擬制商品に転化しようとする資本の試みは、逆説的な状況を生んでいる。すなわち、知識の交換価値が人為的に増大させられればさせられるほど、私有化と稀少化の度合いに応じて、その社会的使用価値は減少してゆくという状況である[23]。

つまるところ認知資本主義は、〈知識を基盤とする経済《ナレッジ・ベイスド・エコノミー》〉を支える生産諸力の発展と諸主体の創造性を停滞させずには持続しえないのだ。

三つ目の意義とは、知識に基づく経済を実際に動かす領域は、研究・開発の私的実験室にはないということである。

そうした動力としての役割を果たすのは、「人間による人間の集団的生産」であり、これまでは〈福祉国家〉の公共制度が、非営利的な論理に従いこの役割を保障してきた。

この事実は、なぜ資本が驚くほど大きな圧力をかけて、〈福祉〉という集団サービスを民営化するか説明してくれる。それは社会的需要の拡大および人口の生政治的・生経済的管理において〈福祉〉が果たす戦略的役割のためなのである。(24)

この〈福祉〉領域を商業と利潤の論理に従属させることは、知識財の場合同様に、支払い能力をもつ需要だけに応えるかたちで資源を人為的に稀少化し、知とその普及を動力とする経済の発展を支えている、創造的力を解体せずにはおかない。

事実、価値法則という資本主義的合理性は、人間による人間の生産にまで拡大されると、規格化された物的商品を生産するにあたり産業資本主義がいくつかの側面で証明してきた進歩的力を削がれてしまい、経済・社会的な面で、完全に反生産的になってしまう。それには三つの理由がある。まず最初の要因は、こうした活動に内在する認知的・情動的性質と結びついている。つまりそこでの労働は生命のない物質ではなく、サービスを共同で生産してゆくなかで、人間そのものに働きかけるのである。二番目は、たとえば保健や知識の伝達などの分野では、量的規準によって計測される生産性を上昇させようとすると、サービス関係の効果を決定する質を犠牲にせざるをえないという事実による。三つ目が結びついているのは、支払い能力をもつ需要という原則を採用することで、資源の配分やこうした共有財へのアクセスの局面で引き起こされかねない深刻な歪みである。コモンの生産は、その定義上、無償性と自由なアクセスに基づく。それゆえこうした分野の資金調達は、税制や社会的分担、そのほかさまざまな資源の共同所有に代表される集団的・政治的な対価を通じてでなければ保証されえないのである。

ここから現れる根本的な問題を代表するのは、イタリアやフランス、ギリシャにおいてここ数ヶ月のあいだ生じてきた社会闘争が明らかにしている対立、すなわち〈コモン〉を〈レント生活者〉的に収奪しようとする新自由主義の戦略と、福祉の諸制度をもう一度民主的に取り戻すことで経済を再社会化する計画、そして人間による人間の生産を中心に据えるオルタナティヴな発展モデルとの対立である。

強調しておくべきは、近い未来にこの対立の場が、金融システムを救済し、経済再生計画に財源を与えるべく実行された公的介入にかかわる社会的コストによって、険しいものになるだろうということだ。事実、こうした介入策がもたらした結果のひとつは、次のようなものだった。すなわち、消費を支えてきた私的債務の増大に代わり、損失を社会化するメカニズムとしての公的債務が急激に増大したのである。現時点で公債券が、流動性の純粋かつ単純な保証と見なされるがゆえに、さしたる困難もなくなお市場に出回ることが可能であるとすれば、まず間違いなく諸国間の競争は政策金利と年間元利支払い総額の急速な上昇をもたらすだろう(25)。結果として大幅に税率を上げる必要がでてくるだろうが、このことはさらなる公的支出の削減と公共サービスの民営化を実施するための言い訳として使われ、コモンの収奪プロセスをいっそう深化させることだろう。

結論

金融化に代表されるレントの伸張は、認知資本主義において、資本による価値増殖論理と、それがもたらす客観的・主観的矛盾の構造的次元を形成している。今回の危機の爆発は、資本 - 労働関係において、また生産の社会的性質と横領の私的性質という緊迫度を増しつつある対立関係において、こうした矛盾がまとめて凝縮し、限界点をむかえたものだった。

この意味で、グラムシの定式をいま一度使えば、今回の危機とは大危機、つまり「古きものは死んだが新しいものは〔いまだに〕生まれることができないという事実に由来する」悲劇的瞬間なのである。そして「この空位時代には、これまでにないほど多様な異常現象が生ずる(26)」。

とはいえ、もしもはや何もこれまでどおりには行かないのであれば、まずは危機から脱け出すためのさまざまなシナリオを精確に見究めることの難しさを認めるべきだ。

ともかく、わたしたちの見解では、一部の研究者が主張している仮説を共有するのはおそろしく困難である。彼らによれば、現在の危機により資本は〈認知資本主義〉と〈知識の経済〉を両立させうる新たな〈ニューディール〉の必要性を自覚し、それと同時に所得分配の不公平、過少需要、そして金融の不安定性に内在する不均衡を是正するという。

この主張になぜ同意できないかと言えば、新たな〈ニューディール〉、つまり資本-労働間の妥協の可能性は、金融権力の壁だけでなく、さらに大きな二つの障害にぶつかるからである。すでに見てきたように、こうした障害は資本の進歩的力の枯渇および価値法則の危機と言い換えることができる。最初の障害は、もし〈福祉〉による保障を強化し、新たな所得分配メカニズムを導入することで、賃金関係という貨幣による束縛を大幅に緩めてしまうと、資本にとってさらに大きなリスクがもたらされかねないということに結びついている。つまり〔生や労働の〕不安定性に依拠することで認知的労働を管理するメカニズムが、その根底から揺らいでしまうリスクのことだ。その結果、展開中の闘争が激しさを増してゆき、所得分配だけでなく、生産組織とその社会的目的をいかに定義するかという問題そのものにまで広まりかねないのである。二番目の障害とは、少なくとも先進国においては、生産の発展により満たしうるニーズの大部分が、産業資本主義時代に資本の経済的合理性が進歩的役割を果たしえた活動領域の外にあるということだ。事実、脱産業化の進行と、古きフォーディズム経済における大量生産財市場の飽和には、短期間だがナスダックの投機バブルと〈ニューエコノミー〉神話を養った情報の財・サービスを、資本の論理に従わせることの難しさが伴っている。さらに根本的なことに、知識に基づく経済の動力たる分野は、すでに見てきたように、人間による人間の生産のごとき活動に対応するため、商品化や収益率の論理を適用することができない。さもなければ、不均衡をもはや持ち堪えられないまでに進め、こうした生産の社会的生産性と、それが〈知識を基盤とする経済〉の効果的発展に与える外部効果を劇的に減少させるという代償を払うことになるだろう。

こうした理由から、マクロ経済を調整し、資本の不均衡を最終段階で救済する者として国家の介入が力を取り戻したとしても、新たな〈ニューディール〉の前触れとは思えない。こうした展開はむしろ、「資本の全体主義的社会主義」の輪郭を描くものであり、商業領域の寄生的性質を拡大し、労働力を不安定化するための道具として、コモンを収奪する新自由主義的政策の継続に役立つことだろう。

その証拠が、EUおよびアメリカで開始された、危機管理政策と経済再生計画の方向性である。その広範さ（それでもともかく不十分ではあるが）はさておき、こうした政策・計画の共通分母となっている社会政策は、新自由主義による労働市場と〈福祉〉管理の根本要素を、手つかずのまま保持しようとしている。オバマ大統領の計画ですら、割り当てられた財源の額は他国に比べてはるかに野心的なものであるとはいえ、上院による審議を経た後、そもそもは失業者の所得、教育、保健補助システムの拡大などを支援するはずだった予算の大部分をカットされてしまった。しかも、周知のごとくアメリカの〈福祉〉システムは、大陸式であれ北欧式であれ、ヨーロッパモデルに比べて遅れているのである。

結局のところ、資本の改良能力は今日、認知資本主義による闘争‐発展の弁証法——産業資本主義、それもとりわけフォーディズム時代を特徴づけていたもの——の再構築を妨げたのと同じ限界によって損なわれているようだ。そこから生じる構造的に不安定な状況は、経済再生計画が市場の観測と危機の構造的原因に対してさしたる影響を及ぼしえていない理由を説明してくれる。

だが破壊的力学をもち、内破するリスクをもたらしかねないとはいえ、今回の危機が開いた歴史的分岐点は、深刻な葛藤を孕んだ複雑かつ開かれたプロセスとして現われており、正反対の性質をもつ展開を見せる可能性もある。この分岐点はなによりもまず、社会闘争が辛抱強く陣地戦を戦うなかで、これまでとは異なる社会と発展モデルの枠組みを整えてゆけば描き出すことができるだろう、オルタナティヴなシナリオを垣間見せてくれる。このシナリオを支える主要な軸は二つある。

最初の軸が提起するのは、〈福祉〉の諸制度を民主的に取り戻すことであり、社会を横断する労働の連帯的・自己組織的力学を基盤とする。この軸は、生産・消費規範という観点から、非営利的な「人間による人間の生産」を優先させる、オルタナティヴな社会モデルを構築する際の基礎を規定する。この枠組みにおいて〈福祉〉の集団サービスは、私的領域からその資金を引き出すべきコストとしてではなく、知識生産の拡大に基づく発展力学を動かしてゆく領域と見なされることになる。(27) 事実、本質的ニーズ――高齢化を迎えている先進社会において、一般化した知性の再生産と人間生成《アントロポジェネティック》モデルによる世代の再生産（クリスティアン・マラッツィ、ロベール・ボワイエ）を同時に保証するニーズ――の実現を尺度とする発展力学を目指すのであれば、そのリズムと質を決定するのは、まさしくこれらの領域なのである。その一方、保健、教育、研究および文化は、消費規範と人びとの生活様態を方向づけるだけでなく、労働の認知的・関係構築的次元がなにより重要な活動において、高い質をそなえた労働の貯蔵所をも形成する。そこには、ユーザーを直接巻き込むようなサービスの共同生産を基盤とする、これまでにない労働の自己運営形態が展開する可能性が秘められている。

二番目の軸が提起するのは、レントの権力を転覆させ、「資本の社会主義」を貨幣の再社会化プロセスに変容させるための闘争である。このプロセスはコモンを広め、賃労働から解放された無条件の所得へのアクセス形態（学生から臨時労働まで）を多様化させるために貨幣を活用する。中・長期的に見て、この構成的力学をその地平として導いていくのは、〈構成員全員に社会的に保証される所得（ベーシックインカム）〉である。これは第一の所得として着想されている。つまり、（たとえばフランスの参入最低所得ＲＭＩのように）〔所得の〕再分配からではなく、価値と富の生産がますます集団的性質を強めているという認識から帰結するものなのである。

この件に関しては、第一の所得としてベーシックインカムを提案することが、生産的労働という概念の再検討と拡大に基づいており、二つの視点によって導かれていることを指摘しておきたい。最初の視点は、政治経済学において支配的な生産的労働の概念に関わっている。伝統的にこの概念は利潤を生み出す、そして／あるいは、価値の創出に参与する労働として想定されてきた。ここで確認すべきは次の事実である。すなわち、昨今、無報酬労働時間の大幅な拡大が見られ、それが公式の労働時間を超えて、企業の獲得する価値の形成に直接・間接を問わず関わっているということ。この観点からするとベーシックインカムは、社会的賃金として、価値を創出する活動において集団的性質を強めつつあるこの次元への報酬に対応することになるだろう。この次元は社会的時間の総体へと拡大し、認識されることのない膨大な量の無報酬労働を生み出しているのである。二つ目の視点は、使用価値を生産する労働、市場と従属賃金労働の論理には縛られない富の源泉として捉えられる、生産的労働の概念を提起する。要するに、労働は資本を生産せずとも富を生産しうるのだから、所得をもたらすこともできると主張するのである。認知資本主義において、矛盾を孕んだこれら二つの生産的労働形態が結ぶ、対立すると同時に補完しあう両義的な関係に注目されたい。実際のところ、自由＝無償労働は拡大するにつれて社会的労働に従属するようになるが、この社会的労働が剰余価値を生み出すのは、まさしく労働／非労働や生産領域／自由時間領域といった伝統的境界の崩壊を導く傾向が存在するからなのである。してみれば、ベーシックインカムが提起する問題とは、この生産的労働の第二の次元を認識することにとどまらず、なによりもまずこの次元を価値と剰余価値生産の領域から解放することである。ベーシックインカムは、レントを通じて資本が獲得してきた価値の一部分を解放することで、契約の際に労働力全体が行使しうる力を再構成し、いま一度強化することを可能にするだろう。また同時に、賃金関係に対する貨幣の拘束力を弱めることで、従属労働を縛る営利主義の論理から解放された労働形態を発展させ、生産至上主義を拒否するモデル、認知資本主義と金融の寄生的論理から〈一般的知性〉の社会を解放しうる、非営利的な協働形態に支えられたモデルへの移行を促進することだろう。

＊注

本論考の大部分は、二〇〇九年一月三一日、二月一日にローマで開催されたUniNomadeのセミナーにおける発表を転載したものであり、提起された仮説の表現が暫定的性質のものであることは推して知るべしである。近い将来さらに深めようと考えている。さまざまな著者からの引用文に関するイタリア語文献目録の作成を通して、本論考の改善に寄与してくれたエルヴェ・バロンに感謝したい。

（1）この点については、今回の危機以前のフランスにおいて、CAC40の非金融企業の自己資本利益率が一五%―二〇%だったのに対し、金融企業、それもとりわけ投資銀行の自己資本利益率は五〇%を越えることもあったことを考えればいいだろう。アメリカに関して、非常に意義深いもうひとつの数値がある。一九七〇年代、金融分野の収益はアメリカ企業の一〇%ほどだった。この比率は二〇〇六年には実に四〇%にも達し、非金融企業があげた金融上の収益も考慮するならそれをはるかに上回るだろう。

（2）ナスダックの投機バブルならびに〈ネット経済〉の危機に関する分析についてはRobert Boyer, *La croissance, début du siècle. De l'octet au gène*, Albin Michel, Paris 2002〔邦訳『ニュー・エコノミーの研究：21世紀型経済成長とは何か』中原隆幸・新井美佐子訳、藤原書店、二〇〇七年〕も参照されたい。

（3）André Gorz, *L'immatériel*, Galilée, Paris 2003, p.84.

（4）価値法則ならびにその危機の理論的・歴史的意義に関するより詳細な分析については以下を参照。Antonio Negri, *Valeur-travail: crise et problèmes de reconstruction dans le postmoderne*, in "Futur Antérieur", 10, 1992, pp30-36; Carlo Vercellone, *Lavoro, distribuzione del reddito e valore nel capitalismo cognitivo, una prospettiva storica e teorica*, 2008, http://www.posseweb.net/spip.php?article242（リンク切れ）; Carlo Vercellone, *L'analuse "gorzienne" de l'évolution du capitalisme*, in Christophe Fourel(a cura di), *André Gorz, un penseur pour le xxième sieclè*, La Découverte, Paris 2009, pp.77-98.

（5）Karl Polanyi, *La grande trasformazione*, trad.it. Einaudi, Torino 1974〔邦訳『大転換』野口建彦、栖原学訳、東洋経済新報社、二〇〇九年〕なかでも第二章を参照されたい。

（6）Claudio Napoleoni, *Dizionario di economia politica*, Edizioni di Comunità, 1956.

（7）Karl Marx, *Il capitale*, trad.it. Newton & Compton, Roma 1996, vol.III, p.1508〔邦訳『資本論（九）』向坂逸郎訳、岩波文庫、一九七〇年、一一三頁〕

（8）事実、ケインズ自身が *Teoria generale dell'occupazione, dell'interesse e della moneta e altri scritti*, trad.it. Utet, Torino 1994〔邦訳『雇用、利子および貨幣の一般理論』間宮陽介訳、岩波文庫、二〇〇八年〕の第一六章「資本の性質に関するくさぐさの考察」において、この問題に対して強烈かつ独自の回答を与えることになる。つまり、資本の対価が稀少性に依拠すると見なすのである。ということは、レントの形態が問題なのであり、ケインズはこの主張を古典派経済学の労働価値説への同意に接続することになる

（9）この点については Karl Marx, *Il capitale*, cit. vol.I,pp.237-371〔邦訳『資本論（二）』、第四篇「相対的剰余価値の生産」、向坂逸郎訳、岩波文庫、一九六九年、二三三頁―五三六頁〕を参照。

（10）Karl Marx, *Storia dell'economia politica. Teorie sul plusvalore*, trad.it. Editori Riuniti, Roma 1993, vol.II, p.35〔邦訳『マルクス・エンゲルス全集――剰余価値学説史Ⅱ』大内兵衛、細川嘉六訳、大月書店、一九六九年、四二頁〕

（11）Karl Marx, *Il capitale*, cit. vol.III, p.1117〔『資本論（七）』向坂逸郎訳、岩波文庫、一九六九年、八九頁〕

（12）John Maynard Keynes, *Teoria generale dell'occupazione, dell'interesse e della moneta e altri scritti*, cit., p.546〔邦訳前掲、下巻、一八三頁〕

（13）*ibidem*, pp.546-547〔邦訳同上〕

（14）Karl Marx, *Il capitale*, cit. vol.III, p.1178 nota〔邦訳『資本論（七）』前掲、九一頁―九二頁〕

（15）*Ivi*, p.1178〔邦訳同上、九一頁〕

（16）*Ibidem*, p.1178〔邦訳同上〕

（17）Jean-Marie-Chevalier, *L'économie industrielle en question*, Calamann-Levy, Paris 1977.

（18）今日のアメリカ人の平均賃金は一九七九年より低いが、最貧層の労働者二〇%においてはそれよりさらに低い。この傾向はヨーロッパでも似通っている。たとえばフランスでは、二〇年のあいだに市場指標による購買力が一二〇%上昇した（この事実は今回の下落の重要性を相対化するよう私たちを導くに違いない）のに対し、フルタイム労働の購買力は一五%しか上昇していないが、現在労働力のおよそ二〇%に関係しているさまざまな形態の不安定雇用（臨時雇用、非正規雇用、パートタイムなど）を考慮に入れるとすれば、賃金の成長率ははるかに低くなるだろう。

（19）引用文は Sophie Boutillier e Dimitri Uzundis, *L'entrepreneur. Une analyse socio-économique*, Economica, Paris 1995, p.41 からお借りした。

（20） El Mouhoub Mouhoud e Dominique Plihon, *Finance et économie de la connaissance: des relations équivoques*, relazione al seminario hétérodoxies de Matisse, Parigi, novembre 2005 (http://matisse/)

（21） Laurent Condonnier, *Le profit sans l'accumulation: la recette du capitalisme gouverné par la finance*, in "Innovations", 2006 / 1,23, pp79-108.

（22） André Gorz, cit., p.55.

（23） このことは、多くのメインストリームの経済学者たちが、特許の増殖にはどれだけその質の低下が伴うかに警鐘を鳴らし、革新の真の源は、コモンの生産という非商業的な網目のなかにますます位置するようになっていると認識していることからも明らかである。

（24） 認知資本主義と生経済の関係についてはとりわけ次を参照。Andrea Fumagalli, *Bioeconomia e capitalismo cognitivo*, Carocci, Roma 2007.

（25） このようなマクロ経済上のメカニズムに関する詳細な記述については次を参照。Michel Aglietta, *La crise. Pourquoi en est-on arrivé là? Comment en sortir?*, Michalon, Paris 2008.

（26） Antonio Gramsci, *Quaderni dal carcere. Quaderno 3*, t.1, Einaudi, Torino 1975, p.311〔邦訳『獄中ノート』石堂清倫訳、三一書房、一九七八年、二九八頁―二九九頁〕

（27） こうした点に関するより詳細な分析については以下を参照。Jean-Marie-Monnier e Carlo Vercellone, *Travail, genre et protection sociale dans la transition vers le capitalisme cognitif*, in "European Journal of Economic and Social Systems", vol.20, 1/2007, pp.15-35.

生権力の形態としての金融化*

ステファノ・ルカレッリ

序文

投機は、自由市場という経済システムのなかでくり返されるリスクのひとつである。とはいえ、資本主義の新しい側面を考慮して、現在進行中の危機に注目するのであれば、同じような投機であっても、新たな光のもとで分析されなければならない。つまりこの危機は、金融への単純な熱狂がもたらした結果ではなく(1)、現行の蓄積体制にそなわっているいくつかの特性から出発して理解されるべきなのだ。蓄積体制は、ひとつの長期的な成長モデルを描きだすものである。この用語は、フランスのいわゆるレギュラシオン学派の研究プログラムに賛同する学者たちによって導入されたもので、資本の蓄積が全体的に、また比較的一貫して進むことを保証する調整の総体をさし、これらの調整は、蓄積のプロセス自体が持続するうちに生じる不均衡を再度吸収することを可能にする(2)。

わたしの主張は、現代資本主義の特徴が蓄積体制にあり、この体制が、個人という存在の固有の瞬間をあまねく価値増殖プロセスの内部に引き戻そうとするということだ。それは複数の手段を介して起こるが、これらの手段には、新自由主義的傾向をもつ経済政策だけではなく、指令装置も含まれ、そのような諸装置を理解するには、政治経済学が社会心理学と出会うハイブリッドな領域（ここでは〈資産効果〉をさす）に立ち入らなければならない。というわけで金融化を社会統制の実践として分析しようと思う。というのも、持続可能な調整の方法を構築する能力を持たない蓄積体制を理解するために残された選択肢は一つしかないように思われるからだ。それは、指令と権力の問題を直接、集中的に扱う新しい視点を取り入れることである。この新しい資本主義には、複数の大きな集団《マス》の形式化された参加にもとづく民主主義型の社会と共存可能な社会統制が必要とされる。わたしたちは金融化のプロセスにまき込まれているが、その新しさのひとつが、まさしく集団《マス》という次元であり、形式的民主主義なのだ。[3]

この推論を進めるにあたり、ミシェル・フーコーからいくつかのカテゴリー、とくに〈生権力〉と〈統治性〉を借用する（§2）。これらの概念を、資産効果が金融化の過程で引き受ける役割を中心に、分析対象に応用する（§3）。その後、明らかにされた蓄積体制において金融政策が負う役割について詳しく述べる（§4）。最後に、アメリカ型経済モデル――理想型として理解される――に言及し、わたしなりに金融危機を読み解いてみたい（§5）。危機の原因は、この新たな蓄積体制に特有の不安定さに求められるべきであり、この体制を特徴づけるのはそれを支配するテクノロジーのパラダイムである。新たなテクノロジー・パラダイムの始まりは、フォーディズムと、アダム・スミスのいわゆる分業の危機であった。すべての生産工程にわたる新しい分業において、知識は資本‐労働関係を再定義する上で鍵となる役割を果たす。そうなると、いわゆるサブプライム・ローンの危機は、フォーディズムの危機以降確立した、新しい蓄積体制そのものの力学に内在する現象として説明される。この蓄積体制と両立するのは――強調しておくべきだが――真正とはいえない調整方式のみである。つまり、これらの調整は、社会契約に必須の前提としての紛争の行使という形をとらない。社会統制（生権力）は、つまり、新しい形式をとってあらわれるのだが、それに気づき、対抗することはより困難になる。しかし、危機に対する経済政策上の提案についての考察は別の場に譲りたい。[4] [5] [6] [7]

1. フーコーのカテゴリー

生権力という用語――フーコーが、西洋政治の合理性をめぐる極めて広範な思考領域において造り出した――は、権力のもつ複数の大きな構造と機能とに言及するものだ。フーコー自身の言葉によれば、巨大テクノロジーに関わる用語であるが、このテクノロジーは、解剖学的側面と生物学的側面という二つの顔をもち、個人と種の両面に作用する。すなわち、権力についての理解とは、規律が行使される特定の社会的な場にとどまらず、人々《ポピュレーション》の日々の暮しにおける統制化を分析することをも想定している（解剖学的側面と生物学的側面は、つまり、政治的次元と関わりをもつ）。こういったことはすべて、一八世紀になって明らかになってきた。当時、権力と主体、より正確にいうならば、権力と個人との関係が、支配従属関係《サブジェクション》――権力が主体から、財、富、そして時には身体および血を奪うことを許す――にのみ立脚するのではなく、権力は一種の生物学的な実体を形成するものとしての諸個人に対して行使されなければならないということが、徐々に認識されるようになった。人間集団《ポピュレーション》を富、財、または他の個人を生産する機械として利用したければ、これら諸個人を考慮に入れなければならない(8)。生権力の論理は、人間集団《ポピュレーション》を日々使用することによる富の生産を目的とするが、それは解剖‐政治学――すなわち主体《サブジェクト》＝被支配者の規律に制限されたメカニズムと手続きの総体――の対極にある。新たなメカニズムは、人口《ポピュレーション》が、ある領地に住む個人の総数として把握されるのではないことを前提としている。

　アデリーノ・ザニーニが正しく指摘しているように、フーコーの関心をひくのは、統治術から政治学への移行であり、〈主権の構造〉によって支配される体制から、〈統治技術〉を特徴とする体制への移行である。この移行は、〈政治経済学〉という新しいパラダイムを課すことによって可能になった(9)。政治経済学という学問は――フーコーによれば――〈人口《ポピュレーション》の統治〉の近代的な論理にのっとって統治するという目的のために必要な法を割り出すことを可能にする。「新たな統治性は、一七世紀には治安という網羅的かつ一元的な企図にみずからを全面的にあずけうると信じていたが、今や自然に関わる領域、すなわち経済を参照しなければならない状況におかれる(10)」。つまり生権力の論理は、フーコーが〈統治性〉と呼ぶものに特有の管理の諸様式を参照するよう導くのである。

この「統治性」という単語でわたしが言わんとするのは三つのことです。〔まず第一に〕人口を主要な標的とし、政治経済学を知の主要な形式とし、安全装置を本質的な技術的道具とするあの特有の〔とはいえ非常に複雑な〕権力の形式を行使することを可能にする諸制度・手続き・分析・考察・計算・戦術、これらからなる全体のことです。第二に「統治性」とは、西洋において相当に前から、「統治」と呼べるタイプの権力を主権や規律といった他のあらゆるタイプの権力よりたえず優位に操導してきている傾向、力線のことです。これは一方では、統治に特有のさまざまな装置を発展させ、〔他方では〕さまざまな知をも発展させたものです。(11)

フーコーは、みずからの研究を金融と貨幣の歴史という方向で展開することはしない。だが、統治性の歴史において――わたしの見解では――、一八世紀に構築される金融と貨幣をめぐる諸装置を捨象することはできない。貨幣の歴史に関するいくつかの重要な研究が示すように、一八世紀は、ヨーロッパにおける貨幣の歴史にとって、思いがけず重要な一時期を象徴している。それはヨーロッパの貨幣が、勘定の正しさと帝国全体における支払いの安定とを保証するものという、伝統的な外形から脱する時期である。というのも、それ以前の状況は以下のようなものであった。

君主には財宝を保管する必要があった。必要に迫られたとき、すなわち共同体が負わせる義務によって強いられた場合、取り出せるようにしておくためであり、調整役としての機能はそれに限られていた。〔…〕貨幣の〝本性〟は分配する能力に尽き、財を成立させている尺度によって、当然、その範囲は限定されている。このような尺度に対して、貨幣はつねにモノの存在に応じるものであり、モノが現前するように催促することは決してできない。それは、時の経過における自然な交代に始まる豊かさと欠乏の両方の尺度である。(12)

近代――一八世紀において――には、領土国家の増強への要求が、いま述べた帝国の政治‐行政における均衡をひっくり返した。支配的になったのは、国家の内部に生じる変わりやすい要求にあわせて貨幣の価値を変えられること、つまり貨幣の価値増殖への要求であった。貨幣の「本性」は、もはや、財を成り立たせている尺度によって制限されるのではなく、裕福になることへの圧力となる。この貨幣の機能と、富の生産を目標とする人口《ポピュレーション》の統制化とを結びつける特徴を把握すれば、生権力の具体的な意味が明らかになる。

フーコーの生権力の概念が、進行中の金融化プロセスの分析にとっても役立つ政治的なカテゴリーとなるためには、先に提案した二つの次元においてとらえられねばならないだろう、とわたしは確信している。もし、抽象的な富、すなわち貨幣をもっとも迅速に生産する方法が、商品自体の生産を組織する際におかすリスクと増大する葛藤とを最小限にして、貨幣をつくり出すことであるならば、国家と銀行による企業活動の管理を含む生産コストを最小に抑えることは、結果として合理的であり、所有貨幣について自律的に決定する可能性を最大化する。このようなやり方で、人口《ポピュレーション》に対する新たな統制権力が行使される。貨幣による貨幣の生産につきもののリスクを分散することは、提案すべき戦略となる。

金融に支配される蓄積体制の内部で行使される権力は、君主国家が市民に対して行使する権力とは異なっている。市場が要求する統治的自由の追求は、国家が引き受ける人口《ポピュレーション》の管理と歩調を合わせて進む。人々が貨幣の価値増殖サイクルのなかで富の生産者となるためには、主人と奴隷でもなく、国家と市民でもない、ある関係が具現化されるような社会統制の形式が必要になる。わたしの主張は、金融化とは、まさに、いま述べた目的のために必要な社会統制の形式を体現するということだ。それはたしかに社会化（リスクの社会化であると同時に、リスクと裏腹の関係にある富裕化の可能性の社会化）のひとつの形式であり、主権概念を大きく変える。金融化によって賭けられているのは、主権力の直接的な適用ではもはやなく、金融化のプロセスと整合する主権が生じるのに必要な人間の行動様式全体の方向性である。

2. 金融化と資産効果

金融化は、まず第一に、家計の貯蓄が株券に移行することと定義できる。[13] 一九八〇年代以降のアメリカ経済を特徴づけるのは、金融市場自由化のプロセスと、その結果として生じた新たな金融手段の激増である。それは、ひとつのケインズ主義からもうひとつのケインズ主義への移行の完了を意味する。つまり、為替と金融の動向を束縛する貨幣システムの枠内で、生産者間の協定にもとづいて構築されていたケインズ主義――一九七一年、ニクソン大統領が金とドルとの兌換停止を宣言したことで、すでに弱体化していた――から、個人の赤字支出《デフィシット・スペンディング》を基盤とするケインズ主義への移行であり、後者においては、金融市場の規制緩和《デレギュレーション》が最大規模で行われると同時に、福祉国家《ウェルフェア・ステート》によって給付される社会保障は縮小される。わたしたちの前にあるのは、自由主義的な統治性の発展型である。言いかえれば、金融ケインズ主義は自由主義的な統治性のひとつの様式である。株式相場はマクロ経済のおもな指標となった。つまり資産効果を通じて、投資だけでなく消費をも統治する王笏と司牧の杖というわけだ。[14] 株価の上昇で誘発される資産効果は、心理的な力学がはたらくために、賃金の上昇によって期待される富よりもずっと大きな影響を及ぼす。[15] この心理的な力学については掘り下げる価値があるが、「アメリカ型経済モデル」(ここでは理想型とみなされる)の安定に必要なある条件を象徴する。このモデルは不安定性という大きな危険をはらんでいる。近年、短期間に金融危機が相次いで起こっているのは、その証拠である。自由主義的な統治性の行使は、個人の行動に対するこの特殊な指令の形態を、くり返し復活させる。主流として認知されるようになった規則《ルール》は、バブルからバブルへの移行を前提とし、[16] 個人は、みずからの富が依存するのは、なによりもまず金融市場であり、賃金水準やその他に考えられる要求の形式ではないと信じるよう仕向けられている。ここで提案されている読みに従えば、資産効果は、ここでは自由主義的な統治性として理解される金融ケインズ主義に典型的な指令形式をあらわす。利潤から株式相場への、またその逆方向への力学が、フォーディズムにおけるケインズ主義のパラダイム、つまり生産性－賃金の関係と生産－大衆消費の関係にもとづく主要な政策決定にとって代わる。

金融による収益が資産をめぐる決定におよぼすインパクトは、投資を決定する際の要となった。このような決定には需要の変化だけではなく、金融市場で決まる収益率という目標を考慮に入れなければならない。消費は、伝統的な労働による所得（賃金）の総額に依存し続けるが、そこに家庭が所有する金融手段の価値をはかる変数も介入する。もし金融化がかなり進展しているとすれば――つまり、家庭の富が、賃金よりも、金融市場に由来する収入により依存しているのであれば――賃金の抑制は、企業の収益率に好影響をおよぼし、株価を上げる。このようにして資産効果にもとづく力学を始動させることができ、実質賃金が下落していても個人消費にはプラスにはたらく。このことは、フォーディズム時代には優位にあった現実領域と、金融領域との関係をひっくり返す。株式市場の力学が賃金にとって代わり、株による蓄積が成長の源泉となる。この逆転によって、現代社会の内部の個人に対する社会統制のメカニズムも一変する。

言いかえれば、金融界の道理を支える資産効果は、労働だけでなく、生全体が金融に包摂される度合に左右される（ここに、生権力の一端がある）。

マクロ経済の用語を使えば、この依存関係は、増大する流動性と翻訳できるが、金融市場は、以前は国債に投資されていた個人貯蓄からこの資産を引き出してくる。もう一つ、資産効果が持続するために必要な説明変数がある。それは個人の間で認められる常識であり、それは貨幣による貨幣の生産を説明するべき動機や、品位ある社会的地位を維持するために満たすべき必要性の序列に関わっている。価値増殖の論理は、社会関係に変化をもたらす。これはまさに金融化が社会化の一形式であり、自由主義的な統治性を発展させることを意味している。

以上のように理解するのは、金融化の分析を、システムのマクロ経済的な持続可能性の条件を研究することだけに限定しないためであり(17)、人間を相互に拘束しあう社会的なコードに対して特別な注意が向けられる。それゆえ、ビジネスの世界で発生するが、人々の間でも定着するような慣習〔共有信念《コンベンション》。五九頁訳注参照〕を理解することが必要になる。

慣習《コンベンション》とは、ある評価システムを先験的に供給し、一人ひとりの個人の多様な行動を相互に均質化する社会的諸規則の総体をあらわしている。したがって模倣理論を前提とする。これこそ、長期間におよぶ期待がなぜ起こるかを説明するために、ケインズが用いる視点である。

> しかし、確信の状態について先験的に言いうることはあまりない。何か言いうることがあるとすれば、それは市場と事業心理の実際の観察にもとづくものでなければならない。〔…〕ある部類の投資は、その道に長じた企業者の本来の期待によるよりは、むしろ証券取引所で売買を行う人たちの、株価に表れる平均的な期待に支配されることになる。それではいったい、このような、きわめて重要な意味をもつ、現存する投資物件の日々のあるいは刻々とさえ言える再評価は、実際にはどのようにして行われているのであろうか。現実には、ふつうわれわれは意識せずとも、その実誰しも慣習を頼んで事に処している。この慣習の本質は――といってももちろん物事はそう単純には行かないが――現在の事態は変化を期待することさらの理由がないかぎり、これから先どこまでも、このまま続いていくと想定するところにある。〔……〕それにもかかわらず、上の慣習的計算方法は、慣習の持続をあてにすることができるかぎり、われわれの事業に相当程度の連続性と安定性をもたらすだろう。(18)

とはいえ慣習の分析は、ビジネスの世界のみを対象にしているだけではすまない。慣習的な評価によって想定される確信の状態を正当化するのは、世論だからだ。(19) 世論はビジネスの世界からはみ出し、人々を巻き込み、政治の対象となる。それゆえ、市民社会における統治性の問題（フーコーが論じた）を明るみに出すのに役立つ。

3. 好況、好況。好況、好況。

現代資本主義において支配的な蓄積体制は、政治領域におけるいくつもの変化を想定している。つまり成長の状況は、なによりもまず、労働がこれまでとは違う役割を担うような新しい生産モデルを受け入れるかどうかにかかっている。それはフォーディズム的な労働組合が解体するというだけの話ではない。蓄積の根幹であるマクロ経済の変数としての賃金が二次的なものにされ、ゆえに賃金の要求につきものの闘争が根絶されるというだけの話ではない。問題となるのはむしろ、ひとつの価値増殖プロセスの構築であり、このプロセスのなかで、客観的に富の生産の基本として認められている根拠が変化していく。価値増殖そのものが、まずなによりも金融共同体内で高く評価される慣習《コンベンション》に左右されるようになる。

マクロ経済の安定性は、その大部分を各国の中央銀行の介入に負っている。つまり中央銀行は、金融市場が流動性の不足に直面した場合、金融危機を回避するのに間に合うよう迅速に対応しなければならない。各中央銀行は流動性の要請に応じるが、それが資産効果を支えることに自覚的であり、その資産効果には、金融市場によって囲まれた領域における人々の安全――フーコーの用語でいえば――がかかっている。

権力の原動力は、もはや銀行の信用供給ではなく、赤字財政支出でもない。独立変数は賃金でも、利潤でもなく、金融の資本利得の蓄積率だ。貨幣の供給は、中央銀行が保有する「貨幣量」から解放され、分業の再編と、循環‐再生産の領域における社会関係の再定義とに結びつけられる。言いかえれば（『プリモ・マッジョ』誌の貨幣に関するワークグループのカテゴリーを使えば）貨幣の供給は、資本‐労働（生きた）の力学と結びついている。『プリモ・マッジョ』誌の研究からわかるように、金融政策は資本主義的な指令の様態を表している。今日、この役割はもはや流通する貨幣量の管理や、インフレ圧力の名においてのみ果たされるのではない。九〇年代に、研究者と中央銀行の間で原則が定められた。それによれば、金融政策が信頼性を発揮するには、為替レートを固定《ペッグ》させるか、インフレ嫌悪感の強い外国の中央銀行への金融政策の委託によらなければならない。この新しい合意《ニュー・コンセンサス》は第一世代のマネタリズムを否定する。つまり、金融政策におけるおもな管理手段は政策金利であり、もはや貨幣供給ではない。机上の論理では、中央銀行の役割は、貨幣利子率と実質利子率が均等であることを保証することにあり、それによって貸し付け可能な資金と投資とが等しくなるように調整される。市場の金利が（実質的に）自然利子率より低く固定されるとき、インフレが起こる。限定的な金融政策は、おそらくマイナスの効果をもたらすことなく、インフレの管理に貢献するだろう。現実には、金融の資本利得による蓄積率を維持するために、金融政策を行う最大の諸機関が迷わずとった行動は、それとは異なるものだった。

連邦準備制度理事会の舵取りには、まだ良識ある人々がいた。たとえばグリーンスパンを例にとると、彼はシステムを守るという名目で、みずからの哲学的最大限綱領主義を犠牲にし、最大限綱領主義がとりわけ嫌っていた手段をも行使した。しかしヨーロッパでも、最高の金融機関を運営する人々の良識が、当の欧州中央銀行の議定書の最大限綱領主義に取って代わった。グリーンスパンは迷うことなく、フェデラル・ファンド金利を十一回にわたって引き下げ、この四〇年間で名目上最低の水準にまで引き下げた。そして欧州中央銀行は嬉々としてその手本にならったのである！[20]

金融に牽引された蓄積体制における金融政策は、価値増殖の要求に従い、慣習を支持しなければならない。金融化の影響を受けた信用創造は、資本の収益率を回復するプロセスのなかで実体化し、人々の生活を金融リスクに巻き込む。金融化は、価値増殖のプロセスのうちに流通《サーキュレーション》を包摂しながら、資本主義的な再編のテンポを決める。[21] この価値増殖プロセスが、一九九三年以降、確認できる金融化プロセスの三つの段階、すなわちニューエコノミー・ブーム（一九九三―二〇〇〇年）、その危機への反発（二〇〇〇―〇三年）、そして不動産バブル（二〇〇三―〇七年）に共通する要素なのである。三段階すべてが同じテクノロジー・パラダイムの内部で起こっている。そのため、金融的な評価を調整する慣習《コンベンション》は根本的な変化を被ることがない。金融共同体特有の評価論理は、その大部分が変わっていないのだ。

4. 金融統治性の動学

一九九〇年代、金融化は、集団的な貯蓄を株式市場に投資させることで、追加的な所得を創出した。その所得は、銀行システムへの企業の負債によって株式市場につくりだされたものである。[22] 一九九三年から二〇〇〇年までに、ニューヨークの株式市場は急騰した（ダウ・ジョーンズ、四〇〇〇から一一七〇〇、スタンダード&プアーズ、四五〇から一五三〇）。株価の上昇は、なによりもハイテク分野の雇用労働にそなわっていた知識と生産性の搾取のおかげで実質成長をうながした。各金融市場での評価は、比較的自立した労働者間で成立する革新的な協力体制が優遇されるような、組織の改変に左右されるようになってくる。組織改変の活力は――金融市場がとりわけ注目したために――生産資本の価値増殖の新しい様態となった。

このようにして金融主導型の蓄積体制が成立し、[23] そこでは、統治性は新たな世界への約束に立脚している。すなわちクリスティアン・マラッツィがインターネット・コンベンションと呼んだもので、〈ニューエコノミー〉として知られるようになった。「九〇年代の後半、デジタル社会という考え方は、労働と生活様式を解放するという効果をもたらしつつ、ひとつの共有信念《コンベンション》となった。その真贋はともかく、この共有信念《コンベンション》が、世界の「実質的な」変化のプロセスを牽引していたことに疑いはない[24]」。このことは、狂乱の九〇年代における明晰な批評家の一人であるジョゼフ・スティグリッツも確認している。

> 現代アメリカ流資本主義の中心にあったのは、いわゆるニューエコノミーである。その象徴的な存在だったドットコム企業は、アメリカの――そして世界の――ビジネスの手法に革命を起こした。テクノロジーの変化そのもののペースを変え、生産性の上昇率を四半世紀このかた見たことのないレベルまで引き上げた。〔…〕製造業は九〇年代半ばまでに総生産高の一四%程度に縮小し、総雇用者の割合では更に数字が小さくなった。[25]

たしかに、イノベーションの原動力は研究開発（R&D）の労働者から労働力の生きた身体へと移行し、一方で、アメリカ以外の世界から流れ込む資本は、アメリカの株式市場に上場している企業の株や債券にそそがれる。この蓄積体制では、企業組織全体としての収益に結びつくさまざまな形の報酬が発達した。すなわち幹部クラスへのストックオプションであるが、おもに賃金労働者を対象とする年金ファンド、もしくは投資ファンド自体も同様だ。このような形での報酬は、金融市場における流動性を増大させる。いずれにしても、生きた労働の支配が規範であるような資本主義に、適切な再配分のルールが備わっていなければ、システムは不安定にならざるを得ず、賃金は圧縮される。それが、二〇〇〇年三月の危機とともにやってきた。すなわち、株による新たな所得を不平等なやり方で分配した上、〈ニューエコノミー〉の司令塔は、新たな常識と協調して賃金と雇用の安定を破壊することで、その所得を生み出した。金融市場で現在有効な諸条件は、株の価値を創造するために、極端な組織改革をうながし、ダウンサイジング、リエンジニアリング、アウトソーシング、買収合併（M&A）のプロセスを押し進めた。このようにして金融は、生きた労働の価値を下げながら、進行している現実の変革プロセスを翻訳し、かつ裏切るのである。企業は、株式市場で投資家をひきつけようと、つねに高い収益を提示する。そのために、それこそ他の企業を買収合併する機会を利用して自社株を買い、会計の粉飾までしているのだ。こうした企業再建の目標は、工学技術（テクノロジー）の方向性をコントロールすることだが、それに必要な資金は、実際のところ労働力に対する報酬から抜き取られている。

二〇〇〇年三月の危機は、金融化の普及と一般化への移行を画すものである。つまり新しい段階がはじまるのだが、その特徴は大幅な下落であり、ダウ・ジョーンズの四〇％、スタンダード&プアーズの五〇％、ナスダックの八〇％という損失をともなった。その一方で、アウトソーシングによって目覚めたアジア（インドと中国）の産業予備軍の影響もあり、賃金のデフレが進む。株式市場は二〇〇三年に持ち直しはじめる。クリスティアン・マラッツィは、このチャイナ・コンベンションについて述べている。[26] この共有信念《コンベンション》は――わたしたちの見解では、インターネット・コンベンションの限界におけるひとつの変化として解釈すべきである——価値増殖が、労働と環境とを高度に搾取している新興諸国へのアウトソーシングに依存し、これらの国々はいずれにせよ同じテクノロジー・パラダイムの内部にあるという考えにもとづいている。これによって、あるメカニズムが作動するが、それは金融から生まれた産業予備軍のメカニズムと定義できるだろう。

〈ニューエコノミー〉の危機が、三〇年代のそれに匹敵する不況をもたらすにはいたらなかったのは事実だが、それは一方では連邦準備制度理事会の金融政策、他方では厳正な金融改革によるものである。二〇〇〇年三月の危機に続く二年間に（二〇〇一―〇二年）、連邦準備制度理事会は、六％から一％という大胆な政策金利の引き下げを行った。このことが経済主体を刺激して、自己の資本金の収益率と利子率との差から生じる恩恵を受けようと、適正以上の借金をさせる。この借金の奨励によって、資産効果は、〈ニューエコノミー〉の狂乱期とは異なる法則にしたがって変化しうることになる。不動産市場の価格が上昇し、連邦準備制度理事会の金融政策はアメリカの消費者の購買力を支える。こうしてアメリカの家庭は、価値が上昇していく不動産資産を担保に、銀行システムから、つまるところ無制限の貸し付けを得ることができた。ふたたび儲けへの期待はふくらみ、実質的にはマイナスだった政策金利に支えられた。株価は二〇〇三年三月にふたたび上昇を始める（アメリカのイラク介入直前）。スティグリッツ自身の言葉のなかに、社会統制の実践としての金融化の正確な描写を見ることができる。

この操作は機能したが、その仕方は通常、金融政策が機能するのとは本質的に異なっていた。たしかに、通常であれば低金利はより多く投資するためにもっと借金をするよう企業を刺激する。そしてあくまで通常であれば、最大の負債にはより生産性の高い資産が対応している。しかし、九〇年代の過剰な投資が、景気後退の根本的な問題の一部であったことを考慮に入れるならば、最低の金利はたいして投資を刺激しなかった。経済は改善したが、その理由は、まず第一にアメリカの家庭がローンを借り替え、収入の一部を使いながら、ますます借金を背負うことに同意していたことだ。住宅の価格が、最低の金利と比較して上昇していた間は、アメリカ人はますますかさんでいく借金に気づかないふりをすることができた[27]。

言いかえれば、人々《ポピュレーション》は（金融）資産を生産するために利用された。まず〈ニューエコノミー〉の構築を通して。その後――新しいイノベーションと革新的《イノベーティブ》な衝動とが蔓延し金融熱狂的陶酔《ユーフォリア》を育む一方で、それらが時間の経過とともに、もっとも攻撃的な企業にとってのみ、有利な立場《ポジション》に由来するレントへと変化した後――熱狂的陶酔《ユーフォリア》状態の社会に規律を与え、不動産部門に金融のてこ入れを再配置しつつ、労働と環境が高度に搾取される新興国にアウトソーシングすることによって。金融政策はこの流れに手を貸したが、管理はしなかった。二〇〇三年の春から二〇〇七年一月まで、連邦準備制度理事会は各株式市場の流動性を特別に増やした。賃金のデフレ――これによって生きた労働の価値の切り下げがわかる――をこうむったアメリカの人口の九七%がそれまでの生活水準を維持し続けたが、それは不動産価格の上昇と、アメリカの信用市場を動かしていた気前のよさ、そして低価格の輸入工業製品のおかげだった。しかしながらこの金融のてこ入れは、「実物」経済における利潤を生む力と結びつくことのないまま、金融による収益を支えた。ということは支払い不能におちいるリスクは高い。同じ性質の信用はまとめられ、デリバティブの債券と商品とに転換され、金融市場で売りさばかれた。こうしてリスクはこれらの金融投資家に移転された。銀行の安定性は増すが、より大きな金融危機を招く危険性が高い。ボワイエ、デオヴ、フィオンが二〇〇四年の研究で警告していたように、数の減った当事者（保険会社、非金融企業等）がリスクの大部分を引き受けられるということは、市場が突然ひっくり返って、流動性が干上がるようなことにでもなれば、金融システムを危険に陥れる可能性がある[28]。

不動産市場の好況は、賃金のデフレと足並みをそろえて進行する。賃金労働者に株式市場の夢を売り、期待と野心がついえると、また別の夢が売り出される。それは信用貸しの貨幣で購入できる住宅だ。この信用には制限がなく、支払い不能のリスクを負っている（ここにサブプライムが姿をあらわすのである。収入の保証が不十分な家庭に対して認められた住宅購入のためのハイリスクのローン）。その目的は、またもや、実質賃金の圧縮による資産効果の強化である。巻き込まれた金融機関のチーフエコノミストをはじめとする当事者たちは、アメリカの危機がどれほど深刻であるかを認識せずにはいられない。というのも不動産バブルに始まり、家屋の所有というアメリカ経済のもっとも重要な部分に打撃を与えるからだ。連邦住宅抵当公庫（Fannie Mae）と連邦住宅金融公庫（Freddie Mac）がたどった経緯は、なんとしても家を、というアメリカンドリームの寓話をあらわしている。八三二億ドルの資本金をもつこの二つの機関は——連邦政府の援助のおかげで——五兆二千億ドルのローンを支えたが、これは存在するローン全体の半分、一対六五という維持不可能な比率である。(29)

生の金融への包摂が急速に進むとき、社会関係の変容は人々のもっとも弱い層に金融リスクが集中するのを助長する。二〇〇七年八月の危機は、インターネット・バブルに続いて、長年にわたり不動産信用が強力に拡大していった末に発生した。経済の金融化が機能するためには、価値創造の過程でますます多くの家計をとりこんでいかなければならない。一方で、サブプライムの債券化は信用創造のための強力なてこ入れとなる。他方で、債券市場を介してリスクが多数の投資家のポートフォリオにグローバルな規模で分配されると、金融機関同士の関係はより脆弱になる。

結論

わたしが願うのは、この論考が、より完全な理論的枠組に到達するためのひとつの前提となることである。今一度、問題を提起する必要がある。いくつかの根本的な問いがいまだ確たる答を得ないまま立ちあらわれるからだ。金融市場で決められる価値は、どこから来るのだろうか。生きた労働と、株式市場によって捕捉された増大する流動性資本との間にはどのような関連があるのか。資本主義の現段階において、金融が占める政治的次元とはどのようなものか。これらの疑問は、金融化の流れに対する抵抗の形を考えさせずにはおかない。実際、これまでの分析から、金融市場の権力のひとつの限界が見えてくるが、もしそれを越えてしまうと、マクロ経済の一連の病理を招くことになる。この限界とは、単なる有効需要の崩壊でも、実質賃金が低水準にとどまっていることでもなく、より正確にいえば、生きた労働がこうむっている価値の切り下げである。[30] フーコーのカテゴリーによって重要な分析装置を構築することができる。この諸概念を使うと、金融化のプロセスは社会統制の実践としてあらわれ、生はそのプロセスのうちに包摂される。それは同時に資産効果のイデオロギーを広めるのであるが、その目的は、賃金のみならず、生産と再生産の内実と様態にも影響力を持ちうる闘争を壊滅させることだ。[31] そこでさらにフーコーにならえば、生権力と生政治との関係という問題にたどりつく。わたしが思うに、生政治の概念に対するジュディット・ルヴェルの解釈は、これまで展開してきたような話を続けるのに有効なひとつの方向を指し示している。

「生権力」が、権力関係という側面からみて、ひとつの新しい生（あらためてくり返すが、生物学的にばかりでなく――社会的、情緒的、言語的、等々）の投資《インベストメント》／備給を指す用語であり続ける一方で、「生政治」は、フーコーのなかで、より抵抗の「主体化」のパースペクティブと結びついているように思われる。あるいは、権力からの逃走と、存在するもの（こう言ったほうがよければ、他者に関する新しい関係、新しい組織の形象、新しい生の様式、新しい制度……）の――どこか他の場所における――再発明のパースペクティブともいえる。二つの言葉は、決して同等ではないが、実際にはそれぞれ同じ調査対象のある特定の側面をあらわす。かたや諸権力の新しい分析研究であり、かたや抵抗する主体性の新しい分析論である。[32]

生権力の形態としての金融化が実際に機能する際に決定的なのは、生政治の構成である。この構成のプロセスには、新しい制度と、対立をはらんだ民主主義の新しい実践が付随しており、金融の管理下にあるものを取り戻す可能性は、まさにこのプロセスにかかっている。賭けられているのは、実物の金融的な評価（共有信念《コンベンション》）がよりどころとする先験的な評価システムばかりでなく、「各個人の異なる行為を均質化する力を持った社会的規則の総体」でもある。

＊注

このテクストは、二〇〇八年九月一二、一三日に、ボローニャで開催されたUniNomadeのセミナーで発表した報告を増補改訂したものである。セミナーの参加者全員に感謝する。また二〇〇八年一一月二〇日、パヴィアのC.S.A. Barattolo〔自主管理社会センター、バラットロ〕で開催された金融危機に関する講演会の主催者諸氏にも感謝する。この講演会のおかげで、このテーマをふたたび取り上げる機会が得られた。オリジナル・テクストの改訂に協力してくれたアデリーノ・ザニーニとヘルヴェ・バロンに感謝の意を表する。当然のことながら、ここに発表した論考に関する一切の責任はわたしに帰するものである。

（1）この危機が、ガルブレイスが示した古典的な図式に還元すればすむものでないことは、いずれにせよ明確にしておく必要がある。「オランダのチューリップ、ルイジアナの金、フロリダの不動産、ロナルド・レーガンのすばらしい経済設計、といった類の、一見新奇で望ましい人為的行為や事態の展開は、金融の才のある人々の心をとらえる。〔…〕投機の対象となったものの価格が上がる。証券、土地、美術品、その他の資産は、今日買えば明日はもっと価値が高くなる。こうした価格上昇とその見通しが、さらに新しい買い手を惹きつける。〔…〕こうした投機の状況は、いずれは反落に転じざるをえない。〔…〕なぜなら、投機に参加した第一のタイプの人も第二のタイプの人も〔市場の価格上昇を全面的に信じる人々、およびその瞬間の投機のムードを察知できると自信をもっている人々〕、反落に際してはいち早く逃げ出そうと一斉に動き始めるからである」（John Kenneth Galbraith, *Breve storia dell'euforia finanziaria*, trad. it. Rizzoli, Milanao 1998, pp.11-19〔邦訳『バブルの物語――暴落の前に天才がいる』鈴木哲太郎訳、ダイヤモンド社、一九九〇年〕）

（2）ロベール・ボワイエによれば、これらの調整は主として以下の事柄に関わっている。まず、生産組織と賃労働関係の発展類型。次に、経営的基準を決定する際の基盤となる資本の価値増殖の時間的展望。そして、生産にたずさわる社会集団を逐次再生産するために必要となる生産された価値を分配する際の基準。生産能力発展の傾向と両立する社会的需要の構成。最後に、資本主義的生産の領域と非資本主義的な分野とをつなぐ接合の様態。たしかにレギュラシオン学派は、資本主義的生産方式と結びつけられる多様な社会‐経済的資産の進化と形成自体において、非資本主義的な諸形態が顕著であると認めている。Robert Boyer, *Fordismo e postfordismo. Il pensiero regolazionista*, trad.it. Università di Bocconi Editore, Milano 2007を参照。

（3） ここに示した考察全般に以下の著作を参照した。Renata Brandimarte, Patricia Chiantera-Stutte, Pierangelo Di Vittorio, Ottavio Marzocca, Onofrio Romano, Andrea Russo, Anna Simone (a cura di), *Lessico di Biopolitica*, Manifestolibri, Roma 2006. とくにダリオ・メロッシの解釈である「社会統制」を取り入れ、独自の方法で金融化に応用した。

（4） フーコーのカテゴリーに言及するという選択は、なによりもまず、『プリモ・マッジョ』の貨幣に関するワークグループによって示された方向の一つをふたたび取り上げようという意図にもとづいている。とくに以下を参照。Christian Marazzi, *Alcune proposte per un lavoro su 'denaro e composizione di classe'*, in "Quaderno n.2 di Primo Maggio", n.12 di "Primo Maggio"への追補 pp.75-80. 以下も参照のこと。Christian Marazzi, *Commento a Convenevole*, in "Primo Maggio", 11, inverno 1977/78. マラッツィは、生産の金融経済における収益分配の新たな統計を構築しようとする試みのなかで行われた重要な研究について、おそらく過剰に批判的な形で意見を述べながら、政治経済の批評が、同じくフーコーによって展開された権力の批評と比べて、いかに遅れているかを強調した。「たしかに、知－権力関係の同時性を見るほうが、交換－富関係のそれよりも単純だ」。

（5） カルロ・ヴェルチェッローニは、多くの報告のなかで、新しいテクノロジー・パラダイム（彼自身が他の研究者とともに、「認知資本主義」と定義した）が、以下の三つのプロセスのなかで、どのようにその根を深くはっていくかを力説している。まず、労働の科学的組織化をめぐる異議申し立て。次に福祉の集団的保障とサービスの拡大。そして教育の民主化の結果、拡大した知識階級の構成。Didier Lebert e Carlo Vercellone, *Il ruolo della conoscenza nella dinamica di lungo periodo del capitalismo: l'ipotesi del capitalismo cognitivo* in Carlo Vercellone (a cura di), *Capitalismo cognitivo, Conoscenza e finanza nell'epoca postfordista*, Manifestolibri, Roma 2006を参照。しかしながら、少なくとも挙げられている三つのプロセスのうちの一つ（教育の民主化と結びついて拡大した知識階級）は、新しい資本主義を構成する基盤となった指令装置のために危機に陥っている。公教育改革のプロセスが進行しているが、伝統的な知識も、生徒の批判精神も低下させている。平行して、企業の再建プロセスを支えるための恒久的な職業教育というレトリックが広まっているが、それが経済システムを刷新する能力の強化に結びつくことはまれである。言いかえれば、「人的固定資本の再生産を保証する投資は、社会福祉国家が崩壊し、教育費がかさむようになるとすぐにも削減されてしまう」。その矛盾をはらんだ結果は、「社会における知的労働の戦略的な重要性を増大させるとともに、それに付随する〈知識労働者〉そのものの生活条件の悪化」である。Christian Marazzi, *L'ammortamento del corpo*, in "Posse. La classe a venire", Novembre 2007, www.posseeb.

net. を参照〔邦訳「機械＝身体の減価償却」多賀健太郎訳『現代思想』二〇〇七年七月号〕。次のような疑問が浮上するのはもっともなことだ。この制度的な特殊要因（教育の民主化）のおかげで沈殿した専門知識の、継続的な搾取はいつまで続くのだろうか。つまり、現代資本主義において、知識が価値増殖の重要な要因であり続けるには、どのような条件が必要なのだろうか。

（6）別の言葉で言うならば、ザニーニが UniNomade のあるセミナーで主張したように、「少なくとも一五年前から続いている「段階」は、労働力の価値を引き下げようとする調整政策を特徴としている。とりわけ経済強国でのプレカリアート化による知識とイノベーションの生産はこの新たな段階を特徴づける兆候である」。Adelino Zanini, *New Deal e democrazia conflittuale*, in Aa.Vv., *Guerra e democrazia*, Manifestolibri, Roma 2005 を参照。

（7）本書におさめられているアンドレア・フマガッリとクリスティアン・マラッツィの論考のほか、以下を参照されたい。André Orléan, *Beyond trasparency*, 18 dicembre 2008, www.eurozine.com; Dimitri B. Papadimitriou e Randy Wray, *Time to Bail Out: Alternatives to the Bush-Paulson Plan*, “Policy Note of The Levy Economics Institute of Bard College”, 6 novembre 2008; Pavlina R. Tcherneva, *Obama's job creation promise: a modest proposal to guarantee that he meets and exceeds expectations*, “Policy Note of The Levy Economics Institute of Bard College”, 1 gennaio 2009, http://www.levy.org; Martin Wolf, *Why Obama's plan is still inadequate and incomplete*, in “Financial Times”, 13 gennaio 2009; Martin Wolf, *Why President Obama must mend a sick world economy*, in “Financial Times”, 21 gennaio 2009.

（8）一九八一年に行われたミシェル・フーコーの講演 *Les mailles de pouvoir*〔邦訳「権力の網の目」石井洋二郎『ミシェル・フーコー思考集成Ⅷ 1979-1981 政治／友愛』収録、蓮實重彦・渡辺守章監修、筑摩書房、二〇〇一年〕を参照のこと。本論考中で言及した部分は、次のテクスト中に引用されている。Adelino Zanini, *Invarianza neoliberale*, in Sandro Chignola (a cura di), *Governare la vita. Un seminario sui Corsi di Michel Foucault al Collège de France (1977-1979)*, ombre corte, Verona 2006, p.122.

（9）同上 p.124.

（10）Michel Foucault, *Sicurezza, territorio, popolazione. Corso al Collège de France (1977-1978)*, trad. it. Feltrinelli, Milano 2005, p.258〔邦訳『安全・領土・人口　ミシェル・フーコー講義集成Ⅶ コレージュ・ド・フランス講義　1977-1979年度』高桑和巳訳、筑摩書房、二〇〇七年、四三七頁〕

（11）同上 p.88.〔邦訳では、前掲書一三二―一三三頁〕

(12) Massimo Amato, *Il bivio della moneta. Problemi monetari e pensiero del denaro nel Settecento italiano*, Egea, Milano 1999, p.20.

(13) Christian Marazzi, *La monnaie et la finance globale*, in "Multitudes", 32 marzo 2008, pp.115-127. 現実には、金融化の定義そのものが問題をはらんでいる。本書に収録されているベルナール・ポールレの論考を参照のこと。

(14) 資産効果とは、通常は、価格レベルでの変化《チェンジ》に続いて起こる実質価値の変化《バリエーション》に迫られて生じる総需要の修正を意味する。株式市場について言えば、もし株の価格レベルの動きが、金利の動きと連動していれば、資産効果はプラスに働く。つまり金利の引き下げは、資本を象徴する株の評価額、すなわち総体として知覚される富を増大させる。新古典派の経済学者たちは、大恐慌時代、自動メカニズムの存在を主張するため、長期間にわたる完全雇用を保障することができるとして、広く資産効果に訴えた。この概念に言及するからといって、新古典派の見方を受け入れるということでは決してない。それどころか、わたしの考えでは、アメリカ型モデルは、金利が低く抑えられた状況で、まずテクノロジー産業株の動向、次に不動産株に結びついた資産効果の上に成り立っていた。そしてこの社会統制の実践は、完全雇用政策の追求とは結びつかない。

(15) Andrea Fumagalli e Stefano Lucarelli, *A model of cognitive capitalism: a preliminary analysis*, in "European Journal of Economic and Social Systems", XX, 1, 2007, pp.117-133. 挙げられているのは、アンドレア・フマガッリとの共同研究で、マクロ経済モデルにおいて得られた結果である。より厳密に言うならば、規模の経済動態が直接、生産性に影響するモデルでは、金融の剰余価値の配分に依存する投資性向と消費性向の総和が、賃金に由来する消費性向に対して大きくなる場合、その場合にのみ、需要の力学と生産性の力学との間にポジティブな相互関係が生じる。

(16) この巧みな表現は、ミシェル・アグリエッタによる。*Le capitalisme de bulle en bulle* in "Le Monde",5 settembre 2007. アグリエッタによれば、バブルからバブルへ移行するのは、このシステムが一切のブレーキを内蔵していないからだ。価格が本質的な価値との関係を一切失ったときですら、短期的な論理が優勢であった。資産管理者、ブローカー、経営者たちはこの論理に対応する報酬と恩恵のシステムを構築した。ゆえに、次のバブルの原因となるのは、金融の組織そのものなのである！

(17) この危機に関して、リッカルド・ベッロフィオーレとジョゼフ・ハレヴィは多くの場で、ハイマン・P・ミンスキーの金融不安定性仮説の現代版を提案しつつ、いくつかの側面で根本的な解釈を提出している。二人は、現代資本主義の新しさを説明するため、ミンスキーの仮説に新たな装いを与える――それによれば、資本主義には安定性を不安定性に変化させる傾向がある。投資家たちは金融における安全なポジションから、投機的なポジションに、そして超投機的なポジションへと移行するよう奨励されているからだ。「この推論は、「新しい資本主義」の（不安定な）発展と同様、（システム的な）危機をも説明できなければならない。さらに、剰余価値の生産に的をしぼった、資本主義的プロセスの新しいマルクス主義的解釈のなかにミンスキーを組み込まなければならない」。参考文献はRiccardo Bellofiore, *La crisi del neoliberismo reale*, in "Critica Marxista", 6, novembre-dicembre 2008, pp.18-28. この解釈は、マクロ経済レベルで重要かつ豊かな示唆を与えるものだ。とはいえ——彼ら自身が認めるように——金融不安定性仮説はミクロ経済レベルではうまく成り立つが、「マクロ経済レベルで成立することを確証するものではまったくない」。自己資金に対する短期債務の急増は、事実上マクロ経済レベルで起こるが、ベッロフィオーレとハレヴィの分析では、二つの現象は分裂してあらわれる。つまりマクロな基盤が欠けており、二人の著者も明らかにそれを必要としている。ハレヴィとの共著による他のテクスト——例えば*Finanza e precarietà. Perché la crisi dei subprime è affar nostro*, in Paolo Leon e Riccardo Realfonso (a cura di), *L'economia della precarietà*, Manifestolibri, Roma 2008——と同様、前掲書でも、ベッロフィオーレは、「トラウマを持つ労働者」、「マニアックで抑鬱的な」倹約家、「負債を抱えた」消費者」という三人一組を重要視しているが、この三者は、「「（複数の）家族」集団、ひいては労働界の三つの側面」を抽象的に表したものである。ベッロフィオーレは、この抽象化を、現実の抽象化プロセスとしてマルクス主義的に解釈すべきかどうか明らかにしていていない。いずれにしても彼は資本-労働関係を、資本から労働へという、一方向のものとして解釈しているように思われる。このように資本の生産性だけを正統化することで、生きた労働——資本と労働との間の関係をとりもつ——そのものの過剰さは、結局のところ認められていない！　問題は——著者たちによれば——主体的な（そして共同の）行動そのものの重要性の低さにあるのだが、主体的な行動は、最新の分析によれば、「蓄積体制」の持続可能性と同様、紛争を行使する可能性をも左右するのである。たしかに階級としての行動も主体的な経験から出発して形成される。ゆえに、循環-再生産の領域にあらわれる質的な側面の研究というパースペクティブにおいては、主体性を考慮に入れるようつとめる。わたしが資産効果を中心に据える意味はそこにあると受け取ってほしい。

（18） Jhon Mynard Keynes, *Teoria generale dell'occupazione, dell'interesse e della moneta*, trad.it. Utet, Torino 2006, (ed.or. Palgrave Macmillan 1936), pp.281-283〔邦訳『雇用、利子および貨幣の一般理論（上）』間宮陽介訳、岩波文庫、岩波書店、二〇〇八年、二〇五—一〇頁〕

（19） これはアンドレ・オルレアンの仕事の主要な限界である——おそらく超えることは可能だ。参照：André Orlean, *Le pouvoir de la finance*, Odile Jacob, Paris 1999。また以下も参照のこと。André Orlean, *La notion de valeur fondamentale est-elle indispensable à la* théorie financière? L'apport de l'approche conventionnaliste, 7 gennaio 2008, www.pse.ens.fr/orlean/

（20）マルチェッロ・デ・チェッコは、二〇〇二年五月一三日付“Affari e finanza”誌でこのように書いている。この記事はMarcello De Cecco, *Gli anni dell'incertezza*, Laterza, Roma-Bari 2007に収録。ニュー・コンセンサスについてはMarc Lavoie, *L'Economie postkeynésienne*, La Découverte, Paris 2004の第三章を参照のこと。

（21）言いかえれば、単なる使用価値として発生するものを横領する諸形態が発展する。

（22）生産プロセスから流動資産を解放した物的資本への投資削減も考慮に入れる必要がある。この流動性は、資本の株式としての価値を上げるのに役立った。「固定資産への投資減少による流動資産の増加に加えて、企業の金融機関への負債も増加しているとすれば、経済の金融化（配当金の支払い、利子、吸収合併、発行済み株券の買い戻し）が、一連の金融化を運営している経営者にはいうまでもなく、株式投資家クラスにとっても資産の臨時移転であったことがわかる」Marazzi, *L'ammortamento del corpo macchina*, cit. を参照のこと。

（23）ロベール・ボワイエの定義による。

（24）Christian Marazzi, *La frontiera interna dell'Impero*, in “Il manifesto”, 11 novembre 2000.

（25）Joseph E. Stiglitz, *I ruggenti anni Novanta. Lo scandalo della finanza e il futuro dell'economia*, trad. it. Einaudi, Torino 2003, p.4 原書 *The roaring Nineties*, W.W.Norton & Company, 2003〔邦訳『人間が幸福になる経済とは何か　世界が90年代の失敗から学んだこと』鈴木主税訳、徳間書店、二〇〇三年〕

（26）Cristian Marazzi, *Dietro la sindrom cinese*, in “Il manifesto”, 1 luglio 2004.

（27）Joseph Stiglitz, *Le colpe di Greenspan*, in “La Repubblica”, 10 agosto 2007, 強調は筆者による。

（28）Robert Boyer, Mario Dehove and Dominique Plihon, *Contemporary financial crises: between newness and repetition*, in “Issues in Regulation Theory”, aprile 2005. 本書に収録された論考のなかでマラッツィが強調しているように、わたしたちが現在経験している〈より大きな危機〉の導火線は、二〇〇七年八月、格付け機関が信用にもとづいて発行された証券の格下げを行ったことによってセットされた。ビジネス・サイクルが逆転した一年後のことである！

（29）一例として、二〇〇八年八月二一日付“La Repubblica”誌に掲載された、ニューヨークのディヴィジョン・エコノミクス社のチーフ・エコノミスト、アレン・サイナイへのインタビュー記事を参照のこと。インタビュアーはエウジェニア・オッコルソ。

(30) ここで、トーニ・ネグリが提示した問いをふたたび取り上げる必要があると思う。すなわち、現在わたしたちが関わっている金融化は、認知的労働および／または共同経営能力の自立的実験に内在する革命的潜勢力の蓄積可能性をことごとく無効にすることを目的とした技術的な手段なのか？ Antonio Negri, *Fabbriche di porcellana*, trad.it., Feltrinelli, Milano 2008 を参照のこと。

(31) いずれにしても、資産効果が複雑な現象であることは考慮されねばならない。金融ブームを支える非合理性は、認知資本主義のテクノロジー・パラダイムのなかで発生するコンベンションに対応するものとして、人間生成《アントロポジェネティック》モデルへの欲求を内包しているが、このモデルでは、搾取の論理の外部に広まった知的生産力が認められる。人間生成《アントロポジェネティック》モデルに関してはRobert Boyer, *The Future of Economic Grouth: As New Becomes Old*, Edward Elgar, Cheltenham 2004.〔邦訳『ニュー・エコノミーの研究――21世紀型経済成長とは何か』井上泰夫監訳、中原隆幸・新井美佐子訳、藤原書店、二〇〇七年〕の第八章を参照。

(32) Judith Revel, *Biopolitica: politica della vita vivente*, in "Posse", *La classe a venire*, novembre 2007, www.posseweb.net. 生政治構築の方法はすべてこれから打ち立てられねばならないが、それでも民主主義的空間と、生きた労働の非資本主義的価値増殖の空間を開く、貨幣創造の諸形態の規定を排除することはできない。その意味で、ベーシック・インカムをテーマとして再度取り上げることが急務であるが、補完金融制度の研究者たちと慎重に討論することから始めなければならないと思われる。Luca Fantacci, *La moneta. Storia di un'istituzione mancata*, Marsilio, Padova 2005; Massimo Amato, *Le radici di una fede. Per una storia del rapporto fra moneta e credito in Occidente*, Bruno Mondadori, Milano 2008 を参照。

資本を越えてコモンへ

生政治資本主義の両義性に関する覚え書き

フェデリコ・キッキ

1. 序文——昨今の金融市場危機を起点とした労働に関する考察と提案

はじめに、ここから続く論証は、現代資本主義における〈知‐権力〉の結びつきにまつわる特筆すべき諸問題を描き出すためのひとつの試みであり、決して完全なものではないということを断っておきたい。より精確に言うなら、わたしたちの関心は、照準を絞った上で、昨今の世界的な金融資本主義の危機により、ポストフォーディズム資本主義のまさに内部で明らかになっているさまざまな両義性を示すことにある。

　このためまずは次のことを強調しておくといいだろう。つまりここ数十年のあいだ、経済危機はますます矢継ぎ早になり、またそうした経済危機が社会体において結びつき、反響しあうことで描き出される構成も複雑化しているが、このことは資本がみずからに内在するさまざまな両義性を、どれだけ物柔らかに見えようともやはり有害かつ暴力的な諸権力の混合のなかでマネジメントする戦略をいまなお生み出しうることを示しているのである。資本主義の構造は否応なく動態的たらざるをえない。間違いなくマルクスが最初に直感したこのパラドクスを暴きだすことで、危機とは資本主義的蓄積プロセスを機能させる動力であることを明らかにし、理解することが可能になる[1]。言い換えれば、すでに最も明敏なオペライズモ（労働者主義運動）が明らかにしてきたように、価値を生み出す諸力を捕捉するためのさまざまな仕組みに対して下から生まれる抵抗（階級闘争）、所有による個人主義という人類学的背景においてこうした諸力が計測可能な量と形に翻訳されることに対する社会的反発こそ、資本主義の成長する地平が漸進的に洗練され、進路を変え、深化しそして拡大してゆくプロセスを起動させるのである。蓄積という〔資本に〕欠くことのできないプロセスが直線的でもなだらかでもなく、むしろ濃密で、曲折にとみ、ある意味では資本のヘゲモニーにとって危険ですらあるという事実は、これまで資本の構造的安定性を大きく揺るがすものとは考えられてこなかった。それどころかある意味では、資本形成に内在する両義性が大きければ大きいほど、資本に都合よく生み出される価値増殖の空間もまた大きくなるように思われてきた。実際のところ、資本は社会的構造であり、それが機能するのは問題を孕んでいるがゆえなのである。

ここで、ドゥルーズのもっとも美しい作品のひとつである『意味の論理学』所収の、諸構造に内在するパラドクスに関する考察を、本論証の補助線として短い挿入の形ではあるが思い出しておくと、効果的かもしれない。シニフィアンのセリー〔系統〕とシニフィエのセリー〔系統〕のあいだには常に、遊びとしての過剰、混和、空虚な桝目が存在し、それが構造というもの（この意味では常にふたつのセリーのあいだの開かれた関係として定義されうる）を構成し、機能させている。空間的にも時間的にも決して完全には閉じられることのない関係を免れた全体性、ひとつの有限なセリーのなか、すなわち存在するものを量によって秩序立てる尺度のうちに、歴史家が行うごとくあらゆる価値＝意義を配置しきってしまう形式として現れる構造は存在しないし、しえない。存在論とは、尺度におさまりきらないもの、懸隔、動きであり、そうある他はない。シモンドン風に言うならば、「生けるものは生成につき従って存在する」のである。だとすれば、アイデンティティや尺度はこうした意味において生けるものの異常、より精確に言うなら、その偏執症的な病理にして症候である。（価値‐力の）搾取、その社会的衰退は、資本の症候である。つまり資本がもつ（蓄積）機能の結節点であると同時に、さまざまな政治的活力を結集し、資本機能の崩壊を引き起こすべき点でもあるのだ。

しかし、とりわけさまざまな国際金融機関の危機を通じて明らかになっている現在の危機は、わたしたちの信じるところによれば、前代未聞のラディカルさを示している。それは、資本主義の社会・経済的構造が、過去から現在にいたるまでその機能を通常実施してきた基盤そのものを根底から脅かしているように見える。というのも、それにより混乱し、不安定になり、信頼性を失いつつあるのは、商業における交換形態が実現される基盤、近代以降の社会的紐帯がとる形態そのものなのである。すなわち、債務‐債権という社会関係の勘定単位である貨幣のことだ(2)。まずケインズが、それからレギュラシオン学派がわたしたちに教えてくれたのは、貨幣を近現代経済システムにおける根本的な制度と見なしうるということだった。「価値を操作する因子として、貨幣はまさしく規範的制度である。というのも支払いが規定的だからである」(3)。事実、貨幣が社会関係の規模を一般化し掌握する機能、つまり通貨を通じて実効性を発揮する一般的等価性という役割を果たすためには、自らに先行し、さまざまな制度を通じて社会関係を調整／統治する経済外の信用構造に依拠しなくてはならない。「論理的にみて貨幣が商業関係に先立つのは、それが商業関係の可能条件であり、価値判断の基盤だからである。貨幣は主権に起因する。それは商業関係において諸個人に共有される信仰の中心である。なぜなら貨幣とは、経済関係における帰属を彼らに付与するものだからである」(4)。だとすれば、現代資本主義において金融制度の構造が陥っている深刻な危機は、貨幣（つまり計測可能な尺度に基づくその価値形態）の危機を、そしてさらには、今日の貨幣の権力関係が運営される際の枠組みである社会・経済的諸形態の危機をも導くかもしれない。事実、貨幣的諸制度の危機はいまや遍く広まっており、経済関係の運営を司っている主要な組織・制度すべてに関わっていると言える。

　このことはおそらく今回の危機がもつ、いまやはっきりと目に見える側面だろう（そしてここに、失業者層・貧困層の拡大、富の不平等の拡大などよりハードな影響が劇的に加わりつつある）。したがって、新自由主義的資本主義の諸制度に対する信頼の失墜もまた避けがたいだろうが、それは社会的な富の生産を組織する制度的構造を抜本的に想像しなおす政治的契機を、鮮やかかつ緊急に示している一方で、新たな大転換（ポランニーの言うような意味で）が生じかねないという問題を提示してもいる。この大転換を特徴づけるのは、これまで起こってきたあらゆることにもかかわらずいまだ支配的であり、国家を通じて尺度としての貨幣に対する信用を回復するよう要請されている権力が、独善的かつ暴力的に浮遊しはじめるという事態である。

さて、こうしたことすべては、資本主義構造の内部にいくつもの新たな矛盾を驚くべき濃密さで生み出している。資本における知‐権力という結びつきは今日、〈一般的知性〉《ジェネラル・インテレクト》（大衆《マス》の知性であると同時に情動でもある）に備わる価値を生み出すさまざまな潜勢力を短絡させ、所有権という名の牢獄と、誘導された購買動機の中に捉えるために組織されているのだが、厳しい試練に晒されてもいる。生を商品／尺度へとフェティッシュに生産しかえる悪しき循環のなかに見出すことのできる間隙はいま、この意味で、その支配から逃れる政治的好機（もちろんすべてはこれから築き上げるべきものだが）としても現れてきている。主体化と隷属のあいだの短絡という現象は、これまで大多数の人間にとって不透明だったその規定し、横領する暴力をついに明らかにしているようだ。こうした観点からすれば、今回の金融危機が生じ、その社会的な深刻さがひろく感知されているとしても、それはいまや決定的となった先ごろの危機、すなわちフォード型の資本‐労働間の妥協[5]の危機がいっそう明白になっただけのことである。こうした妥協は、価値生産の主要な調整器としての役割を果たし、前世紀の終わりまでは、進歩というテーマを設定することで、いかなる犠牲を払おうとも成長することを社会的に正当化する際の象徴的合言葉にしてきたのだ[6]。こうした観点からすると、ここ数十年の世界経済を特徴づけてきた、現代の労働制度が不安定化し断片化してゆくプロセスは、システム危機の第一の層に過ぎない。この危機をみずからに優位な形で運営すべく、資本はまずフォード型蓄積の危機にかかるコストを労働に転嫁し（企業リスクの社会化）、つぎに権力と搾取の新たなモデルにおいて自己を組織しなおすことで、価値増殖の構成要素をもはや労働時間にではなく、ビオスと社会的領域に特有の（とりわけ非物質的な）質そのものに見出してきた（生経済）。金融による富の（幻想の）生産（すなわち「資産効果」）とは、この意味で、ポストフォーディズム型資本が再生と調整を果たすべく用いた主要な機能的手段の、ひとつの極限だったのである。

それゆえ、現在進行中の経済危機に照らして、本分析と現代資本主義における対抗運動を導いてゆくためには、解釈上の主要な道筋を三つ考察したうえで、それらを敷衍するのが有効であると思われる。まずひとつめは認識論および方法論の圏域に属しており、近現代の分析カテゴリーに基礎を置くパラダイムを捨て去る必要性を検討するものである。というのも、そうしたカテゴリーは「二項対立」と「分離性」を特徴とする形態に依拠しており、事実を発見し、解釈する際にはまったく力不足であることを示しているからだ。実際のところ、労働／消費、生産的労働／非生産的労働、レント／利潤、主体化／隷属などの概念形式は現在、どれもが前代未聞の複雑さを経験しつつあり、その経験論上の非常事態を特徴づけているのは、疑いようもなく、それらが段階的に融合し内部で短絡を起こしていることなのである。端的に言って、現代資本主義の有効な分析はおそらく、（完全に外部ではないにしても）経済学を越えたところに位置すべきものだ。クラウディオ・ナポレオーニが一九七〇年代末にすでに見抜いていたように、価値（絶対価値）の分析は、もはや（古典・新古典を問わず）経済学パラダイムのなかでは理解しきれない。なかでも、リカードとマルクスに端を発する価値理論のアポリアは、ピエロ・スラッファをはじめとする試みがあったとはいえ、経済学文法に依拠しきった研究図式の内部で扱われていては、乗り越え不可能であることがかねてより明白となっている。事実、スラッファは疎外（つまり主体‐客体の転倒）や、古典的に剰余の生産／横領のうえに築かれてきた搾取などのテーマにおいて、マルクス主義を救おうとしたわけだが、その危うところもあるとはいえやはり賞賛されるべき試みが示しているのはおそらく、経済的な問題を、ある側面では哲学的な装置同様に、より柔軟かつ融通の利く装置の内部で読み直し、脱構築する必要性である。「つまりこういうことだ。たとえブルジョワ社会の特徴が、あらゆる現実を経済に、質を量に変えることだというのがなお真実だとしても、その一方で、この変換の諸様態が経済科学の主題でありうるというのは真実ではない。経済科学があくまで物象化されたものの分析に留まり続ける（またその限界を越えられない）限り、物象化プロセスの分析は必然的に見逃されざるをえない」[7]。

ふたつめの問題は、ひとつめと緊密に結びついてはいるが、方法論というよりは問題そのものに関わっており、金融資本主義の危機を資本主義の生産様式全般に及ぶ危機的局面の様相において考察する必要性に関するものである。

この意味で念頭においておくべきだと思われるのは、価値生産の諸様態（とともに価値の主観性）が徹底的に変容しており（工場から工場としての社会へ）、それにともない蓄積プロセスを可能にし、維持している搾取のための戦略装置もまた変容しているということだ。それゆえ現在進行中の段階を読み解くためには、（知識およびコミュニケーション／社会的協働の経済を基盤とする）認知資本主義の形成[8]と、とりわけ生経済的と定義しうる資本の蓄積構造の出現を描き出している諸分析に触れることが必須であるとわたしたちは確信する。第三に最後の点として挙げるものは、新たな政治的（だが同時に人類学的でもある）語彙を作り出すことをその主要なミッションとするような、新たな対抗運動の実践を組織する緊急性と契機に関わっている。そうした語彙とは、生産を背景として共通の／コモンの〈目的《テロス》〉を作りだし、それが一般化してゆくことのもつ潜勢力を導きうるものである。その意味で、政治的問題の争点は結局のところ、そうした必要性を表現しうるようなさまざまな「生の在り方」をかたちにすることにあり、わたしたちの考えるところでは、それは何よりもまず新たな倫理の創出であって、それこそがコモンの社会性であり、またそうなっていくべきなのである。[9]

ここまでこの序論に長く留まることで、今回論じるよう求められている具体的なテーマをなおざりにしてきたが、それには理由がある。なぜなら、現在の危機を理解し、その内部で政治的に行動するためには、認識論の上でも方法論の上でも、近現代の（二項対立的な）解釈方法の外部でそれを行う必要があることをはっきりさせておくべきだと、わたしたちは心から信じているからだ。そのような解釈方法は、あまりにも直線的な論理に縛られているがゆえに、現代が抱えるさまざまなパラドクスの重要性を捉えることができないのである。だがそれ以上に強調しておくべきなのは、もしあらゆる構造が社会関係を分節可能にするひとつの盲点を示し、決して同化することの出来ないその一点が段階的な自壊を避けがたくもたらすのだとすれば、自己の機能を主張する構造の危機はすべからく、その解決不可能な内的両義性が先鋭化したものとしても現れるということだ。それゆえこうした両義性が深化したものとしての危機は、ひとつの政治的契機となるし、またそうなる他はない。そのような契機は、あらたな可能性と実践可能性に照らされ、突如その姿を明らかにする〈未知なるもの《ノヴム》〉の、ようやく目に見えるかたちとなった知られざる側面を追求するものであり、またそうあるべきだ。支配的構造の不可能性が目に見えてより鮮明になり、またその事実が経験されるときには、反対に音を立てて崩れ落ちるその支配的版図の内部で新たな（対抗）権力（新たな知）を賭ける可能性も増すことになる。事実、今回の危機――多くの者がすでに時代を画す金融危機と位置づけている――が開いた空間において賭けられているのは、わたしたちの考えでは、ポストフォーディズム蓄積体制の生き残りそのものなのである。

2. 現代資本主義の生経済的〈織物《テクスチュア》〉

まず次のことを強調しておこう。金融市場は、所有財産を生産する新たな体制に備わる調整メカニズムのひとつとして理解すれば済むわけではなく、なによりもまず、フーコーが用いた意味において〈知‐権力〉装置と見做されなくてはならない。この装置は、社会的諸個人――多くの場合その意に反して、ポストフォーディズムの経済環境において増大しつつある根源的な不安定性に飲み込まれている――の行動、感情、傾向、つまり一言すればその生を捕捉するという形で、浸透的な影響力を行使するのである。言葉を換えるなら、「金融化と共に、人はまさに〈ビオス〉の領域に入る。株式市場への投資とともにかけられているものとは何か？　賭けられているのはわたしたちの未来の生、わたしたちの未来の所得、わたしたちの年金、つまり労働市場から抜け出したのち年金生活に入り、尊厳をもって生きる可能性であるが、それだけではない。決定的かつ明示的な形では初めて、〈ビオス〉が賭けられている。このような事態が、経済の、そしてそれに伴う社会の金融化を通じて生じている」[10]。ポストフォーディズムの金融経済は、この意味で、人間の振舞いに対して生権力を揮い、みずからが機能する領域の内部に、自由だが従順であり、「ある特定の習慣、規則、命令に服従する主体」[11]を作り出し、配置し、彼らがすすんで〈価値‐力〉として主体化されるよう、つまり変化させられ、完成されるよう仕向けることで、彼らのもつ価値を生み出すさまざまな資源、力そしてエネルギーを最大化するとともに最大限搾取しようとするのである。

株式・金融市場が、解体しつつあるフォーディズム型社会保障モデルに対して、ある種の幻想の社会的保険として（債権－債務関係を好きなだけ《アド・リビトゥム》拡大するという危険を冒しながら）生み出している「資産効果」は、目が回るほどにすばやく欲望の対象を提供することで、新たな資本蓄積プロセス（クリスティアン・マラッツィが〈ケインズ型赤字財政支出の民営化〉と定義したもの）への刺激を生み出す。こうした装置は新たな富を（とりわけさまざまな知を支配する者たちに対して）、新たな幻想を（この装置において主体化されるにまかせる者たちに対して）、そして新たな貧困／収奪を（さまざまな知から排除される者たちに対して）創出しているが、なによりも、賃金労働力の利害を資本そのもののなかで混乱させ、その向かう先を変更することで、賃金労働力を断片化し、政治的に弱体化させている。「先に示しておいた不変資本の労働力への移転が現実に意味しているのは、以前であれば資本と労働のあいだにあった矛盾が、いまやわたしたちの身体の中に直接存在しているということだ。この意味で、いま金融化が進行している空間に外部を見出すのは困難である」[12]。まさしくこのような視点に立ってこそ、グローバル金融市場を、〈生経済〉と化してゆく資本主義を読み解く鍵として描き出すことが可能になる[13]。この〈生経済〉という概念がまず近似的なものとして意味するのは、人類にそなわる価値を生み出すさまざまな質をその一般性において捉え、生政治的に、つまり直接的かつ浸透的に搾取することで維持される経済の現実化である。わたしたちの考えではかくも重要なこの点を十全に分析するためには、〈生経済パラダイム〉というテーマを、経済が金融化するプロセスの展開によって極めて明白になっているふたつの問題の内部で明確にしなくてはならない。これら三つの問題は同質《コンサブスタンシャル》かつ不可分だからだ。ひとつめの問題とは統合失調症的な社会的紐帯の生産である[14]。そこでは個人／社会という関係が、社会的なものを構築するにあたり、病的なまでに個人の軸に偏って現れているため、地域レベルを越えた一般的射程をもつ集団行動を政治的に促進することがより困難になっている。ふたつめの問題は、マルクス主義において、価値を生産する独占的空間と見なされる〈生産領域〉を乗り越えることである（この問題は、経済学分析におけるレントと利潤の段階的な混交に付随する）。

まず最初の問題が関わっているのは、現代資本主義の金融化という社会的テーマである。すなわち金融化は、「ある種の〈資本のコミュニズム〉、つまり〈生産手段の所有〉を拡張された労働力にまで拡大することで、（労働の）個別化プロセスを集約する装置として機能している。金融資本こそが、株式市場においてその価値が決定される社会資本という様相のもと、市民社会に住まう諸主体から成るマルチチュードの〈集団的代表〉として現れてくるのだ[15]」。こうして――逆説的にと付け加えよう――ポスト産業資本主義時代の市民社会という、稀薄化された公的領域が再構築されるが、この空間は各個人の（金融上の）利害から成る総和にじかに接しているがゆえに、資本の私的な所有論理に完全に即しているのである。しかもこうした側面は、いわば「人類学的」重要性をもそなえている。なぜなら社会的紐帯の「質」そのものが影響を受け、変質してしまうからだ。事実、ポストフォーディズムの資本主義により、主体は、自分自身に充足するもの、完結し自立したモナド、みずからの個人的運命を操る唯一の存在という幻想の表象を自己に与え／自分自身を代表するよう導かれるだろう。その結果、みずからの自律を生み出すために必要不可欠な自我と〈前‐個〉（ならびに〈超‐個人〉）との結びつきを否定することになり、統合失調症の病的傾向に典型的な特徴を示すようになる。別の言い方をすれば、主体がその社会‐歴史的次元から段階的に切り離され、みずからの点的個人性に矮小化されることで、生きた労働が――企業としての個人すなわち人的資本と化すなかで――公的領域からナルシスティックに切断され（分裂 Spaltung）、人が住まう世界の意味を参加によって構成するという実践から、主体性の襞が排除されるのである。こうしてポストフォーディズムの資本主義が、その最新の権力装置を用いて定義しようと腐心している通りに、主体のパラドクスが明らかになる。つまり（現代資本主義は）個人に対して、彼／彼女がみずからの社会的存在そのものから分離されている（つまりプラクシスを奪われ、幻想の自己中心的自由のなかで粉々にされている）かぎりにおいて正当性を表象・承認し、これまではイデオロギー的に否定され隠蔽されてきた価値を生み出す社会的能力そのものを、あらためて生産構造のコードに取り込み、働かせようとするのである[16]。〈主体性〉は道に迷い、その社会・政治的側面を切り離され、自らに内在する〈社会的行為〉（協働）という所有物から分離され、その結果、システム上の命令に隷属し、ガラクタ《ガジェット》の消費と、購買という幻想の自由がもたらす死に至る眩暈のなかで、自分自身のうえを回り始める。もちろん、生経済・認知資本主義の形成によって統合失調症的になってゆく主体性というこのシナリオは、すべての真実を告げているわけではなく、問題のひとつの側面、つまり価値尺度の網の目のなかで主体に刷り込みを行う権力という視点を深めているに過ぎず、抵抗の展望として、また生起しつつある尺度におさまりきらないものとして主体性がもっている権力には触れていない。「しかしながら」――わたしたちの目的のためにアントニオ・ネグリの言葉を使うならば――「資本主義的幻想は強力であり、またその支配の効力はさらに強力なのだ」[17]。このことは心に留めておかなくてはならない。

現代資本主義の生経済的性質を考察する際の要素は、資本主義的価値増殖の独占的な場、その劇場としての生産領域を段階的に乗り越えてゆくことに関わっている。これと意味は同じだが別の観点から、「金融化は利潤のレント化を表している」[18]と言うことができるだろう。このテーマは複雑で、いまだ議論の半ばだが、中心的なものである。実際、新たな価値生産プロセスの社会的行程を明らかにしてはじめて、現代資本主義の諸変容と、それが生に対して行使する権力の力学を十全に理解することが可能になる。とはいえ本論考の分量からして、ここでこの問題を扱うことはできないため、生産／流通、生産的／再生産的という二元論が、まず定義のうえで、そしてさらに価値生産においても、認知資本主義が展開してゆくなかで構造的に吹き飛んでしまったことを強調するに留めよう。アントニオ・ネグリの的を得た言葉を使えば、「剰余価値率は、社会／労働が資本に実質的に包摂されているという観点から見て、（資本家の）資本によって（労働者の）労働力が搾取されている度合だけでなく、社会的労働が潜在的に含みもつあらゆる共有の力が、社会的生産において搾取されている度合をも精確に表している」[19]と見なすべきなのだ。

実際、マルチチュードの政治的展望、つまりマルチチュードを主体的潜勢力として組織し、生がコモンになってゆく際の新たなシナリオとして表明するために、これまでとは異なるさまざまな社会的形態を構築しようとするのであれば、新たな価値生産ラインのなかで〈社会的労働者〉と〈大都市〉が果たす中心的役割を明確にしないわけにはいかない。けれどひとつ留保は必要だ。「生産と言うとき、もはや経済的現実だけが言われているのではなく、なによりも生政治的現実が論じられている。社会的労働者はそれゆえ生政治的生産の内部で行動する」[20]。断絶点、主体化と隷属のあいだの間隙、更新され続けるべき〈脱出《エクソダス》〉運動は、わたしたちの考えでは、レントの否定的で寄生的な兆候《センニョ》を、共有財を「肯定的」に活用するための直接的な制度へと転換することと密接に結びついている。つまりレントの目的《センニョ》を変えること、これがわたしたちを待ち受ける政治闘争である。

3. 結論——生起しつつある対抗運動の背景となるべきコモンの存在論

とはいえ、現代の資本主義を金融市場の資本主義としてのみ解読するのは誤りだろう。それははるか広範にわたっている。金融化は資本主義運動の内部で一貫して機能するひとつの装置であり、ひとつの制度としてポストフォーディズム資本主義における最も広大な組織構造を調整している。現代資本主義とは、あらゆる媒介（法的・政治的を問わず）なしに、意味を生み出す〈唯一の織物《テクスチュア》〉として自己を確立しようとする経済の資本主義であり、諸主体とその協働的・生政治的振舞いをみずからの強制的な蓄積〔プロセス〕の中心に据える。この資本主義は超過した価値と、社会的協働（つまり生産的コモン）にそなわる潜勢力を組織する際、それらを統治するのではなく、みずからが作り出す多様で複雑な管理装置の内部に組み込み、そこで貨幣という尺度において生に刷り込みを行うのである。〈社会的行為〉を資本に包摂するためのこうした浸透的「メカニズム」は、いまや労働というテーマの内部に打ち立てられる必要はない。それは労働の内部と外部、消費、ケア、さまざまな関係、言語、情動、つまりあえて煽動的な言い方をすれば、あらゆる人間活動においてじかに機能するのである。

この論考の結びとして、ここまで主張してきたことに照らしてみると、緊急に明確化することを求められている政治的課題がふたつある。今日、社会的富がその重要性を増しつつあり、価値を生み出す途方もない潜勢力によってたえまなく生産されている。これはマルチチュードがもつ社会的な知の産物であり、そのインフラストラクチャーはコミュニケーションの技術（すなわちネットワーク）と可動性の技術（知識と生きた労働を、可能性としては反響を通して無限に普及させうる媒体）にある。こうした場とは、簡潔に言えば、社会的ネットワークによる〈行為〉と、〈大都市〉にそなわる創造性の場である。今日のレントとは、コモンにそなわるこうした特性を隠蔽したうえで、それに蓄積という計測可能な尺度における価値を与えるべく、資本が利用する経済装置である。レントの目的を変えるとは、この富をマルチチュードが取り戻し分配する運動を生み出すこと、この富を取り込み発展させてゆくためには、所有という装置が倫理的に不十分であると明らかにすること、資本権力のさまざまな形態を通して、またそれらによってコモンの行為にそなわる潜勢力が組み敷かれている軛を粉砕することを意味する。

　これを実現するために必要なのは、これまでとは異なる形態の民主主義を想像し構築する方向に政治的投資を行うことで、そうした民主主義が社会的・人類学的に新しい（常に安定しきることのない《メタステイブル》）空間を打ち立て、実践可能にし、そこで社会的諸個人が互いを認め合い、開かれを分有し、またそれに立ち向かい、自分たちの多数多様な特異性に社会的時間を与えられるようにすることである。協働する複数の主体とその「インフラストラクチャー」に関して、とりわけ彼らが守ろうとする個別の、そして／あるいは、共同の領土要求を巡り、近年生じてきた、そして現在も生じつつあるさまざまな闘争は、資本の捕獲装置（すでに見てきたように、それは価値を生み出す〈新しさ《ノヴム》〉を短絡させることで機能する）に対して、間隙を、つまり部分的・局所的虚脱状態を引き起こしている。政治的課題（そしてそこから引き出されるべき戦略）とは、それゆえ、生政治から逃れようとするこうした抵抗を互いに共鳴させ、いくつもの肯定的な生政治と、そこで生み出される〈コモンの条件〉を増殖させ、それを倫理的により高度かつ構成的な規模で一般化させてゆくことである。[21] それゆえここでただちに問われるべきなのは、「さまざまな主体化と生の様態が常に練り直される空間として、コモンを緩やかに発明してゆくことを可能にする」[22]条件とはいかにして構築されるかということだ。コモンの社会的構造を、段階を踏みながら偶有性も含めて構築し、それを現実に現象させることにおいてのみ、今日の資本主義がわたしたちの身体とわたしたちの生に対して弄び、また行使し続けている、抗しがたくも死に至る享楽と、暴力的かつ抑圧的な支配から同時に逃れるための倫理的・政治的な強さをそなえた主体性を創造することが可能になるのだから。

注

（1）ジャン＝フランソワ・リオタールはこの意味で衰退というテーマを資本主義に結びつけている。「（前略）資本はひとつの危機を見出すのではないし、それ自体が衰退していくわけでもない。資本の機能こそが、衰退というもの、あるいはこう言ってよければ、危機というものを前提しもたらすのである。より正確に言えば、危機というのは資本が機能するためのひとつの条件なのである」（Jean-François Lyotard, *Piccola messa in prospettiva della decadenza e di alcune lotte minoritarie da condurre*, in Aa.Vv., *Politiche della filosofia*, Sellerio, Palermo 2003, p.96）。異なる解釈上の視点から展開されてはいるが、この主張と同一路線にあると思われる興味深い論考が、Luc Boltanski, Eve Chiappello, *Le nouvel esprit du capitalisme*, Gallimard, Paris, 1999 である。

（2）「債務‐債権という関係がどれだけ不安定な非対称性を帯びているか——債権者がもつ力の現実的位置に対しては、常に彼の潜在的弱さが存在している。その原因は、〈階級〉としての債務者が構造的に抱えている破産という、そもそも本質的に予測不可能なリスクだが、これは同時に彼らが最終的な圧力として行使する力でもある——に応じて、この関係は信用関係を危険にさらすことになる。こうした関係は打算に基づく経済的計算の結果に留まるわけにはいかず、あらかじめ実現されていなくてはならず、この意味で明確に制定されている必要がある。債務者‐債権者という関係が、その非対称性においてどれだけ本質的に不安定であり、それゆえ危険を孕んでいるかに応じて、信用体制を安定させるための諸手続き、文字通りの儀式が実行されなくてはならない。この体制においてのみ、そうした関係は秩序だった展開を果たしうるのである」（Massimo Amato, *Le radici di una fede. Per una storia del rapporto fra moneta e credito in Occidente*, Bruno Mondadori, Milano 2008, p.21）

（3）Michel Aglietta, *Regolazione e crisi del capitalismo*, in Michel Aglietta e Giorgio Lunghini, *Sul capitalismo contemporaneo*, Bollati Boringhieri, Torino 2001, p.16.

（4）同上。

（5） 「資本の金融化が介入してくるのは、資本と労働の関係がこのような危機の段階、すなわち、生産諸力と生産諸関係のあいだの古典的な分離だけでなく、それに続いて市民社会を統治する可能性までもが危機に陥る段階を迎えたときである」（Christian Marazzi, *Socialismo del capitale*, in Aa. Vv., *Lessico Marxiano*, Manifestolibri, Roma, 2008, p.164）

（6） Federico Chicchi, *Lavoro e capitale simbolico. Una ricerca empirica sul lavoro operaio nella società post-fordista*, Franco Angeli, Milano 2003 参照。

（7） Claudio Napoleoni, *L'enigma del valore*, in *Dalla scienza all'utopia*, Bollati Boringhieri, Torino 1992, p.128.

（8） このテーマについてはさらに次のものも参照。Carlo Vercellone の最近の論考、Yann Moulier Boutang, *Financiarisation et capitalisme cognitif. Le sens et le problèmes d'une liason*, in Gabriel Colletis e Bernard Paulré(Coord.), *Les nouveaux horizons du capitalisme : Pouvoirs, valeurs, temps*, Economia, Paris 2008, pp.277-294.

（9） Judith Revel, *Identità, natura, vita : tre decostruzioni biopolitiche*, in Mario Galzigna (a cura di), *Foucault oggi*, Feltrinelli, Milano 2008, pp.134-149 参照。

（10） Christian Marazzi, *Il corpo del valore : bioeconomia e finanziarizzazione della vita*, in Adalgiso Amendola, Laura Bazzicalupo, Federico Chicchi, e Antonio Tucci (a cura di), *Biopolitica, bioeconomia e processi di soggettivazione*, Quodlibet, Macerata 2008, p.139.

（11） Michel Foucault, *Sorvegliare e punire. Nascita della prigione*, Einaudi, Torino 1976, p.140〔邦訳『監獄の誕生――監視と処罰』田村俶訳、新潮社、一九七七年、一三一頁〕

（12） Christian Marazzi, *Il corpo del valore*, cit., p.139.

（13） 生経済という概念についてはとりわけ以下を参照。Laura Bazzicalupo, *Il governo delle vite. Biopolitica ed economia*, Laterza, Bari 2006; Andrea Fumagalli, *Bioeconomia e capitalismo cognitivo. Verso un nuovo paradigma di accumulazione*, Carocci, Roma 2007; Federico Chicchi, *Bioeconomia: ambienti e forme della mercificazione del vivente*, in Adalgiso Amendola, Laura Bazzicalupo, Federico Chicchi, e Antonio Tucci (a cura di), *Biopolitica, bioeconomia e processi di soggettivazione*, cit.

（14） この点については次を参照されたい。Federico Chicchi, *Capitalismo lavoro e forme di soggettività*, in Jean-Luois Laville, Michele La Rosa, Christian Marazzi e Federico Chicchi, *Reinventare il lavoro*, Sapere, Roma 2005, pp.149-185.

（15） Christian Marazzi, *Socialismo del capitale*, cit., p.164.

(16) 当然のことながらこれは、長期的には、価値を増殖させる資源の再生産プロセスそのものが中断されかねないという問題を開く。おそらくこれがポストフォーディズムの資本主義に内在する最も濃縮された矛盾だろう。

(17) Antonio Negri, *Fabbrica di Porcellana. Per una nuova grammatical politica*, Feltrinelli, Milano 2008, p.68.

(18) Carlo Vercellone, *Trinità del capitale*, in Aa. Vv., *Lessico marxiano*, cit., pp.181-196.

(19) Antonio Negri, *Poteri e sfruttamento: quale nuova articolazione in una prospettiva marxiana?* この素材はインターネットでダウンロードできる。この論考は、わたしたちの考えでは、驚異的なまでに重要である。http://seminaire.samizdat.net/Poteri-e-sfruttamento-quale-nuova,57.html?var_recherche=negri&lang=fr

(20) Antonio Negri, *Dall'operaio massa all'operaio sociale. Intervista sull'operaismo*, a cura di Paolo Pozzi e Roberta Tomassini, ombre corte, Verona 2007, p.11.

(21) このテーマ、それもとりわけヴァッレ・ディ・スーザを防衛するための闘争〔北イタリアはスーザの谷で展開されている、高速鉄道敷設に反対する市民運動〕がもつ政治的重要性については、エマヌエーレ・レオナルディの示唆にとんだ貢献をぜひお勧めしたい。*Il movimento No-Tav in Valle di Susa: dispositivo-grandi opere fermento soggettivo*, in Adalgiso Amendola, Laura Bazzicalupo, Federico Chicchi, e Antonio Tucci (a cura di), *Biopolitica, bioeconomia e processi di soggettivazione*, cit., pp.415-424.

(22) Judith Revel, *Identità, natura, vita*, cit., p.147.

〈ニューエコノミー〉、ウェブ2・0における金融化と社会的生産

ティツィアナ・テッラノーヴァ

当初、というのは九〇年代のことだが、すっかり有名になった「ドットコム企業」に代表される〈ニューエコノミー〉と金融資本との関係は良好だった。商業目的のインターネット利用に関する通達の一時棚上げが決定されたのに加え、ウェブ・プロトコルが導入されたからである。それは潤沢な資金と新しい労働文化で成り立つ経済であり、九〇年代の半ばから二〇〇一年五月の大暴落《クラッシュ》までの短い年月の間に成長をとげた。その主役となったのは二〇代から三〇歳を越えたばかりの世代、その大部分が北米か北ヨーロッパの若者たちで、インターネットの商業化によって開かれた空白の空間、すなわち境界領域に、ごく小規模の類似の会社を設立した。ゴールドラッシュを彷彿させる空気が広がり、この北米と北ヨーロッパの新しい世代に、文字通り莫大な資本投資が浴びせられた。賭博が広く一般に普及したような状況で、それに導かれた投資家の群は、オンラインの商品販売とサービスを基盤とする多くのミクロ企業に、集中的に投資の雨を降らせた[1]。

この若い労働力に浴びせられた資本は、それまでとは大きく異なる労働文化に資金を供給するために使われたことになる。というのも、この間に、パソコンの発明と結びついた反体制文化運動の後押しもあって、IBM風の（ジャケットとネクタイ、毎朝唱和される社歌、疑似家族的な企業）企業的情報労働モデルについての論争が始まっていた[2]。「ドットコム企業」の若き企業家や労働者たちは、これらの資本を遊びの労働文化に投下した。最終的には古典的な労働分離が根強く残ってはいたものの（男性は大部分がプログラミングに、女性はデザインとソーシャル・リレーションに配属された）、

その雰囲気はカジュアルで、大学生活のソフトなヘテロセクシュアリティの延長（ダグラス・クープランドの小説、とくに『JPod』を想起させる）であった。[3] 職場が遊び感覚のカジュアルな雰囲気になる一方で、固定給の賃金は、株式市場の相場に応じて得られる収入、つまり可変所得をとりいれることで補完された。変化していく金融資本の強大な流れに浸されて、その重要性に気づいていた人は少なかったようだが、デジタルな労働のリズムは、テレビゲームのリズム同様、強烈で人間を引き込むものになり、命令関係は個人間の倒錯した力学のなかでますます偽装されていく（たとえば、二〇〇六年のラース・フォン・トリアーの映画『ザ・ボス・オブ・イット・オール（原題 Direktøren for det hele）』〔日本未公開のデンマーク映画。偽装会社の偽社長として雇われた役者が主人公の喜劇〕に登場する本当のボスのトラウマ的かつ芝居仕立ての偽装と自己暴露を参照）。しかも新しいメディアの大部分の従業員が受け取る賃金は、既存のメディアの賃金と比べてかなり低い。[4] 金融化の圧力を受けて、統合失調症的にひとつの労働文化が現れる。この文化は、すでにアンドリュー・ロスが気づいたように、労働拒否を吸収して新しい労働のあり方に変化させ、過去の一連の闘争によって顕著になった自由とカジュアルな雰囲気への要求を部分的に受け入れ、大学におけるアカデミックな労働にならって、生活時間と労働時間との境界を部分的に破壊する。そして多くの場合、自己育成と自己搾取をうまく組み合わせた起業家精神をあおる。[5]

二〇〇一年五月の大暴落《クラッシュ》で、いわゆる「ドット詐欺《コン》」バブルは世間を騒がせつつしぼんでいった。〈ニューエコノミー〉とは、金融の流動性が広く一般化し、それが新しい労働と生産のあり方を支えるというひとつの夢であったが、その夢は一瞬、ついえるかに見えた。これは、近年フランコ・ベルナルディが述べているように、九・一一がきっかけとなって警察と安全保障が新たに強化されるなかで、戦争経済への回帰を有利にする〈一般的知性《ジェネラル・インテレクト》〉のスクラップ化なのだろうか。[6]

だが、二〇〇一年の大暴落《クラッシュ》が示しているのは、〈ニューエコノミー〉の終焉ではなく、再選別化だ。金融化のプロセスは、ふたたびインターネットへの投資に向かうが、それは新たな根拠に基づいている。ティム・オライリーのような〈ニューエコノミー〉の教祖《グル》によれば、文化とテクノロジーの新しいトレンド、そしてネットの〈ニュー・ニューエコノミー〉を構築するだけの力をもつ新しい経済モデルを選び出し、見きわめることで投資を再調整するということだ。[7] 古い経済から移入されたモデルを単純にウェブ上に移し替えるのではもう限界であり、今はどのモデルがウェブの革新的な経済モデルなのかをじっくり考えるときだ。大暴落後《ポスト・クラッシュ》の〈ニューエコノミー〉の合い言葉は、「ソーシャル・ウェブ」もしくは「ウェブ2・0」である。オライリーは、すべてのウェブ2・0企業には共通点があると言う。彼らの成功は多数のユーザーを引きつける能力に依拠しており、フレンドスター、フェイスブック、フリッカー、マイスペース、セカンドライフ、ブロガーといったサイトによって提供されるプラットフォーム／環境を基盤として、ソーシャル・リレーションの世界をつくり出す。しかしながら、とオライリーは強調するのだが、ウェブ2・0は、これらの新しいプラットフォームだけにとどまるものではない。ユーザーのブラウジング行為をどれほど強化し、生かせるのか、その程度によってはグーグルのアプリケーションもそうだし、その他のアプリケーションでも、あるサイトをリンクしたり、ブログ上である場所をマークしたり、ソフトウェアを修正したりといった共通の行動によってさらに剰余価値を引き出すことのできるものを含む。果ては、一見したところ本屋の単なるウェブ版と思われそうなアマゾンまでがドットコムの崩壊を生きのびたのも、オライリーに言わせれば、ウェブ2・0モデルを採用したからである。アマゾン・ドットコムは単に本を売るだけでなく、販売されている本についてユーザーが書き込む書評を公開し、アルゴリズムを使ってユーザー自身の選択と購入の履歴から類似の出版物をグループ化したり関連づけたりし、最終的にはサイトの訪問者に「おすすめ」を提案する。

　ウェブ2・0は、投資家にとって、ユーザーの社会的労働やテクノロジー労働をどれだけ強化し、組み入れ、利用するかによって勝利モデルとなる。〈ニューエコノミー〉が資本主義的な価値増殖のプロセスを変革していく、その最前線は「賃金労働の周縁化」とユーザーによる「自由労働の価値増殖」、すなわち、支払われず、命令されないが、管理された労働だ。[8] この「自由労働」ばかりでなく、社会性、表現、関係をめぐる広範な欲望を資本化する多様な形態のありうべき剰余価値をなんらかの形で引きよせ、特定することが重要だ。(9) このモデルでは、企業の利潤は「副次的な」剰余価値の特定と、捕捉によって生産される（広告の売り上げ、ユーザーの活動によって生産されたデータの所有と販売、グーグルやフェイスブックといったグローバルな新しいブランドの認知度と信望にもとづいて金融投資を引きつける魅力）。多くの場合、剰余価値は、ユーザーにある程度「外注」し、労働そのもののコストを節約することから生まれる（テレビゲームの評価およびベータテストやユーザーへのテクニカル・サポートの外注）。(10) たとえばイタリアの携帯電話会社〝3《トレ》〟は、どう見ても、ユーザーの質問に答えるエキスパートのコミュニティにテクニカル・サポートを外注している。(11) 協力ユーザーは参加と引換えに、なにか別の形で見返りを受け取るが、それは多くの場合、無形（あるコミュニティ、もしくはソーシャルネットワークの一員になること。あるいはよりいっそう物質的な形としてポイントや、様々な無料の製品にアクセスすること）である。(12)

したがってウェブ2・0の企業版は、情報ネットワークのもう一つの動向、すなわち社会的生産もしくは「ピアツーピア」(p2p) の動向と共通の領域を動いているように思われる。ピアツーピアの動向は、ネット上の社会的生産のメカニズムを基盤とする経済を生みだす可能性を探るものであり、この経済は資本の価値増殖メカニズムから独立しているが、だからといってウェブ2・0の資本主義的な仕組みを利用した社会的生産と、必然的に敵対関係にあるわけではない。p2pは、ネットワーク内で組織化される自主的な協働を様々な形態で実現することが可能だと主張する。それによって個人所有にもとづいた法制度の外で、参加型の新しい経済を生み出すことができるというわけだ。

p2pの原則に関する議論や解説は、ときに進化論的な思想を軸にしており、しばしばマルクス主義を母型とする社会的生産の敵対的解釈との間であからさまな論争となる。(13) 敵対的な論拠よりも進化論的な論拠のほうが好まれ、経済を生態系システムとして考えることができるという主張に利用される。そうだとすれば、少なくとも初期の段階では、社会的協働による生産と価値増殖の制度が様々な形で共存することを許すだろう。少なくともp2pの成功によって、他の経済制度の形態が時代遅れになる日が来るまでは、隣合わせで共存することができる。(14) p2pの動きは、自律した金融手段（例えば、寄付者のネットワーク）を発展させたり、参加者がレントを得られるような新種の貨幣の生産をも目指している。

この戦略は、資本主義経済からの部分的な「逃走」に見えるかもしれないが、資本主義経済の共生と寄生を排除することはなく、その諸モデルそのものの有効性を押しつけるために、現在のような「危機」の時期をも利用する力を持っている。p2pを批判することが可能だとすれば、それは、p2pと資本主義経済との関係において決定的な要素である対立の拒否となんらかの形で関わっている。すなわちその関係は社会的協働のメカニズムの一つのモデルを生むが、それは参加する複数の主体間の相互作用という視点から考えた場合、逆説的に貧しいモデルだということだ。法学者ヨハイ・ベンクラーの『豊穣のネットワーク　社会的生産はいかに市場と自由を変えるか』は、p2pから頻繁に引用され、高く評価されているテクストであるが、この模範的なケースに見られるように、古典派経済学における市場の見えざる手の観念が現代風にアレンジされ、社会的協働の見えざる手になったと解釈されることもある。(15) この見えざる手が、こんどは個人的興味の相互作用から始まる共有財の調和した生産を奇跡的に保証するというわけだ。

1. インターネットの罪と金融モデル

さて、〈ニューエコノミー〉の根本的な問題（そして資源）は、社会的協働であるが、それは社会性と活動のきわめて多くの段階を横断する協働である。もっとも「低次の」レベル、すなわちあるサイトをクリックしたり、マルチメディアの素材を読み込ませたり、ダウンロードしたりというシンプルな行為に始まり、オープン・ソースのソフトウェアの生産という「高次の」レベルにいたる。(16) この意味で、ウェブ2・0による〈ニュー・ニューエコノミー〉と、一九九〇年代および二〇〇〇年代の大衆《マス》の金融化とを貫く抽象的なラインをつきとめることができる。ネットワークとミクロな投資家たちによって大衆《マス》化した金融による新しい経済の理論化と考察において根本的だと思われるのは、剰余価値を生産する能力を持つ個人の相互作用と選択の増大という問題である。こうした相互作用は資本による指令のおよぶ範囲外に広がっているが、結局は、多かれ少なかれ実験的な管理ロジックの内部にある。

二〇〇八年一〇月、世界の株式市場が金融危機に見舞われた激動の日々のなか、『ニューズウィーク』誌が「インターネット時代初の大災害」と題した社説で、インターネットと情報ネットワーク全般に的を絞り、この大災害に対してもっとも責任を負うべき存在の一つとして非難した(17)ことは重要だ。『ニューズウィーク』誌の社説がインターネットに金融危機の責任を帰した、その論証をここで再度検討することは有意義であろう。社説は、米連邦準備制度理事会議長アラン・グリーンスパンをあからさまに攻撃する。グリーンスパンは二〇〇一年のドットコム企業の金融危機以前、インターネットが「グローバルな規模で、複雑な金融商品を創造し、評価し、売買すること」によって、「リスクの再配分」を可能にし、金融を様変わりさせるだろうと主張した。(18)『ニューズウィーク』誌は、金融商品の分割（問題のサブプライム）が、証券の合理的な評価において問題となる可能性を予測しなかった、とかれを非難する。証券の合理的な評価を一切考慮に入れない、現金の追求という雷管をセットし、将来の信用危機への導火線に火をつけたというのだ。

『ニューズウィーク』誌によれば、インターネットはたしかに売買コストを大幅に削減したが、金融資本に新しいタイプの、つまり〈ウェブ2・0〉の社会性をめちゃくちゃに接ぎ木して汚染したのも事実だ。記事のなかではウェブ2・0についてあからさまに言及してはいないが、『ニューズウィーク』誌がしかけたインターネット金融に対する批判が、のちにウェブ2・0批判の常套句となったものを踏襲していることは重要だ。すなわち、ウェブ2・0がしばしば閉鎖された世界、〈エコーチェンバー〉、もしくはエコー・ルームを生み出すということだ。つまり、集団のナルシシズムに守られ、多様な見方に対して自閉した、似た者同士とだけ向き合える場所である。(19)『ニューズウィーク』の社説は、「六八八兆ドルの金融派生商品《デリバティブ》市場に向けて風変わりな新製品を作る者たち」の集まる場所とは、まさにこれらのエコー・ルームだと主張する。(20)

さらにインターネットは市場をより民主化し透明化するのではなく、「データの霧」を生み出した可能性もある。

この霧は、テレビゲームで遊ぶのと同じ容易さでグローバル経済を乗っ取るウォール・ストリートの詐欺師たちを手助けしたかもしれない。ドットコム企業の金融危機が、つまるところインターネット青年期の危機であったとすれば、今度は「インターネット成熟期における最初の金融危機」——主として金融システムおよび我々の社会全体を支える緊密に連関したテクノロジーによって引き起こされた危機である[21]。

ところで、インターネットによって投資家の数はとてつもなく増加したと考えられる。彼らの集団的な行動には、市場による企業価値の正確な評価を可能にする、本来備えているべき合理性が欠けていたようだ。その一方で、株の売買が容易になり出来高が急激に増加した。それによって現実問題として取引が追跡不可能になり、その結果、市場の不安定性が高まっていった。この画面上の相互作用については、主要な金融市場研究者の一人であるカリン・ノール・セティナによっても、金融市場の基盤となる重要な要素として特徴づけられている[22]。このことが、人類学的な贈与市場や、消費財の商品生産にもとづく市場のような他の市場モデルと、金融市場とを根本的に区別する。つまり金融市場は視覚装置、または監視装置による特殊な体制に依拠しているようだ。この体制下で、市場は「急速な変化に左右され、交換可能で、全体が相互に関連づけられた価格の総体として——完全に画面上で見ることが可能」になり、そこでは一連の複雑な金融手段を介して行動することになる。結果として金融市場は、ノール・セティナによれば、「これらの市場の特徴は、参加者が熟考しつつ、それぞれのコンピュータ上で即時的、共時的、断続的に観察することにあるが、そこから生まれるグローバルな間主観性」をつくり出す[23]。

このコンピュータ画面に媒介されたグローバルな間主観性は、『ニューズウィーク』誌の社説によれば、「シャドーバンキング・システム」を生み、二〇〇七年には既成のシステムと同程度に大きくなっていた。二一世紀の金融市場で認められた間主観性は、グローバルなだけでなく、ウェブ2・0の諸文化に対しては隙だらけで、フェイスブックのソーシャルネットワークに組み込まれ、著名なブロガーたちの評価に影響された間主観性である。彼らはMSNのようなインスタントメッセンジャーという手段を介してコミュニケーションするが、これが金融売買契約を成立させるために使われる。『ニューズウィーク』誌にすれば、インターネットは技術革新を容易にしたのと同じ方法で、新しい金融手段の発明が増殖するのを許し、同時にデリバティブ金融を一種の「うわさ話とテレビゲーム」の掛合わせにした。「MSN上のありふれた会話が売買に変身する可能性を秘めている。すべては同じ平面に押しつぶされ、一億ドルの売買とお天気についてのおしゃべりが同レベルで存在している。すべてが同じに見え、ほほえみをうかべた顔がはり付いているとき、一体なにが重要であろうか」(24)。

『ニューズウィーク』誌は、今以上のレベルで技術革新が必要だと主張し、ウェブの金融投資家向けの新しいインターフェースの創造を予言する。それはあるカラー・システムによって信号を送ることができるフェースを備えた一種の電子ダッシュボードで（興味深いことにブッシュ政権によって考えだされた、テロ攻撃の危険を住民に警告するための警報システムに似ている）、金融市場の評価を容易にするものだ(25)。要するに、コミュニケーションを透明化し、正しい評価を通じて、金融投資家の非合理的な熱狂的陶酔《ユーフォリア》をコントロールする新たなインターネット・プロトコルである。

したがって、ウェブ用の「金融ダッシュボード」を創造するという提案は、新しいテクノロジーを媒介させることで取引を透明化し、ブロガー、フェイスブック、MSN、マイスペースといったソーシャル・ウェブと金融の間で起こる危険な集中を解消しつつ、大衆《マス》化した金融売買に規律を与えるだろう。「ダッシュボード」はもう一つの重要な方式に組み合わされるかもしれず、それによってコンピュータは金融市場の集合体《アッサンブラージュ》の一部となるが、その方式はまさに市場の意味を構築する必要性と結びつけられる。電子コミュニケーションが配信される瞬間に相互作用が生じるが、その意味が、この多数間の相互作用によるカオスの力学をなんらかの方法でグローバルに理解可能で意義あるものにする。たしかに市場の意味はますます世論形成のレベルで構築される。それは集合的であるが、理解可能であり、知覚や感覚、情愛の類について明確なシグナルを発することのできる観念上の実体のもつ意味なのだ。危機後の金融市場は、新聞やテレビニュースで恐怖、不安、パニックといった感情をかき立てるものとなった。それは信頼するか、しないかの市場であり、つまるところ、経済指標、政治的発言、消費行動が発するシグナルに対してひとつの身体のように反応する市場である。

かたや「金融ダッシュボード」、かたや世論という機械が市場から引き出そうとするこのグローバルな意味は、一部の金融投資家にとって計量経済学のモデルとシミュレーションを使うことで得られる。たとえば「リスク・マネジャー」、すなわち、技術的な資格をもち、一般の投資家よりも高い報酬を受け取っている金融投資家たちのある専門的なグループは、シミュレーションの統計と確率のモデルを幅広く利用しているが、それらはいまや経済学に宗旨替えした元ソヴィエト・ブロックとインドの数学および物理学から金融分野に導入されたものである。[26]たとえば、ブラック－ショールズ方程式モデルだが、これは時間の経過にともなう金融商品の動向を示す。あるいはよく知られたモンテカルロ法であり、これについて、マサチューセッツ大学（アマースト校）の「不確実性科学」を専門とするレバノン人教授であり、ウォール・ストリートでそこそこの成功をおさめた「リスク・マネジャー」、ナシム・ニコラス・タレブが、ベストセラーになった自著『まぐれ　投資家はなぜ運と実力を勘違いするのか』のなかで述べている。[27]元々、ロスアラモスの物理学者たちが、原子の連鎖反応を研究するために発展させたモンテカルロ・シミュレーターは、たしかに一連の経時的な状態をすべてシミュレーションすることを可能にする。また、高度に不安定な市場で想定される価格の変動をはっきり示すことができる、ある「位相空間」の内部における一連の「進化の道筋」を明らかにする。[28]

経済学者ロバート・シラーは『根拠なき熱狂』の著者であり、八〇年代の初めから「効率的市場」モデルに疑問を呈してきたことで知られている。[29]タレブはシラーの仕事に触発されて、価格の動向、ひいては価格の動向にリンクする多様な場面がモンテカルロ・シミュレーションに従って変わる、その変化の仕方を、統計的・物理的要因ばかりでなく、株投資家の行動様式、素行、生理的な反応にまで関連づける。たとえば、感情的なショック（エモーショナル・キック）、つまり投資家が間断なく市場の好不況にさらされることによる感情の大きな揺れと、そこからくる身体の化学的な状態変化の重要性を強調する。

これらのモデルがシミュレートしようとするのは、ある集合体《アッサンブラージュ》の行動様式、多くの変数と文化を組みこんだ複数の金融市場の行動である。おそらく不可能であろうが。それはソーシャル・ウェブとMSNのインスタント・コミュニケーションの文化《カルチャー》、金融コンサルティングに用いられる数学と物理学の文化であるが、同時にロンドン、ニューヨーク、東京などのグローバル都市における金融投資家の文化でもある。たとえばホクストンやショアディッチといったロンドンの〈ニューエコノミー〉の本拠地に近い、ロンドンのシティにおける金融投資家の文化を考えてみよう。平日には毎日、背広とネクタイを身につけた青白い男たちの大群が、リヴァプール・ストリート界隈のバス、電車、地下鉄からあふれ出る。八、九時間後にはふたたびわき出してオールド・ストリート、ブラック・レイン、ロンドン・ブリッジ、クラーケンウェル・ロード、ホクストン広場のバーやパブに流れ込み、泥酔したり、金を介した性行為に走る。シティに隣接する地区の住民（アーティスト、〈ニューエコノミー〉の労働者、アフリカや中東の少数民族）にとって、シティの投資家はひときわ騒がしく目立つ存在だ。夜や週末ともなれば、ナイトクラブの内外にあふれるのが見られ、ウィンドーに暗色のフィルムを貼ったリムジンでハックニー・ロードのストリップ・バーの周辺を徘徊している（中でシャンパンやコカインを摂取しながらの性行為が行われていることは容易に想像できる）[30]。金融市場の生理学にもう一つ新たな変数を加えると、ケンブリッジ大学の神経科学発達生理学科の研究によれば、これらの夜の活動からつくりだされるテストステロンの剰余価値が金融投資家の能力を高めるらしい[31]。そこで私たちは疑問を抱くのだが、危機の結果、職を失った金融投資家に人気の高い新たな労働分野、すなわち大学その他の教授職において、この余剰なテストステロンがどのように活用されるのだろうか[32]。

2. ネットワーク対ネットワークと倫理-芸術的実験

ところで、新しいテクノロジーという観点からみた場合、金融資本は複数の集合体《アッサンブラージュ》の集合体《アッサンブラージュ》として機能するが、そこに技術的、文化的、社会的、および生理的な要素が介入する。サンドロ・メッザードラが〈コモン〉の資本主義的捕捉と価値増殖のプロセスと定義したものは、実際に大きな連鎖の内部に広がり、そこではトーニ・ネグリが論じる生政治的な生の諸形態を途方もない規模で生産する試みが行われている。金融危機への対抗策として、多方面で新たな調整のきざしが見られるが、その努力がこれらの連鎖に対してどのような影響を及ぼすのか、それを理解することは容易ではない。しかしながら、逆にレントと〈コモン〉の搾取とを蓄積する力学を打ち破ろうとする努力はすべて、この連鎖においてこそなされねばならないのだ。

集合体《アッサンブラージュ》に対抗する集合体《アッサンブラージュ》として、どのように闘うかの問題、すなわちネットワーク間闘争の問題は、アメリカ軍のエスタブリッシュメントに近いグループの側からも、ネットワーク社会に適応した新しい政治の実践を練り上げるという立場からも、近年、多くの考察のなかで取り上げられている。[33] ユージン・サッカーとアレクサンダー・R・ガロウェイは、近著のなかで集合体《アッサンブラージュ》とネットワーク間闘争の時代における新しい政治戦略、エクスプロイト戦略を提案している。[34] サッカーとガロウェイは、ネットワーク対ネットワークのプロトコル闘争（情報・非情報ネットワークを組織し、管理するプロトコルによる）の進展に付随する闘争を定義するなかで、ネットワーク内部（テクノロジー的かつ生理的、生命《バイタル》に関わる）の政治的抵抗は、その基本的なあり方として、既存のテクノロジーの弱さや穴《ホール》の発見をともなうものだと主張する。ネットワーク対ネットワークの闘争、それは有機体と非有機体との、またテクノロジー的なものと生理的なものとの間にある曖昧さを特徴とする集合体《アッサンブラージュ》対集合体《アッサンブラージュ》闘争であるが、これらの闘争と結びついた政治的実践は、ネットワークと、そこに内在する管理方式の組織化自体の欠陥または穴《ホール》の特定を含む。「生に関わるネットワークの政治的抵抗の目的は、それならば、これらエクスプロイトの発見であるはずだ――というよりも、エクスプロイトの痕跡を探せ、そうすれば政治的実践が見つかるだろう、と言った方がよい」[35]。このような政治的実践は、しかしながら、単なる抵抗行為というだけではなく、エクスプロイトによってかいま見え、利用される隙間を通して潜在的な変化を投影する行為でもある。[36] もちろんより伝統的な政治闘争の形が老朽化するというわけではなく、異なるレベルでも、まさしくネットワークの形で組織されるテクノロジー的かつ生理的な大集合体《アッサンブラージュ》の管理（および避けがたい脆弱さ）の特定の形式によって構成されるレベルにおいても活動することが必要だと主張しているのだ。

　ここでエクスプロイトの概念に立ちもどり、倫理的かつ芸術的な二つの実験をとりあげたい。これらの実験ではまさに、セキュリティ・ホールに入り込み、甚大な被害を引き起こすことを目的として、経済-金融の連鎖に対する寄生戦略が採用されている。それはイエスメン（The Yes Men――アンディ・ビシュルバウムとマイク・ボナーノ、および彼らの賛美者／模倣者であるアメリカ人をさす集合名詞）と、GWEIプロジェクト（Ubermorgen.com、ルドヴィーコ、キリオによるGoogle Will Eat Itself）として知られているアクティヴィスト・グループの実践である。

　イエスメンは、すでによく知られたカルチュラル・アクティヴィストのグループである。企業《コーポレーション》と政府は、エドワード・バーネイズの言うアメリカの「広報活動の伝統」にのっとって、みずからが代表する企業的《コーポラティブ》な政策への合意と好意を形成するため世論を操作するが、イエスメンが活動の場とするのは、企業《コーポレーション》と政府の広報活動ネットワークによって構成されるこの独特な集合体《アッサンブラージュ》だ。イエスメンは大きな伝達力をもつ活発な情報源の増加によってネット上に生じるシステムのカオスを利用し、広報活動の実践とは、企業《コーポレーション》と統治組織の残虐なまでにシニカルなイデオロギー的企てを偽装することにあるという前提から出発しつつ、たとえば、標的とする組織のウェブサイトと瓜二つのサイトを構築し、偽装された組織の名をかたって、これらのサイトに届くイベントや会議、対談への参加を要請する招きに応じる。[37]公式のスポークスマン然とした権威ある雰囲気を漂わせ（たとえば世界貿易機関、マクドナルド社、ハリバートン社、エクソン社、ダウ・ケミカル社、果てはアメリカ政府の住宅都市開発省にいたる各組織のスポークスマンを装い）、多くの人々にとっては衝撃的な、しかし彼らとしてはこれらの組織の根底にあるエートスにふさわしいと思われる提案を行った。たとえば投資家やロビイストのような聴衆を前に、投票権売買の実施を合法化するとか、果ては貧困者にリサイクルした人間の排泄物を食べさせることを提案した。聴衆はこれらの提案の大部分をかなり好意的に、あるいはおおむね憤慨したりショックを受けたりすることなく受け止めた。イエスメンは自分たちの提案も、投資家やロビイストの反応も、ぬかりなく一般の読者に宣伝する。

イエスメンが使うもう一つの戦略は、これまた自身を大企業《コーポレーション》と統治組織のスポークスマンと信じ込ませ、WTOの解散や、自社の非を認め、自社が起こした害悪によって一般市民が受けた損害に対して賠償責任を果たすといった内容を公式発表することだ。二〇〇四年には、たとえば、イエスメンの一人がBBC放送の招待を受けることに成功し、ダウ・ケミカル社がボパール化学工場事件の生存者に百二十億ドルを支払うことで、犠牲者への賠償を行うと公式発表した。ダウ・ケミカル社はすぐさま偽告知の正体を暴いたが、ダウ社の株はフランクフルト証券取引所で三・四%、ニューヨークで五〇セント下落した。(38) イエスメンは、つまり、あの『ニューズウィーク』誌で言及された「情報の霧」と、情報源の増殖のさなかで、たとえば金融市場における株価の決定に対し重要な役割を果たす広報活動の集合体《アッサンブラージュ》のもつ弱点をつきとめる。彼らが綿密に計画された行為によって意図するのは、攻撃対象となった企業《コーポレーション》にとって、結局のところ容易に対応可能なミクロのショックを引き起こすことだけでなく、世論の形成と、金融株の価値として表現される市場の意味の構築とに関与する集合体《アッサンブラージュ》の、この種の行為に対する脆弱性を示すことだと思われる。

前衛的な倫理‐芸術の形をとったプロトコル闘争の実践を含む試みのもう一つの例を、Google Will Eat Iself プロジェクト(〝グーグルは自分自身を食う〟)に見ることができる。Unbermorgen.com とアレッサンドロ・ルドヴィーコおよびパオロ・キリオによるイタリア‐オーストリア間協力だ。GWEI はごくシンプルな方式で活動する。検索エンジン、グーグルの基本的な収入源は、グーグル自身のプログラム「アドセンス」で、世界中のウェブサイトにグーグルの小さな広告を無数に配置するものだ。GWEI の作成者たちは、多数の「アドセンス」口座を開設し、一連の隠しサイトに設置した。誰かがこれらのサイトを訪問するたびに、サイトのネットワークがグーグルからミクロの報酬を受け取るというメカニズムが作動する。グーグルはこれらの訪問に対し、毎月報酬を支払う。それが必要な額に達すると、彼らはその集められた資金でグーグルの株を一株買う(つまりグーグルを使ってグーグルを買うわけだ)。

この情報のカニバリズム行為がしかける挑発は、経済モデル「グーグル」と、彼らGWEIの創始者が偽りの好意と見なすものとに対する批判によって明確に位置づけられている。彼らは、"Hack the Google self.referentialism"（プロジェクトの前提を解説する理論テクスト）[39]のなかで、被支配者をもてなす独裁者としてグーグルを非難する。独裁政権でもマイクロソフト式の独占でもないが、ネット経済の相当数の戦略的分野における新しいタイプの独占である。とりわけグーグルのデータベースは、評価できないほどの価値をもつ正真正銘の財産のようだが、どうみても私有化されている。グーグルのデータベースは巨大だ。ニュース、イメージ、価格、Eメールにまつわる一連の嗜好を網羅し、「位置測定、一般検索、商品検索のクロスチェックによってそれらの場所を特定し、統計的に分析」することができる[40]。これらのデータ、すなわちユーザーの検索結果がすべて記録されることに「ユーザーたちは気づいておらず、まるでほぼ完璧な仮想機械で催眠術にかけられたようだ」。ウェブ2・0はグーグルがブロガーのネットワークに入ることも許可し、ブロガーたちはアドセンスのようなプログラムを通して、グーグルが生み出す利益にあずかれると感じる。「彼らは小さな広告を掲載し、クリックのたびにささやかな報酬を受け取る。このプロセスは乱用を防ぐために保護され、監視されている。シナリオの結末（現状では）は、巨大な仲介業者としてのグーグルだ。グローバルなウェブスペースの対象割当分を提供し、広告業者から金を吸い取る。そして作成者に協力の見返りとして小銭を与える。ウェブサイトから情報（そしてニュース、イメージ、価格）を吸い取り、ユーザーの検索結果としてそれらを再放出する。グーグルはその中間にいることで、システムの平衡を保つ中心としてますます不可避の存在になっていく。しかしこれは自然体系の話ではない。ビジネスと覇権システムの話なのだ」。GWEIの作成者たちはまさにその穴《ホール》、サッカーとガロウェイなら欠陥やエクスプロイトと呼ぶであろうし、それを介してグーグルやその同類による好意的な独占を切り崩すことができるのではないかと思われるのであるが、その穴《ホール》を強調して以下のように結論づける。「この巨人の最大の敵はもう一人の巨人ではない。それは寄生虫である。もし寄生虫たちが、それぞれは小さな額でも十分な金を吸い取れば……、人造データの山と、デジタル全体主義を骨抜きにするだろう」。

イエスメンとGWEIの創始者たちが発見し、利用するミクロな穴《ホール》は、本当に金融資本という船をその邪悪なメカニズムとともに沈めることができるだろうか。これらの倫理－芸術的実験は、そのようなレベルで評価されるべきではない。それらはガロウェイとサッカーが示唆している意味において、本質的に発見的手法としての価値を持つように思われる。[41]「エクスプロイト」の割り出しは、できるだけ多くの連鎖に関わる実験を開始する必要性を示唆している。経済の統治行為化は、搾取の度を増し、人間の生を劣化させ、社会的関係を野蛮にし、主体性を貧しくするが、その影響をこうむった新自由主義社会のすべての領域を横断することができるような実験である。ブラックホールの反対側にあるのは、おそらく、金融市場の改革や革命という地平ではなく、金融資本主義とその社会的支配の超克ではないだろうか。

注

（1）John Cassidy, *Dot.con. The Greatest Story Ever Sold*, HarperCollins, New York, 2002 を参照。

（2）Fred Turner, *From Counterculture to Cyberculture: Stewart Brand, the Whole Earth Network and the Rise of Digital Utopianism*, Chicago University Press, Chicago, 2008 を参照。

（3）Douglas Coupland, *Jpod*, trad.it. Frassinelli, Piacenza, 2006.

（4）Bill Lessard e Stive Baldwin, *Netslaves. True Tales of Working the Web*, MacGraw Inc, New York, 1999 を参照。同じ著者による *Netslaves. Tales of "Surviving" the Great Tech Gold Rush*, Alloworth Press, New York, 2003 も参照されたい。

（5）Andrew Ross, *No Collar: The Humane Workspace and Its Hidden Costs*, Basic Books, New York, 2004 および Rosalind Gill, *Technobohemians or the New Cybertariat? New media work in Amsterdam a decade after the web*, Institute of network cultures Amsterdam , 2007 を参照。

（6）Bifo, *Abbandonate le illusioni preparatevi alla lotta*, 10/10/2002 (http://www.rekombinant.org/old/articile .html.sid=1840) を参照。

（7）Tim O'Reilly, *What Is Web 2.0. Design Patterns and Buisiness Models for the Next Generation of Software*, 30/09/2005 (http://www.

oreillynet.com/pub/a/oreilly/tim/news/2005/09/30/what-is-web-20.html) 日本語版 (http://japan.cnet.com/column/web20/story/0,2000055933,20090039-5,00.htm)

（8） Tiziana Terranova *Cultura network: per una micropolitica dell'informazione*, manifestolibri, Roma 2006 を参照。

（9） プロトコル・コントロールについては、Alexander R.Galloway, *Protcol: How Control Exists after Decentralization,* The MIT Press, Cambridge, Mass. 2004 を参照。

（10） オーストラリアにおけるビデオゲーム業界のドットコム企業で見られる協力クリエーターとしてのユーザーによる外注化のエスノグラフィーに関しては、John Banks, *The Labour of User Co-Creators: Emergent Social Network Markets?* in "Convergence: The International Journal of Research into New Media Technologies, vol. 14, n.4, 401-418(2008) を参照。

（11） http://www.tre.it/public/home.php を参照。「コミュニティ」に対してユーザー自身が行うユーザー・アシスタント・サービスの外注化に関して、このウェブ２・０のイタリア版を示唆してくれたサンドロ・メッザードラに感謝する。

（12） インターネットの参加型文化およびユーザーとメディア産業との関係分析については、Henry Jenkins, *Cultura Convergente*, trad. it. Apogeo , Milano 2007 も参照のこと。

（13） たとえば Henrik Ingo, *Ethics, Freedom and Trust* in "Re-public: re-imagining democracy" (http://www.re-public.gr/en/?p=275) を参照。人類の進化としての p2p については、Michel Bauwens, *Peer to Peer and Human Evolution: Placing Peer to Peer theory in an Integral Framework* (http://integralvisioning.org/article.php?story=p2ptheory1) を参照。

（14） Tiziana Terranova, *Il potere della rete: Intervista a Michel Bauwens,* in "il manifesto", 5 novembre 2008 を参照。

（15） Yochai Benkler, *La ricchezza della rete. La produzione sociale trasforma il mercato e aumenta la libertà*, trad.it., Egea, Milano 2007. 市場に奇跡的に調和をもたらす見えざる手に関する的確な批評としては、Maurizio Lazzaro, *Puissances de l'invention. La Psychologie économique de Gabriel Tarde contre l'économie politique,* Les empêcheurs de penser en rond, Paris, 2002 を参照。

（16） ネットワークの社会的生産における参加の諸段階の分類については、ベンクラーの前掲論文 *La ricchezza della rete* を参照。

（17） *The First Disaster of the Internet Age*（『ニューズウィーク』社説、二〇〇八年一〇月）(http://news.uk.msn.com/newsweek.aspx?cp-documentid10239416)

（18） 同上。

(19) Geert Lovink, *Blogging, the nihilist impulse* (http://www.eurozine.com/articles/2007-01-02-lovink-en.html) を参照。

(20) *The First Disaster of the Internet Age*, cit.

(21) 同上。

(22) Karin Knorr Cetina, *The Market*, in "Theory, Culture and Society", 23 (2006), 2-3 (*Problematizing Global Knowlegde: Special Issue*), pp.551-556 および Karin Knorr Cetina e Urs Bruegger, *The Market as an Object of Attachment: Exploring Postsocial Relations in Financial Markets*, in "Canadian Journal of Sociology" 25 (2000), 2, pp.141-168 を参照。

(23) Karin Knorr Cetina, *The Market*, cit. p551.

(24) *The First Disaster of the Internet Age*, cit.

(25) ブッシュによって導入された、新保守主義による新しい統治行為手段の一端としての恒常的警戒システムについては、Brian Massumi, *Fear the Spectrum Said*, in "Multitudes. Compléments bibliographiques", 23,4, gennaio 2006 (http://multitudes.samizdat.net/Fear-The-spectrum-said)

(26) よりよいモデルの創造へと仕向けられた金融投資家たちの「群れ」的行動の経験的-数学的研究の一例については、Fabrizio Lillo, Esteban Moro, Gabriella Vaglica e Rosario N. Mantenga, *Specialization and Herding Behaviour of Trading Firms in a Financial Market*, in "New Journal of Physics", 10 (2008) (http://www.njp.org/)

(27) Nassim Nicholas Taleb, *Giocati dal caso: il ruolo della fortuna nella finanza e nella vita*, trad.it. Il Saggiatore, Milano 2008 (英語による原著 *Fooled by Randomness: the Hidden Role of Chance in Life and Markets*, Penguin, London 2004)〔邦訳『まぐれ――投資家はなぜ、運を実力と勘違いするのか』望月衛訳、ダイヤモンド社、二〇〇八年〕

(28) 核物理学者のコミュニティにおけるモンテカルロ・シミュレーション使用の歴史については、Peter Galison, *How Experiments End*. University of Chicago Press, Chicago, 1987 を参照。

(29) Robert J. Shiller, *Euforia irrazionale. Analisi dei boom di borsa*, Il Mulino, Bologna 2000. を参照。Christian Marazzi, *E il denaro va. Esodo e rivoluzione dei mercati finanziari*, Bollati Borlinghieri, Torino 1998. も参照のこと。

(30) 金融投資家の文化と社会性に関する、エピソード的でない、より厳密な科学的解説は、Caitlin Zaloom, *Out of the Pits: Traders and*

Technology from Chicago to London, University of Chicago Press, Chicago 2006を参照。

(31) Amanda Gardner, *Testosterone Levels Among Financial Traders Affect Performance: British Study Found Those With More of the Male Hormone in the Morning Made More Money*, in "USA News", 14 aprile 2008 (http://health,usnews.com/usnews/health/healthday/080414/testosterone-levels-among-financial-traders-affect-performance.htm) を参照。

(32) 二〇〇八年、アメリカの日刊紙 "USA Today" は、金融業界から教職への相当数の人的流入を記録している。Greg Toppo, *Financial Sector's Loss Could Spell Gain for Teaching*, in "USA Today", 16/10/2008 (http://www.usatoday.com/news/education/2008-10-15-meltdown-teachers_N.htm) を参照。同様の傾向はイギリスでも、"Times Educational Supplement" によって指摘された。Kerra Madera, *Bust Causes Boom in Suit Recruits*, in "Times Educational Supplement" 23/02/2009 (http://www.tes.co.uk/article.aspx?storycode=6007515) を参照。

(33) 前者の一例として、John Arquilla e David Ronfeldt, *Networks and Netwars: The Future of Terror, Crime, and Militancy*, National Defense Reserch Institute, 2001を参照。ネットワークと闘うネットワークに関しては、Antonio Negri e Michael Hardt, *Moltitudine. Guerra e democrazia nel nuovo ordine imperiale*, trad.it. Rizzoli, Milano 2004も参照のこと。

(34) Alexander R. Galloway e Eugene Thacker, *The Exploit: A Theory of Networks*, University of Minnesota Press, Minneapolis-London 2007, pp.21-22.

(35) 同上書 p.82.

(36) 同上書 p.81.

(37) http://www.theyesmen.org/. ドキュメンタリー *The Yes Men: Changing the World One Prank at the Time* (2003) と、その続編 *The Yes Men Fix the World* (2009) および著書 The Yes Men, *The Yes Men: True Story of the End of the World Trade Organization*, The Disinformation Company, New York, 2004も参照のこと。

(38) *Cruel $12 Billion Hoax on Bhopal Victims and BBC*, in "The Times", 4/12/2004 (http://www.timesonline.co.uk/tol/news/uk/article398896.ece) を参照。

(39) Ubermorgen.com, Ludovico e Cirio, *Hack the Google self.referentialism* (http://gwei.org/pages/texts/theory.html). 筆者の翻訳による。

(40) 同上。

(41) Galloway e Thacker, *The exploit*, cit., pp.81-97で、「エクスプロイト」の例として挙げられている生物ウィルスとコンピュータウイルスの例を参照。

認知資本主義と経済システムの金融化*

ベルナール・ポールレ

序文

現代資本主義の本性に特有の問題を的確に示すための唯一の適切な基準は蓄積である――問題となるのがその重要性ではなく、むしろその本性であると理解するならば――と、わたしたちは確信している。たしかに蓄積の型(またはシステム)は、所与の生産条件に対するその社会の行動様式を示す。また生産活動の条件を変化させるかもしれない、ある転換点の本性とその重要性を明示する。そして歴史的に決定される変化の介在とそれを制度化する潜勢力の特徴を描きつつ、ひとつの社会がみずからの行動力を規定する際の基準となる程度や水準を明らかにする。蓄積システムは、このように、どのような形式をとるかによって、ある社会が未来に自己を投影し、進歩の概念を形成する方法において支配的な発想を示すのである。

わたしたちの考えでは、現代資本主義における本質的な蓄積とは認知的蓄積であり、この言葉が使われるときは、広義に、知識、情報、コミュニケーション、創造性など、要するに様々な知的活動を含む(1)。これこそがこの蓄積の中心的な役割であり、認知資本主義を、抜け出したばかりの歴史的な時期、すなわち産業資本主義から区別する。後者の文脈では、蓄積の中心となるのはおもに実物資本と労働組織である。ポスト産業(もしくは認知)期には、実物投資と労働組織は消えてなくなりはしないが、もはや主流ではなく、蓄積と進歩とを方向づける本質的な要素ではない(2)。

資本主義の本性という問題に取り組みつつ、これまで研究者たちがとってきた様々な立場を考慮に入れながら、認知的蓄積ではなく金融的蓄積をおもな蓄積の型と見なすことができるかという問題を提起したい。

これら二つの蓄積の型は互いに対立関係にあるのか、それとも補完的なのか？　ここに提示する論考はこの疑問を解こうとするものだ。

金融をめぐるいくつかの兆候を検討し、統計的かつ長期的なアプローチに従って吟味する。これらのデータから出発し、一連の重要な変化を見きわめるのに役立ついくつかの特徴について検討するが、それらの特徴は金融資本主義が到来したという主張を正当化するかもしれない。本質的な蓄積が非物質的で、必ずしも商業的ではない経済において、金融の果たす具体的な役割という問題が提起する新しい独自の問題は少なくないが、それらについては最後のセクションでとり上げることにする。

わたしたちのおもな結論は、金融が、実物投資と対立する蓄積が行われる場所として認識されるべきではないということだ。現代における金融の発展は、「実物的」な蓄積の新しい形態を特徴とする、資本主義の新時代の出現として説明できる。この枠組みのなかでは、知識と結びついた様々な困難、不安定性と一体になった不確実性に由来する負荷こそが、流動性証券を所有し迅速な譲渡を実現しリスクを制限できるようにしたいという願望を介して、金融の重要性を規定している。もちろん、これが現在のような金融の発展を説明する唯一の論拠というわけではない。その主たる機能は、つねに、成長に必要な金融資産の創出であるからだ。しかしわたしたちは、この論拠によってこそ、認知資本主義と金融化の共進化《コエボリューション》を理解できると考えている。

金融は、このように、生産活動の条件を変えるような方向転換を拡大し、その構造化に貢献する。そして次の段階では、なんらかの方法で蓄積そのものの本性を変える、すなわち認知資本主義を出現させるような変容にも貢献するのである。

1. 金融化と金融資本主義を正当化する可能性

金融資本主義出現説を支持しようとするおもな主張を評価するとしよう。あるいは、それらの主張が、金融化の新しい現象の存在を是が非でも正当化しなければならないとしよう。一部の学者にしてみれば、現在直面している金融化は独自の、しかも十分に限定された現象であり、そうであれば資本主義における新時代という考え方を正当化するだろう。わたしたちの目的は、この主張の射程を検討し、相対化することだ。

一般的には、資本主義における新時代という仮定に根拠をあたえるようないくつかの条件を特定することは可能だ。まずなによりも、提示される外形は、それ自体、構造的にかなりの安定性を示す。言いかえれば、制度的条件や公私の経済主体の行動は、システムを不安定にしたり、体制の仕組みを問い直す重大な危機を喚起することなしに[3]、変動や進化をもたらすことが可能なのである[4]。

もうひとつの条件は、新しい時代が先行する時代とは本質的に区別されること、また決定的な断絶を強引に想定しなくても、観察すれば、その始まりや重要な段階が見分けられることだ。段階的な変化の末、質的な変化が起こるというのは考えられないことではない。動態モデルは時に、極大値や反復のなかで〝変曲点[5]〟を示し、連続性のなかにどのように新しいものが出現するのかを明らかにする。しかしながら、研究対象となるシステムの解釈や表象における変更点を明確にし正当化するためには、この変化が、遅かれ早かれ知覚できる程度のものになることが必要だ[6]。

わたしたちは金融化の研究者たちの注目を集めた、経済システムの多くの側面を検討する。(i) まず第一にガバナンスの問題、(ii) 続いて金融資産の取得および債務が引き受けた役割、(iii) 実物蓄積(投資)と関連づけられた金融蓄積の相対的な重要性。

このように論を進めていくが、なんとしても完璧な分析を示したいと望んでいるわけでは全くない。成熟した経済における金融化を検討し、その姿を描きだすいくつかの要素を提出するだけだ。わたしたちの主たる目的はむしろ、ひとつの説を導入し、発表することであり、その説自体をすぐさま完璧に守ることではない。

2. ガバナンスは金融化における最大の賭け金なのか？

断絶という見解を正当化しうる金融分野のあらゆる現象のなかには、ガバナンスの現状をめぐる諸分析や、年金基金の増大の結果とされる諸事象があるが、年金基金には産業界の大きな変化のいくつかに対して責任があると考えられている。しばしばこのような文脈で、企業の金融化および／あるいは企業の戦略について語られる。経営規範と主要戦略の変化に見いだせる特徴を洗いだし、検証することが重要だ。機関や会社の職業的経営者に代表される株主が、最大の価値を得ようと目標を定めるとき、彼らによって行使される圧力の結果としてあらわれるのがこれらの戦略である。ガバナンスとその派生物についての考察は、したがって、有効であり、必要でもある。ここでは簡単に記すにとどめるが。

まず最初に気づくのは、価値増殖の規範、経営方法、戦略ロジックの変容が否定できないということだ。ここでは詳述しない。いずれにしても、これらの変化が企業戦略の金融化という意味で進行し、したがって企業の経営と投資に関して、本質的に金融のロジックがその内部に非常に深く浸透していることを示唆しているのは明らかだと思われる(7)。一方、それと平行して賃労働関係の金融化も見られる。

しかしながら、こうした経営の戦略および実践の変化を統轄する複数のチャンネルと動機の問題が浮上するだろう。アナリストたちの多くは、主として機関株主（年金基金など）の参画による直接的な影響と、彼らのアクティビズム〔経営への積極関与〕の結果を見る。この点に関して、わたしたちはやや慎重である。というのも、この点を検証する目的で、とくにアメリカのケースに関して行われた相当数にのぼる分析が明確な結論に達しなかったからだ。株主のアクティビズムはもちろん存在するし、多くの例をあげることが可能だ。しかしその拡張とはなにか。またどれほどの範囲におよぶのか。それを言うのはあまりにも難しい。一方で、このアクティビズム自体が真実であり、現行の資本主義の特性であると認められたとしても、そこからどんな結論が引き出せるかをつきとめるのは難しいだろう。というのも、一部のマルクス主義的傾向をもつ著者が書いているように、資本主義システムにおいて株主の支配が新しい現象だと、あるいはこれまでの状況をひっくり返したと言う根拠は何なのか？　そうは言っても、たしかにフォーディズム時代を支えていた基盤が相当異なるものであり、M・アグリエッタの表現を借りれば、「肉食の」資本家がむしろ珍しかった(8)という事実から論を立てることは可能であろう。その一方で、この種の状況を一般化してはならない。それには他に二つの理由がある。すなわち同族資本主義が依然として活発で強固なこと、そして非上場、つまり非公開株式《プライベート・エクイティ》が著しく増加したため、リスクを負う資本《リスクキャピタル》が増えていることだ(9)。

企業の金融化へと向かうこうした変化のなかで、新たな順応主義と、幹部クラスに内在化される新しい規範が広まるという兆候も見られるが、それについては株主の直接的な権能の形態や企業の管理方式を引き合いに出して説明するまでもない。一方で、行き過ぎた自由化を背景にした金融市場の成長は、市場における株式保有者たちに典型的な行動様式を通して、新しい行動が出現する条件を生み出すのに十分な根拠であるとみなすこともできよう。

各資本市場の性格が不完全で、相対的に非効率的なために、金融界は経済活動に対して（産業の領域のみならず）容易に影響力をもつことになる。これはすなわち、現代の文脈で正常とみなされる実践や規範が流布することにつながる。これらの実践や規範が結果として、金融界の支配を強化しないまでも補強するような時代であればなおさらだ。金融派生商品《デリバティブ》は、いかなる種類のものであろうと、市場の不完全さ、管理の不十分さ、対抗勢力の不在、金融エリートが利益を引き出すためにイニシアチブをとる能力が、最終的に形となってあらわれたものである(10)。もちろんガバナンスは非常に注目すべき対象である。資本主義の核心にじかに触れるからだ。つまり、権力、利潤の分配、企業経営（雇用、収益性、イノベーション、事業ポートフォリオ等に関する周知の結果をともなう）の諸問題を提示する。この制度的な視点は、改革への重要な提案につながるかもしれない。しかしながら、現代社会への金融の影響にわずかながらでも打撃を与えるには、経営者会議および総会の活動に対するなんらかの制度改革で十分なのか、という疑問がわく。

企業統治《コーポレート・ガバナンス》に関する議論を慎重に扱うもう一つの理由は、しばしばそれが金融資本主義を特徴づける固有の現象とみなされ、金融化の問題全体をガバナンスの本性という問題に矮小化せざるをえないかのように思われてしまうことだ。現在、金融システムはまさに株式市場によって成り立っており、その中心にあるのはガバナンスではない。ガバナンスの問題を特別扱いすることにはもちろんメリットがある。すなわち金融と資本主義運営の問題とを関連づけ、賃労働関係の問題、企業制度、生産システムの管理との結びつきを仮に構築する。しかしながらそうすることで、生産システムを中心に据えた見方からそれほど離れることなく、結局のところフォーディズムの従来の表現からそれほど遠くない用語でポストフォーディズムを扱う方法があるかのような感じを与える。

要するにガバナンスについての考察はもちろん無関係ではないが、それに尽きるわけではない。同様に金融の自由化はひとつの本質的なプロセスである。その始まりは最近のことではないが。

3. 金融化の数量的な兆候

金融化という語の意味に関して、合意はない。とくに経験的な側面から向き合おうとした場合、数量的な兆候はあまりに多様で、相当数の異なる見方を正当化しなければならなくなる。これはあまりにも広い定義を提案している著者がいるためだ。例えばジェラール・エプスタインを例にとると、かれは金融化を「国内および国際経済の運営において金融的動機、金融市場、金融主体および金融機関の役割が増大すること」と定義している。(11)

その他の著者たちは金融取引の際限のなさに注意を向けようとして、通貨市場のような複数の市場におけるいくつかの投機的取引をめぐる印象的な評価に頼ってきた。(12) わたしたちは、それなりに正しい不安を正当化するために特殊分野における金融取引の速さに注目するアプローチは好まない。過剰な投機的取引に左右されない株《ストック》と年間取引の大きさに言及するほうが妥当ではないだろうか。株式保有の平均的な長さの変化（下方への）が示しているように、多くの領域で、市場での取引とそれに反応するスピードが加速しているのは確かだけれども。

a 米国における長期的な債務の変化
金融が引き受けた負担と重要性を評価するもっとも簡便な方法は国民総生産に対する金融資産の比率の変化を観察

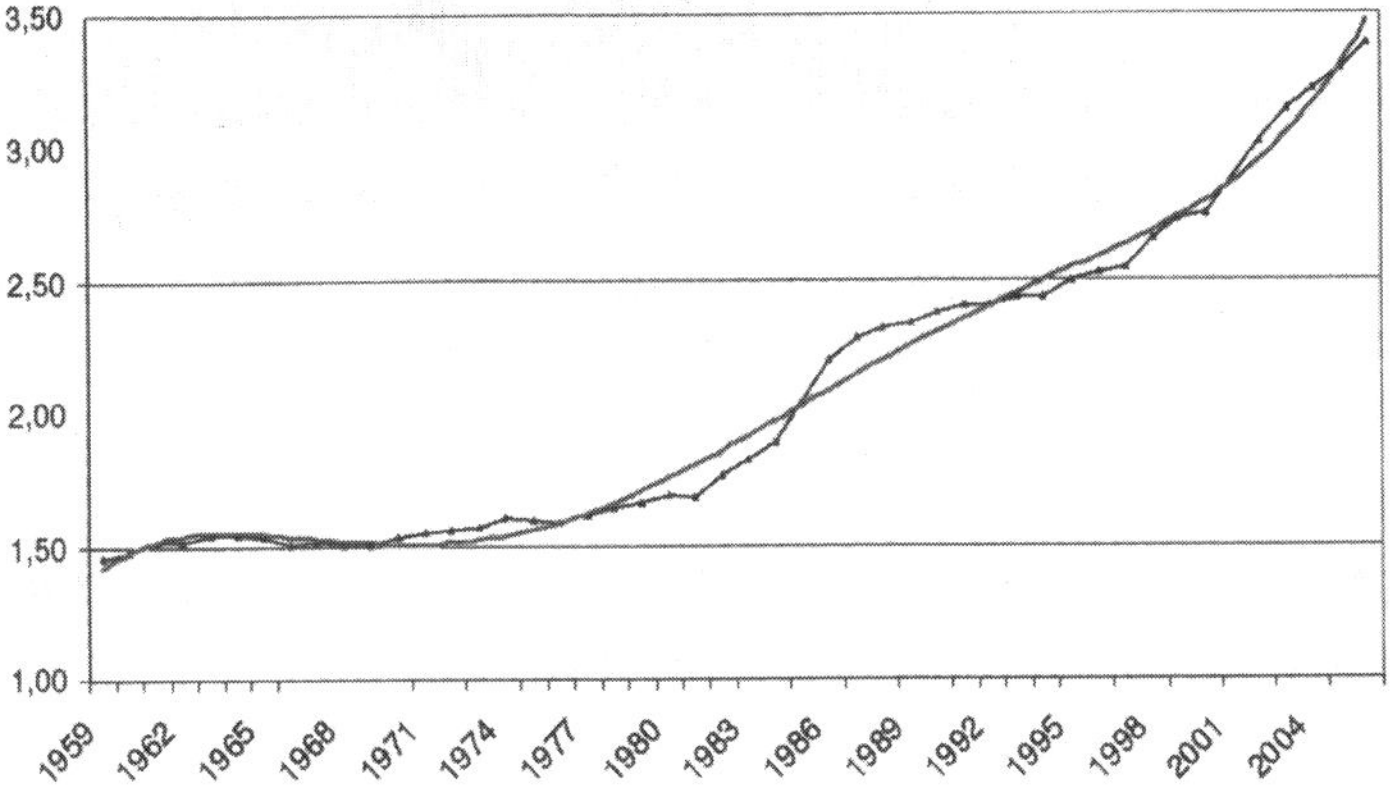

図表1　米国国民総生産に対する全経済主体の累積債務（株《ストック》），1959-2007年.
出典：米国資金循環統計 2007年12月6日．表L.4 信用市場債務，全部門．年額，第４四半期の値．５次の多項傾向曲線.

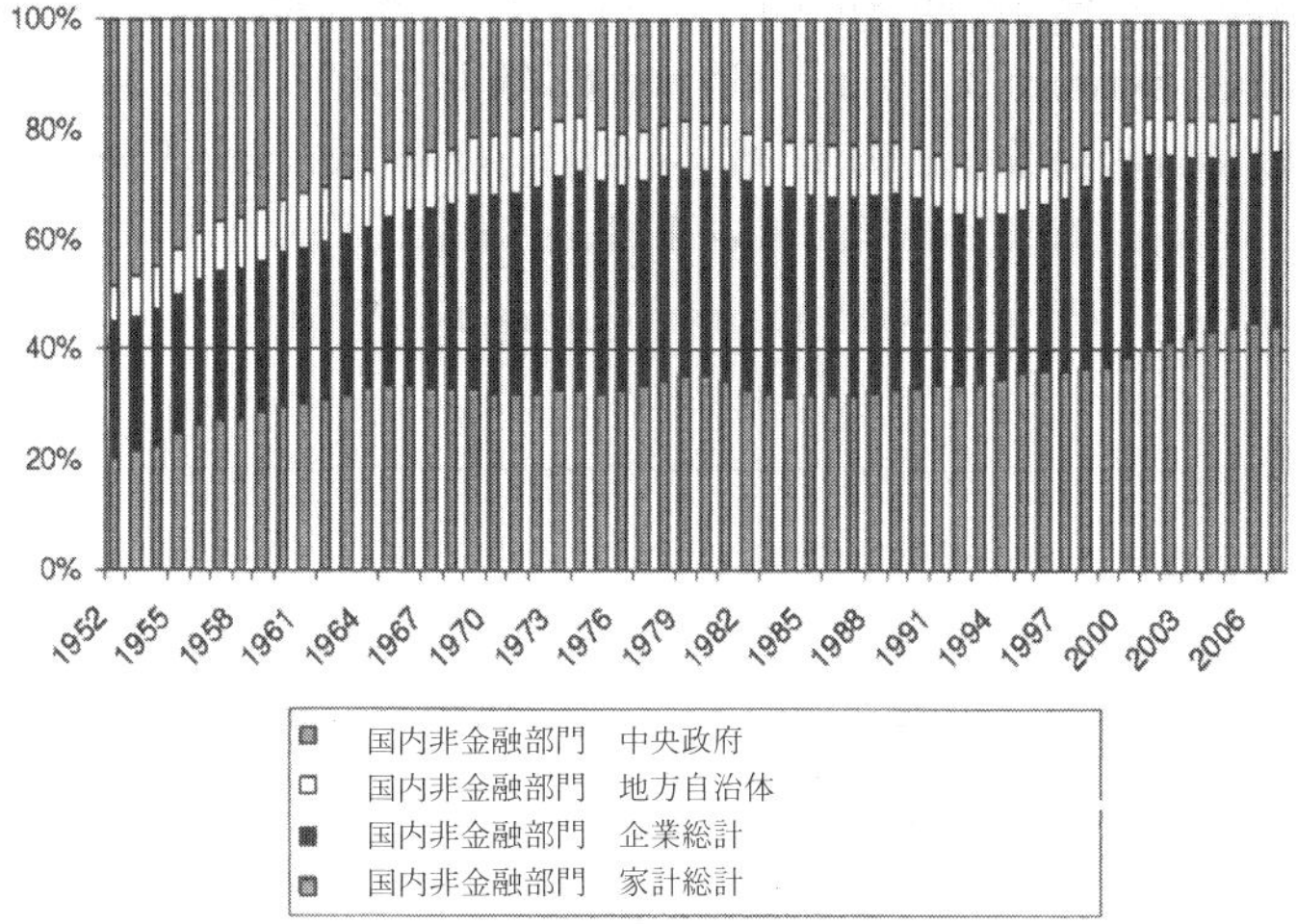

図表2　米国非金融部門における債務（株式）の構成分析，1952-2007年.
出典：米国資金循環統計，2007年12月6日．表D.3　部門別未払債務．年額，第４四半期の値.

することだ。米国を例にとれば（**図表1**参照）一九五六―二〇〇六年の時期に、国民総生産に対する債務の比率が大きく増加していることに気づく。一九七三年から二〇〇〇年の間は規則的に上昇し、世紀末に若干加速する。一九五九年から一九六八年の間、比率の値は一・五程度にとどまっている。それ以降、まれにわずかな減少が見られるのを除くと、一定して増加している。この一連の数値には、真に一時代を画すような断絶は見られない。より最近では、比率の増加に加速が見られるだろうか。増加率がもっとも高い期間は一九八二―一九八七年である（一九八三年の三・一％と一九八五年の八・二％を含む値）。類似の値は一九九八年（＋四・四％）と二〇〇一―〇三年にも見られるが、一九六〇年―二〇〇六年の期間中もっとも高い三つの値は、いずれも八〇年代の値である。

　同様に、非金融部門の各主体による債務の分担比率が著しく変化しているのが観察される（**図表2**参照）。最初の変化は、図表の開始年（一九五二年）から一九七三―一九八〇年の時期に見られる横ばい《プラトー》状態までの間に起こっている。家計の比率は、非金融部門の主体による債務総額の三三％に相当する。企業の比率は三九％。各部門の分担比率は八〇年代の終わり以降、著しく変化する。現在、家計の比率は四四％、企業のそれは三二％である。〔家計の〕比率は二倍以上になっているが、この成長は五〇年の間に徐々に進行した。突然の激しい断絶はなかった。相対的に著しく減少したのは、連邦政府の内国債の比率である。一九五二年の四〇％以上から、二〇〇七年には二〇％以下になった。

　債務総額に対する非金融部門の主体の債務は、比率そのものは減少している（**図表3**参照）。最終的には九四・六％から六三・九％になっており、そのぶん金融部門の比率が増加して、一九五二年の二・三％から二〇〇六年には三二・二％になっている。この増加は一九五二年以降、わりあい規則的である。二〇〇〇年以降、緩やかになる。

b 企業による金融純投資額の成長

　かならず変化を観察しなければならない変数に、企業による金融純投資額がある。これは金融資産純取得額から、債務純増加額を差し引いたものと定義される。わたしたちは、非農業・非金融企業について、分子に金融純投資額、分母に金融資産純取得額を与えて得られる比率を計算した（図表4参照）。この比率が高いほど、証券を取得するために借金をする企業は少なく、より多くの企業が自己資本でそれをまかなうのである。この操作は、企業内部で自己資金調達によってまかなわれるもうひとつの典型的な使途、すなわち実物投資と競争関係にある。比率がマイナスの場

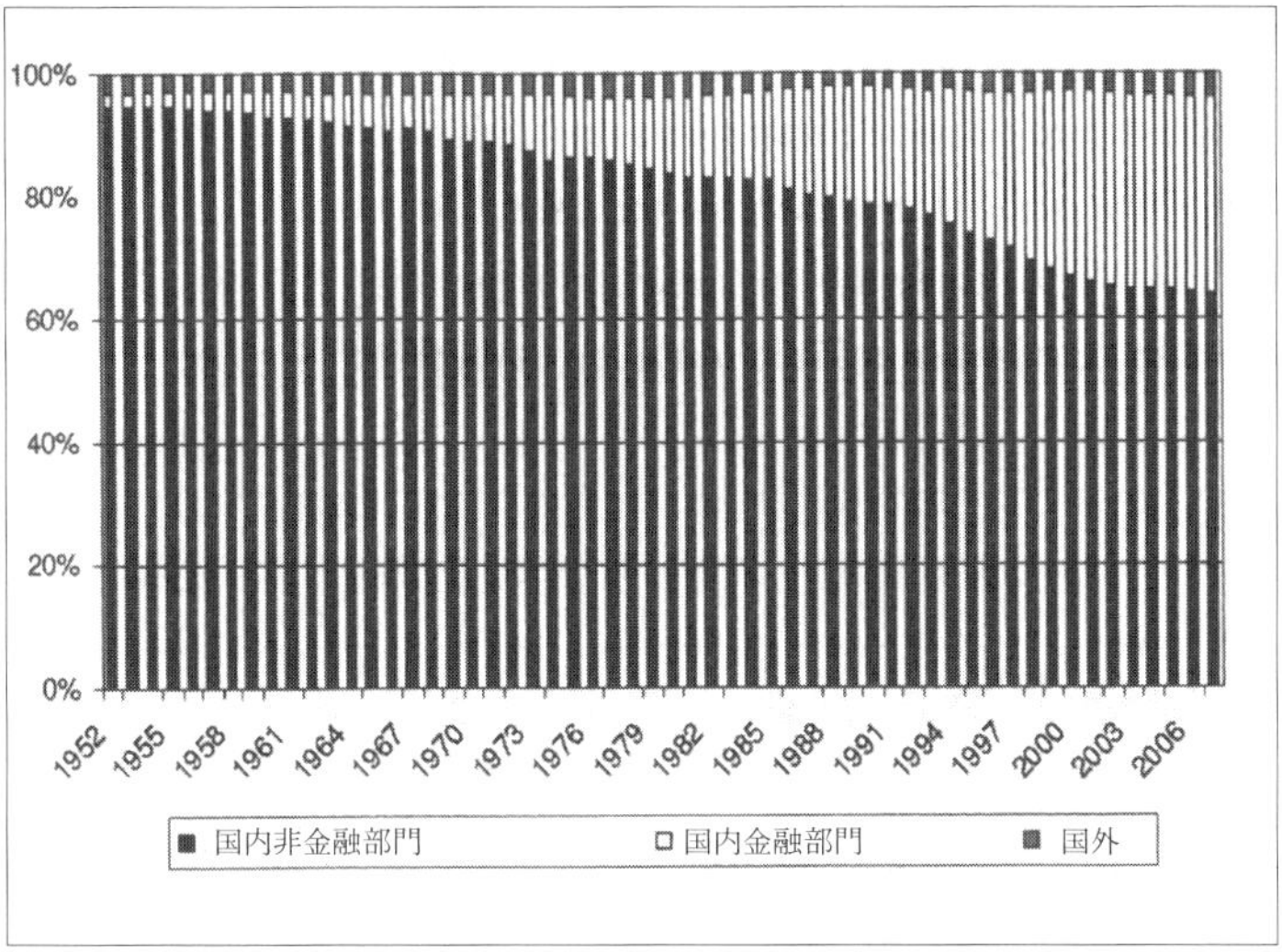

図表3　米国非金融部門における債務 (株式) の構成分析, 1952-2007年. 国内の非金融, 金融, 国外の三大部門の主体による.
出典：米国資金循環統計, 2007年12月6日. 表D.3　部門別未払債務. 年額, 第4四半期の値.

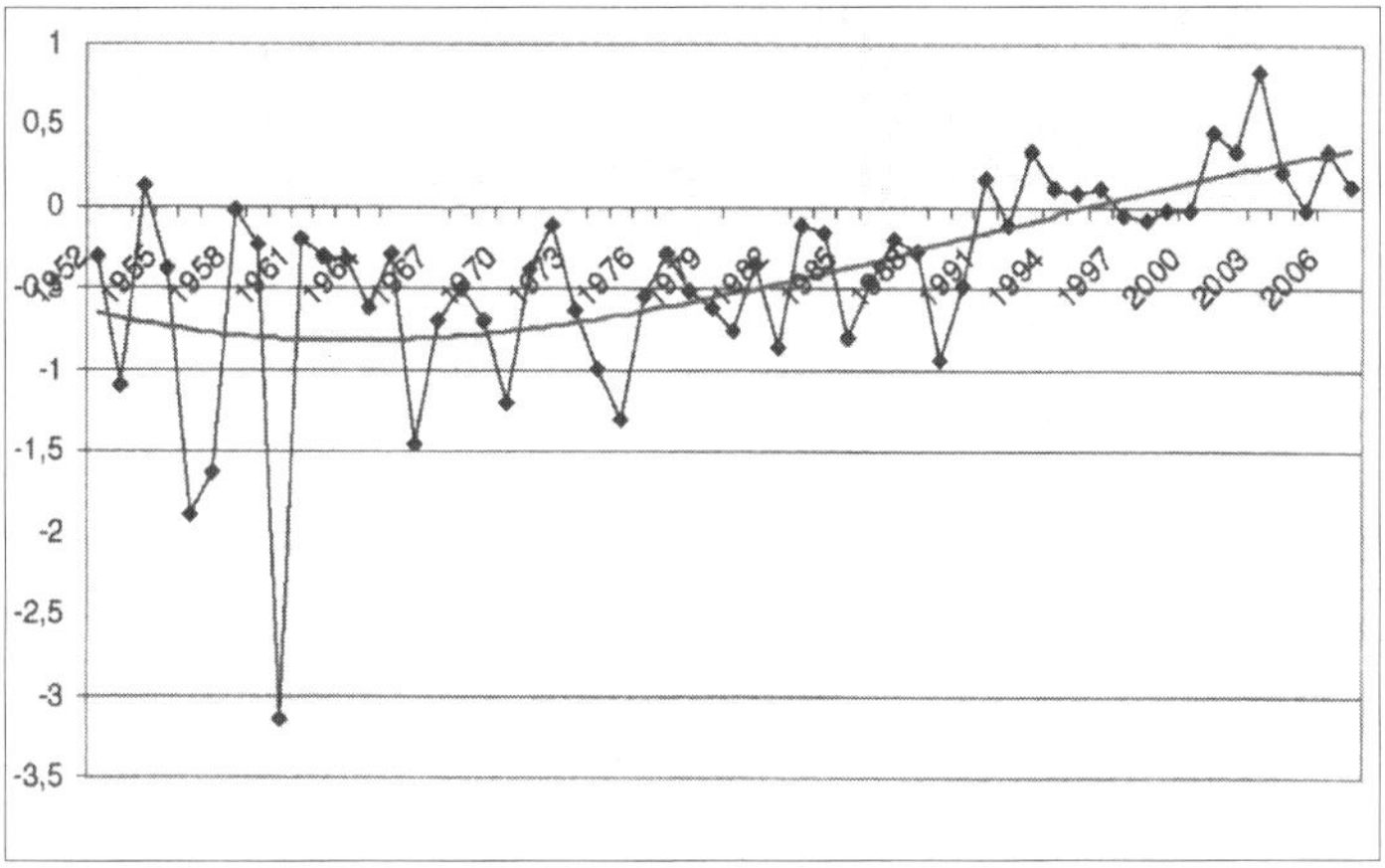

図表4　金融資産純取得額に対する金融純投資額の比率. 出典：米国資金循環統計, 2007年12月6日. 表F.102　非農業・非金融法人企業. 年額, 第4四半期の値.

合、債務純増加額が証券の取得を上回っていることを示す。増加した債務の一部は、キャッシュフローでカバーしきれない実物投資によるものである。比率がプラスで一以下の場合、債務の増加はプラスであり、かつ金融資産の純増加額よりも少ないことを意味する。キャッシュフローの一部が証券の取得に当てられている。

実際に、長期的には比率が徐々に増加しているのが認められる。この規模を多項傾向線のカーブから判断すると、この成長は七〇年代の初頭以降あらわれる。比率は一九九三年までほとんどつねにマイナスで、一九九三年から一九九六年の間と二〇〇一年から二〇〇七年の間（わずかにマイナスだった二〇〇五年をのぞき）にプラスに転じる。この傾向が新しくはないとしても、値がプラスに移行していることと、二〇〇一年以降の数年間、プラスにとどまっていることは、もちろん、最近のシグナルである。しかしながら、この最近の成長をどう読みとるかについては慎重さが必要である。金融投資の成長を示しているのか、それとも持ち株や買収合併（M&A）が広がっている兆候なのか。

c 自己資金調達

先ほどの比率に関連した実物資本の自己資金調達の比率は、長期的には、〇・九七という平均値のあたりを変動している（**図表5**参照）。一九七九年以降は、この値を下回るよりも上回るほうが多くなっている。この比率が極値に達したのは、一九八〇年代より前である。もっとも最近の極値は二〇〇〇年の値（〇・七七%）である。二〇〇〇―二〇〇七年の平均は、一九五二―二〇〇七年の数十年間の平均のうちでもっとも高い。

d 企業の株式純発行

併存するもう一つの現象で、企業の資金調達に直接関係するのは、非農業・非金融企業による株の純発行が、一九九四年から二〇〇七年の間、常にマイナスになっていることだ（**図表6**参照）。この現象は一九六三年から一九六八年までの間に見られるが、一九七九年以降、それが例外というよりも常態になっていることは明らかだ。つまり一九七八年—二〇〇七年の三〇年のうち二四年が赤字である。この点で、ひとつの歴史的変化を確認することができる。しかしながらこれはごく最近の現象ではなく、一九八四年（一九九七年と同じ水準）に顕著になってくる。一九九八年、そしてとくに二〇〇五年から二〇〇七年にかけて拡大する傾向にはあるが。

下位期間	比率平均
1952-1960	1,02
1961-1970	0,99
1971-1980	0,87
1981-1990	0,98
1991-2000	0,96
2001-2007	1,03

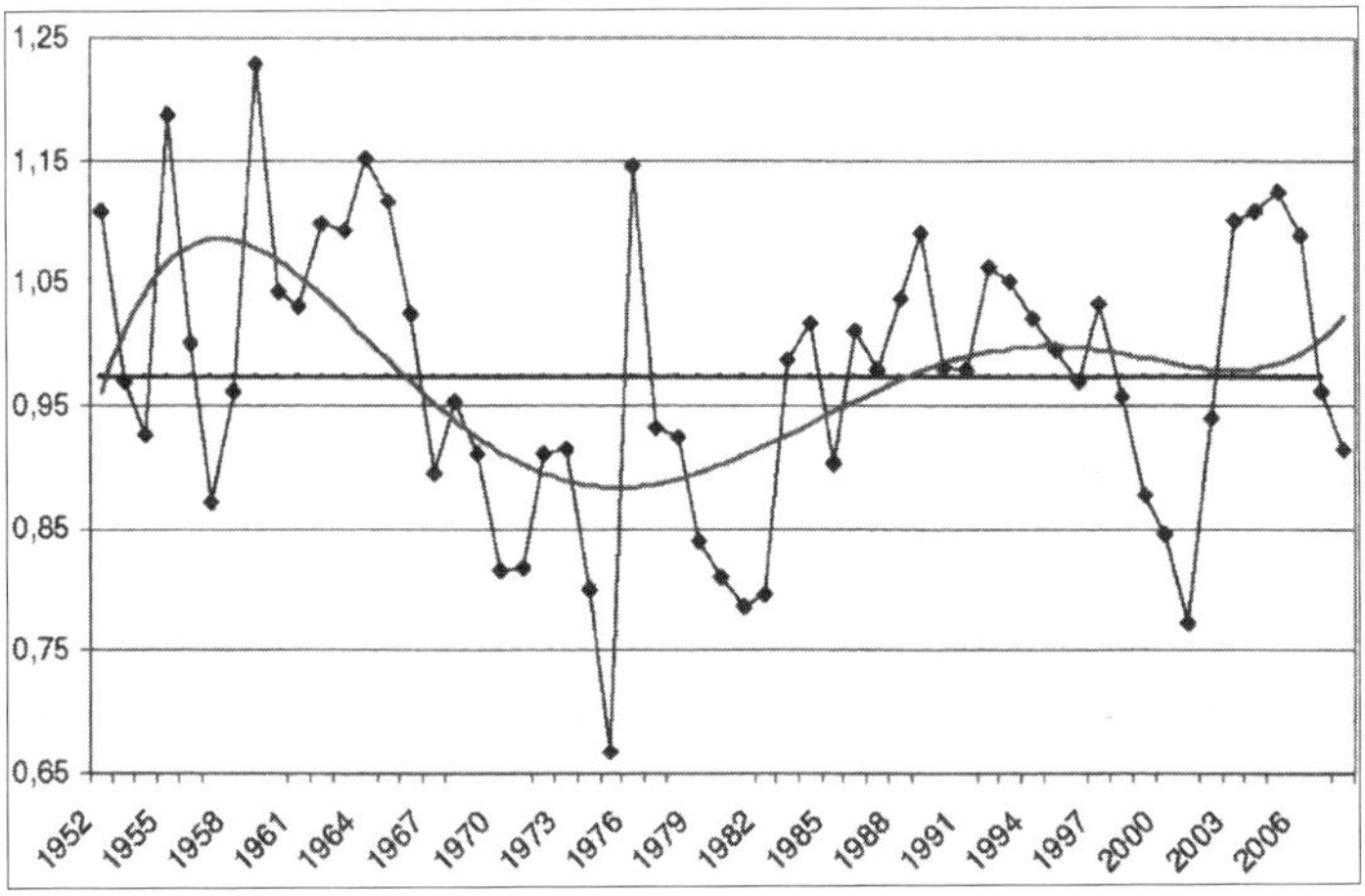

図表5　実物投資の自己資金調達比率. 出典：米国資金循環統計, 2007年12月6日. 表F.102　非農業・非金融法人企業. 年額, 第4四半期の平均値.
比率 = [自己資金総額(米国および国外) +棚卸資産評価調整]／資本的支出.

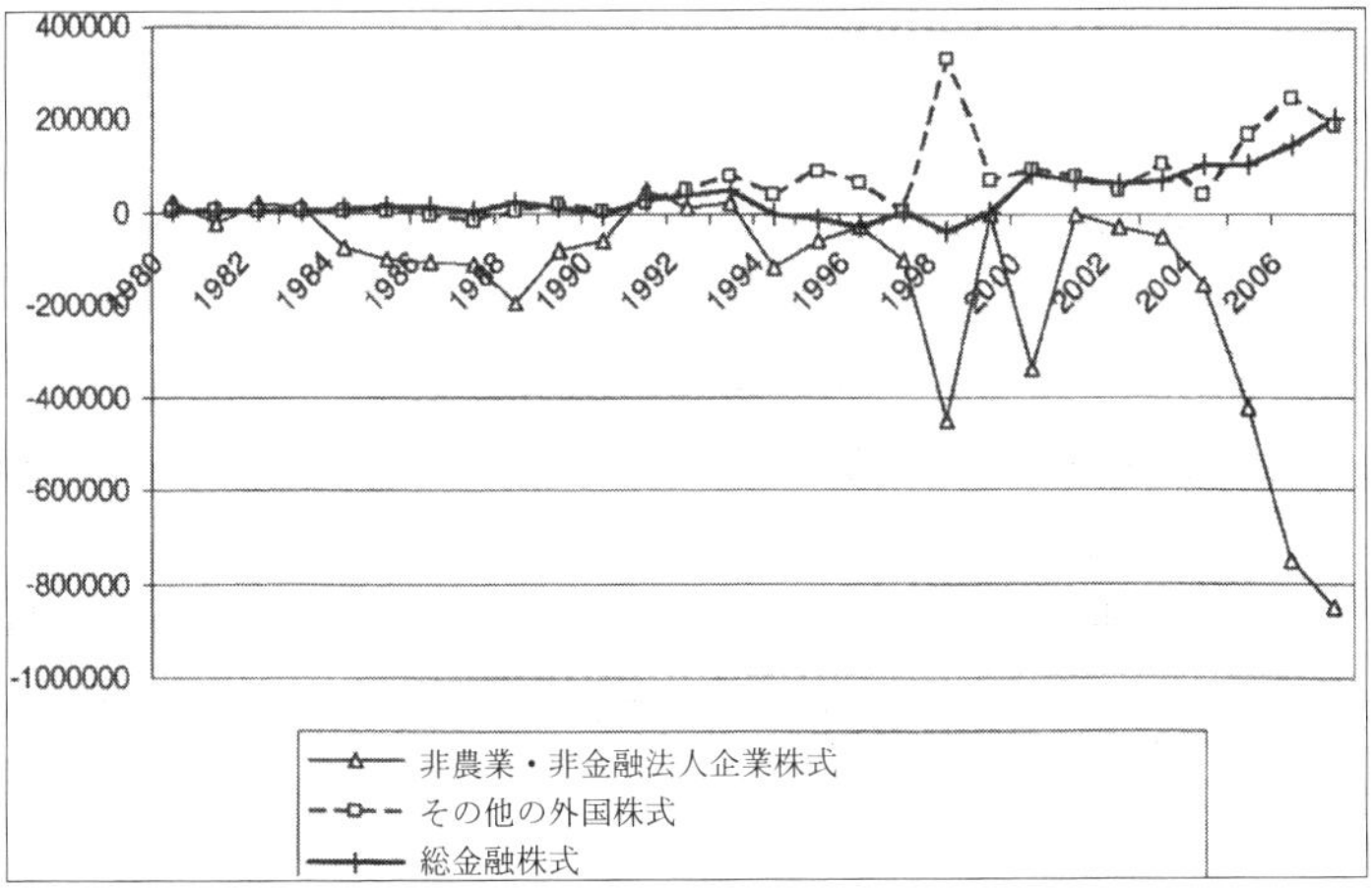

図表6 1980-2007年の米国株式純発行.
出典：米国資金循環統計, 2007年12月6日. 表F.213　株式. 年額, 第4四半期の値.

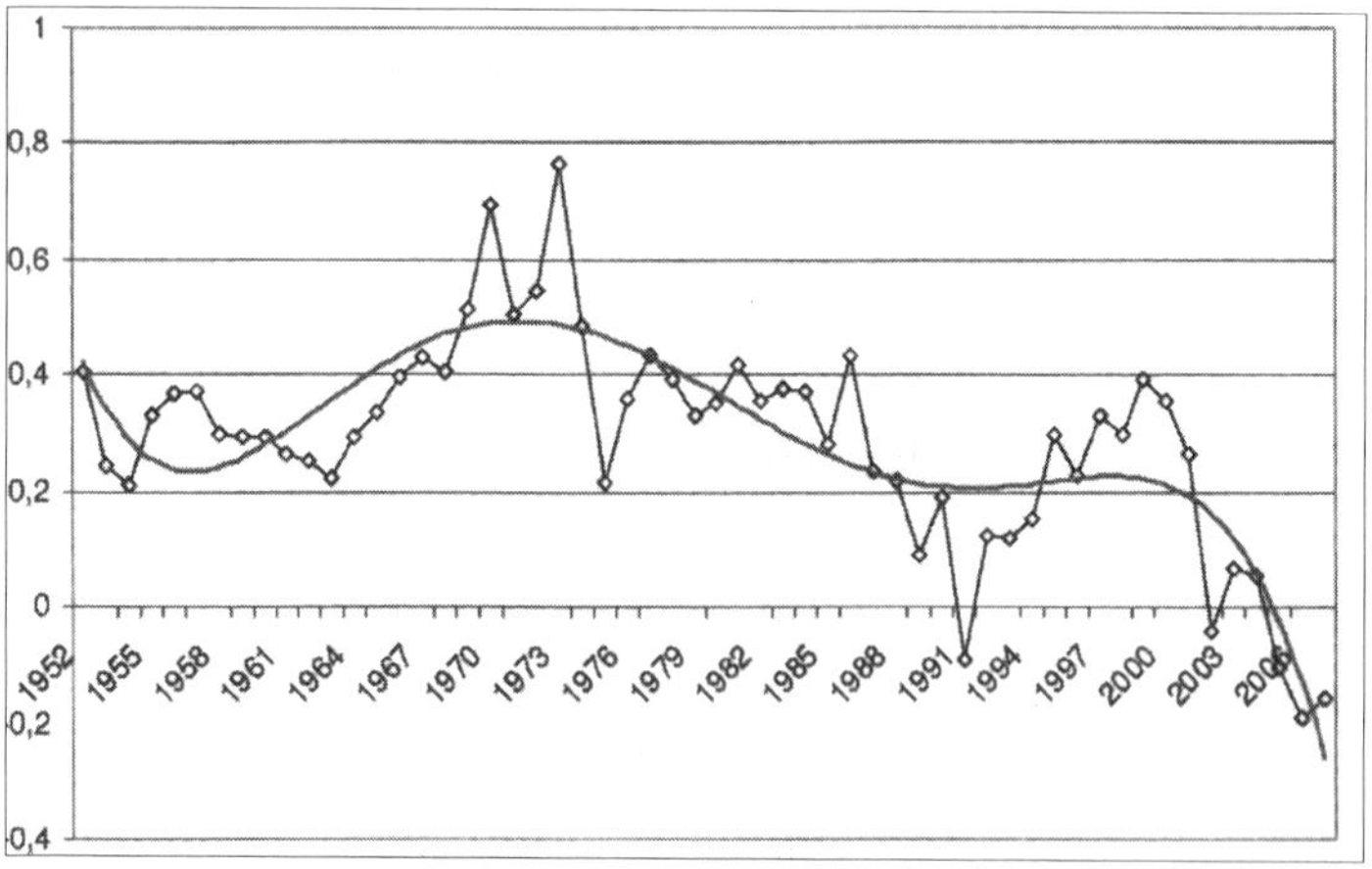

図表7　1952-2007年，キャッシュフローからみた米国の非農業・非金融企業の純資金調達の変化．
出典：米国資金循環統計，2007年12月6日．表 F.213　株式．年額、第４四半期の値．５次の多項傾向曲線．

この変化は買戻し戦略の発動と、それによる株主にとっての価値への不安を反映したものであるのかもしれない。いずれにせよ、金融市場は株式市場に限られるわけではない。視野を広げて、より全体的な脱債務現象が起きていることを観察するのは重要である。なぜなら企業の資金調達の全体的な流れ（株式発行＋債券発行＋様々な信用）は、一九九一年、二〇〇二年、二〇〇五―二〇〇七年の二年間にマイナスだからだ（**図表7**および**8**を参照）。これは基本的には二〇〇〇年のショック後に限定された現象である。大規模な企業債務の再編が起きているのだ。

e　企業の金融蓄積と《実物》蓄積

金融化に対するもう一つのアプローチは、「実物」蓄積と金融蓄積の役割を比較することにある。多くの著者が金融蓄積の優位を正当化するために、金融投資の重要性に対する生産投資の弱さを強調してきた。そしてこの脆弱さは、株保有者たちの権能のあらわれだと説明する。株保有者たちが取り分を増やすために投資の自己調達を犠牲にしているというのだ。それならば配当金の増加も同様に検討しなければならない。

米国の場合（**図表9**参照）、企業の投資支出の変化が観察され、七〇年代の半ばに規則的な成長の傾向（名目価値）が表れる。二〇〇〇年から二〇〇三年の間は明らかに中断しているが、続いて反発が見られる。投資は、マクロ経済レベルでは、利潤の増加に支えられているようには見えない。最近の時期（二〇〇五―〇七年）をみると、利潤が顕著に回復し、実物投資に追いついている。この回復は投資の値が相対的に低いことの結果と考えられるが、投資は二〇〇三年から回

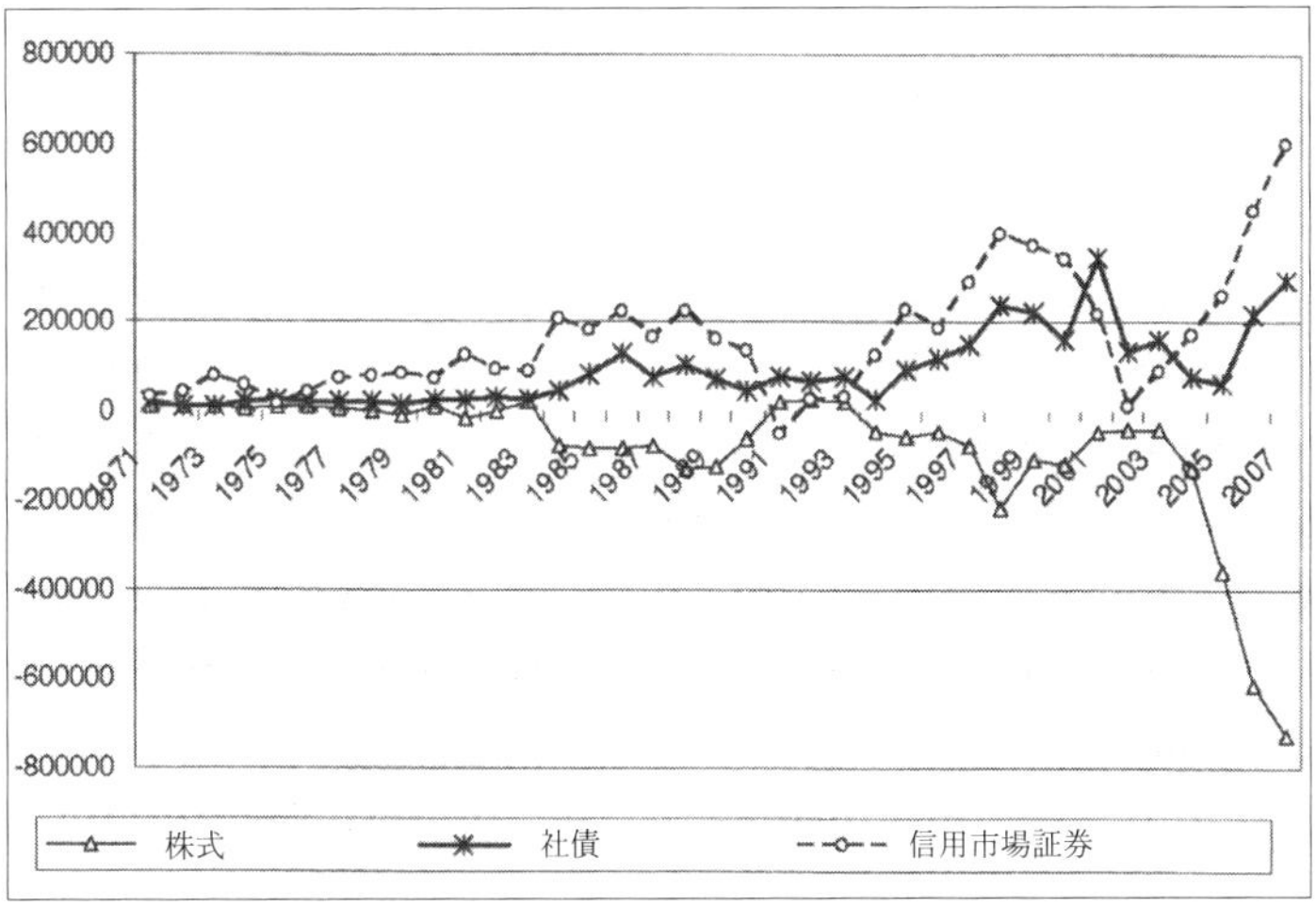

図表 8　1971-2007年, 米国の諸企業の実物財向け資金調達.
出典：米国資金循環統計, 2007年12月6日. 表 F.102 非農業・非金融法人企業. 第 4 四半期の平均値.

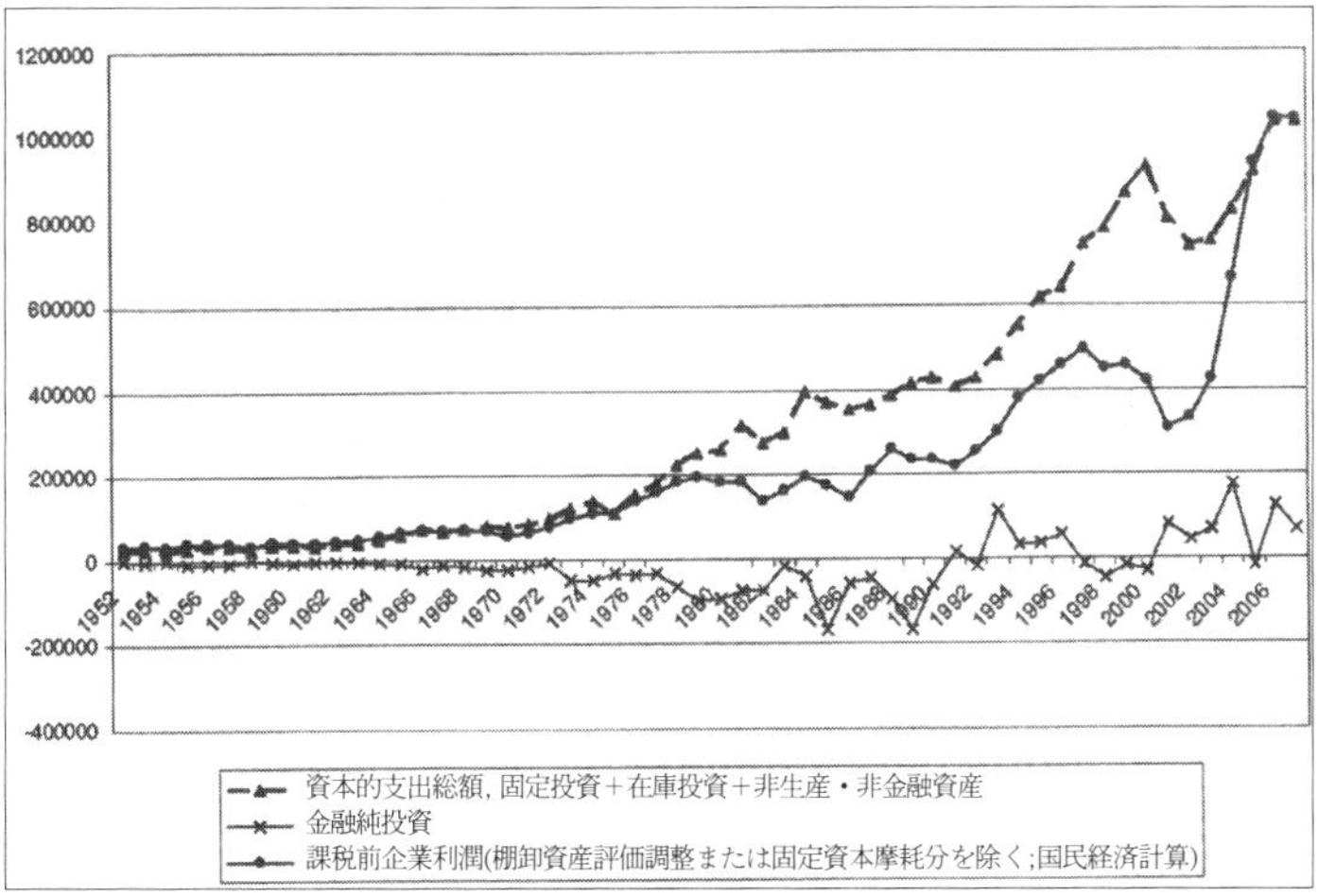

図表 9 企業の投資, 金融純投資, 課税前利潤の変化 (単位＝百万ドル).
出典：米国資金循環統計, 2007年12月6日. 表F.102　非農業・非金融法人企業. 年額, 第 4 四半期の値.

復し、二〇〇六年に七年間の移動平均に達している。

金融投資に関しては、その実物投資に対する値は相対的に上昇している（**図表10**参照）。比率（金融資産への支出に対する資本的支出）の値は、いくつかの例外をのぞき、だいぶ以前と比べても高くはない。戦後の最高値は一九八一年（原文の間違いと思われる）の値である（一二）。最近の最高値を示しているのは二〇〇三年（九）で、一九九二年（四・八）がそれに続く。歴史的傾向は二〇〇三年以降、減少傾向にあり、これは金融活動の比率が資本的支出に対して増加したことを意味する。超長期的（一九五二年—二〇〇七年）な平均は三・〇二である。一九七〇年までは（減少傾向をみせながら）平均よりもかなり上にあり、その後、今日まで平均以下にとどまっている。

この超長期の初期には非農業・非金融部門の企業は金融資産一ドルにつき固定資本で四・四ドルを投資していた。その後、例外をのぞいて（そして特に二〇〇〇年から二〇〇四年の時期には）比率は長期の平均を下回るようになり、金融資産への投資一ドルあたり、固定資本に投資されるのは三ドル以下になる。一九七〇—二〇〇七年の平均は二・四三である。

一九七〇年から二〇〇七年の線形的傾向は上昇を示しており、それは固定資本の支出部分が、超長期的にみて（わずかに）回復する傾向にあるのかもしれないということだ。一九九七年から二〇〇七年の間に、一一の点のうち六つが長期（一九七〇年—二〇〇七年）の平均二・四を下回ることが確認できる。しかしながら一九九七年—二〇〇七年の平均は二・九に落ち着き、一一の点のうち七つが明らかにこの値を下回っている。つまり金融株は相対的に増加傾向にある。しかしこれを正確に読みとるだけでなく、これがごく最近、二〇〇三年にあらわれた傾向なのかを確定する必要が出てくる。これらの根拠のみに基づいて、突然の断絶および根本的な変化を示唆することは難しいが、この分析には改善の余地があるだろう。

f　企業投資の変化

国内総生産に対する企業の投資支出は（**図表11**参照）六%から一〇%の間を上下する。一九五六年から二〇〇六年までの長期でみると、国内総生産に対する投資支出は、やや上昇する傾向（線形）を示している。しかしこの傾向を多

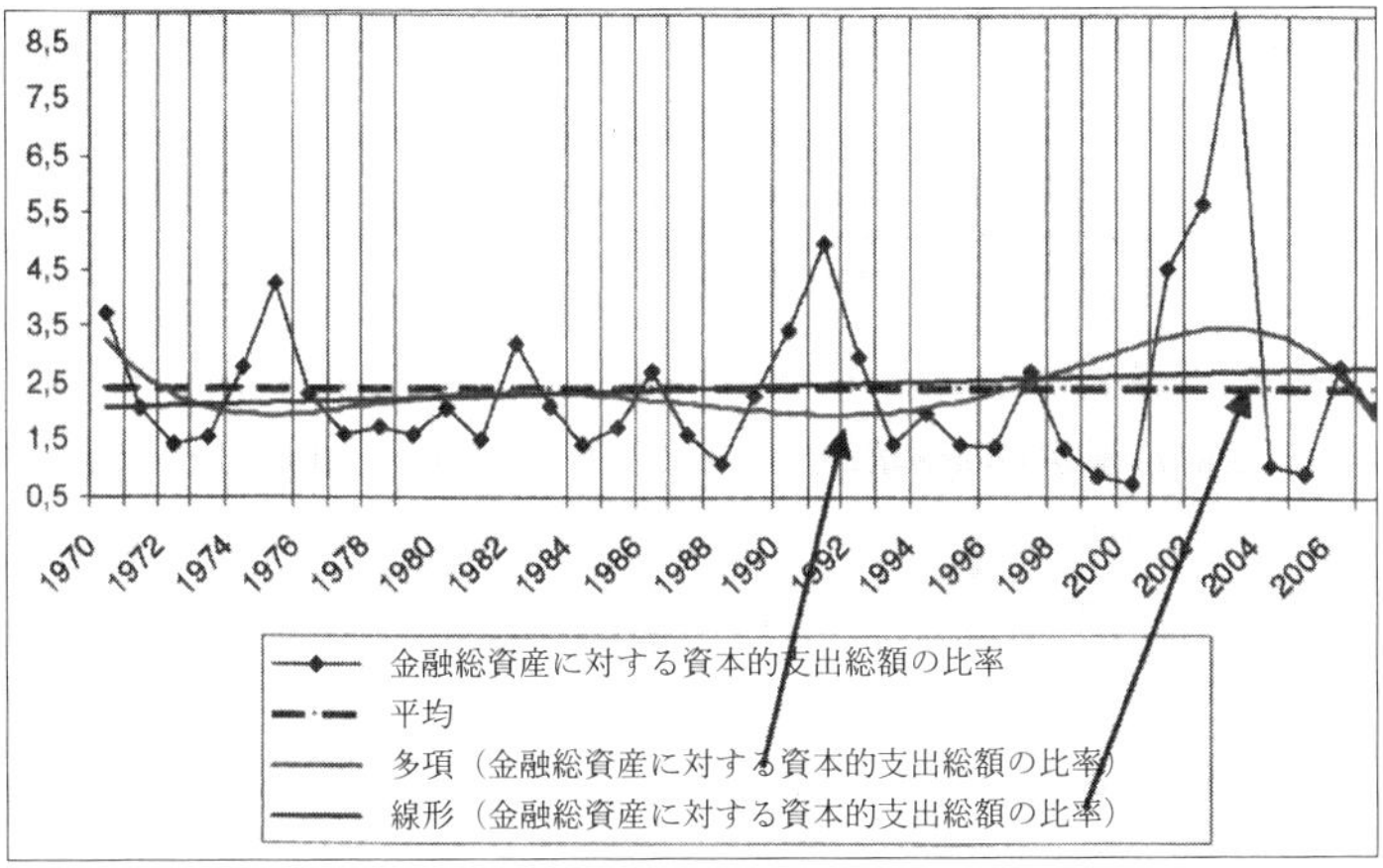

図表10 1970-2007年の米国における比率(金融資産の総取得に対する実物資本の支出).
出典：米国資金循環統計，2007年12月6日　表F.102　非農業・非金融法人企業．年額，第４四半期の値．
比率＝[資本的支出総額，固定投資＋在庫投資＋非生産・非金融資産]／GDP

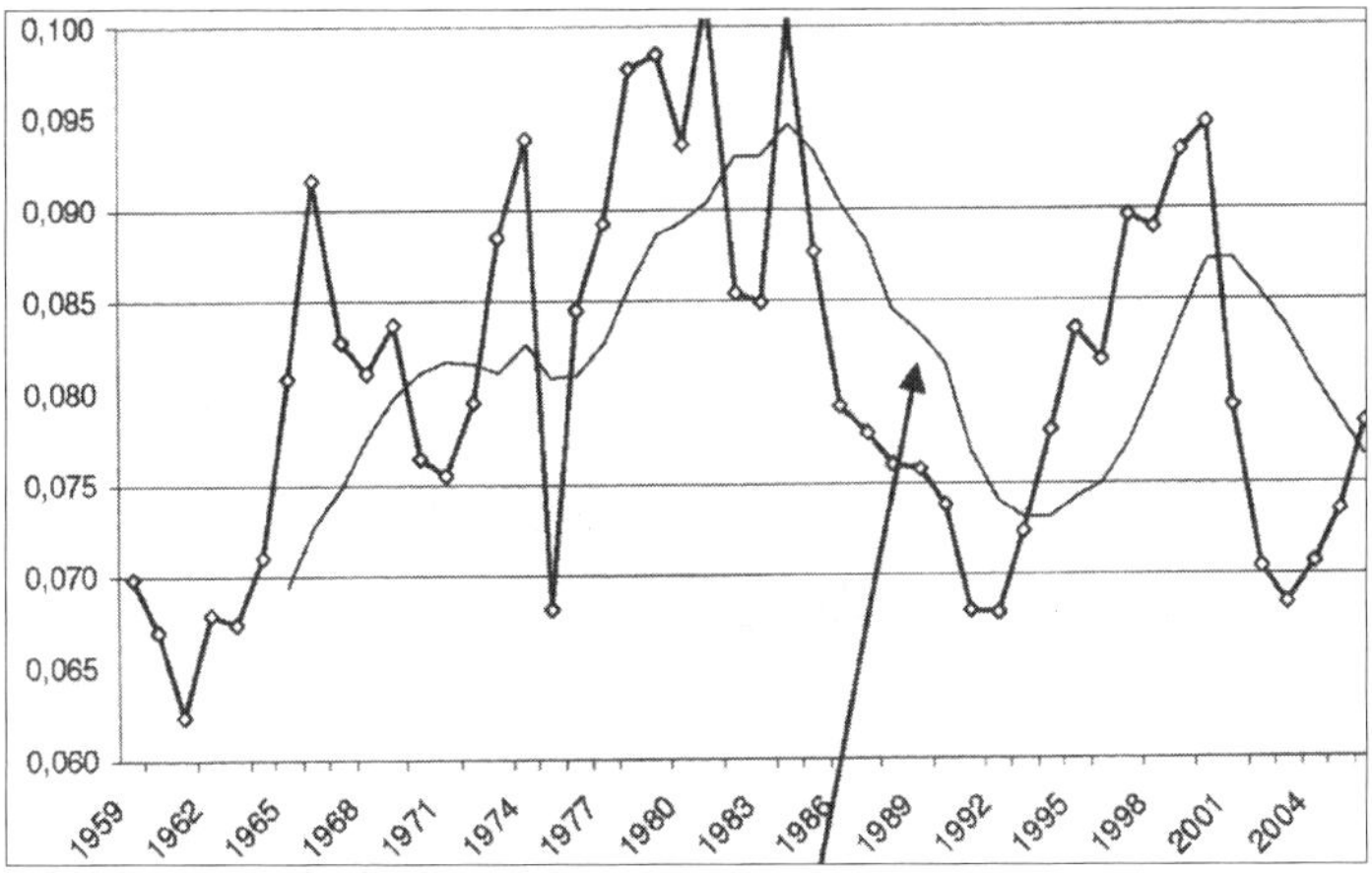

図表11　非農業・非金融企業，投資支出（株式《ストック》の変動を含む）の対GDP比，米国，1959-2007年．
出典：米国資金循環統計　2007年12月6日　表F.102　非農業・非金融法人企業．年額，第４四半期の値．
比率＝[資本的支出総額，固定投資＋在庫投資＋非生産・非金融資産]／GDP　７年間の変動月額．

項式の関係で示すと、二〇〇〇年（値：九・五％、八〇年代半ば以降の相対極大値）以降むしろ減少している。一九七〇年―二〇〇六年の時期にも、全体的な傾向（線形）はむしろ減少を示している。最低値は二〇〇二―〇三年に記録した七％と六・八％とで、一九七五年と一九九一―九二年以降は見られなかった値である。

同様に強調できるのは、投資率の傾向が中長期的に減少していることだ。これは八〇年代から観察されるようになる。

g 配当金の変化

配当金は重要な問題だ。企業と株保有者との関係を部分的に明らかにする。わたしたちは、非農業・非金融部門の企業における比率（キャッシュフローに対する純配当）を計算した（**図表12**参照）。一九五二―二〇〇七年の時期は三つの段階に分けられることに気づく。最初の段階は、一九五二―一九七九年（一九％）の相対的な安定。続いて二〇〇一年までの持続的な成長の段階（七八％）。そして二〇〇二―〇五年の突然の減少の段階（二一％）で、最後は再上昇する。配当金が急激に増大する傾向は金融化のシグナルの一つといえるが、フォーディズムの危機とからみ、〈ニューエコノミー〉の危機に影響を受けたように見える。

配当金を支払う企業の数に関するもう一つの情報によって、配当金の相対的な重要性についての情報を補完し、相対化することができる（**図表13**を参照）。一九八〇年以降、この一連の数値の傾向は減少である。一九八〇年から一九九七年までの間にやや減少、その後一九九七年から二〇〇一―〇二年の間に強い減少傾向が見られる。米国新減税法以降は再上昇しているようだ(13)。

部分的な結論

この論考では、金融化を経験主義的な手法で見きわめる際の難しさ、または曖昧さを例示してきた。調査はまだ最終段階、すなわち提案された解釈を系統的に項目立てし、経験主義的な観点からテスト、もしくは分析するまでには至っていない。読者が、以下の点について納得してくれたことを願う。（ⅰ）声高に叫ばれている断絶を証明する現象の不在、または少なくともその不足。（ⅱ）これらの現象の少なくとも一部に歴史的な継続性を見いだすことを可

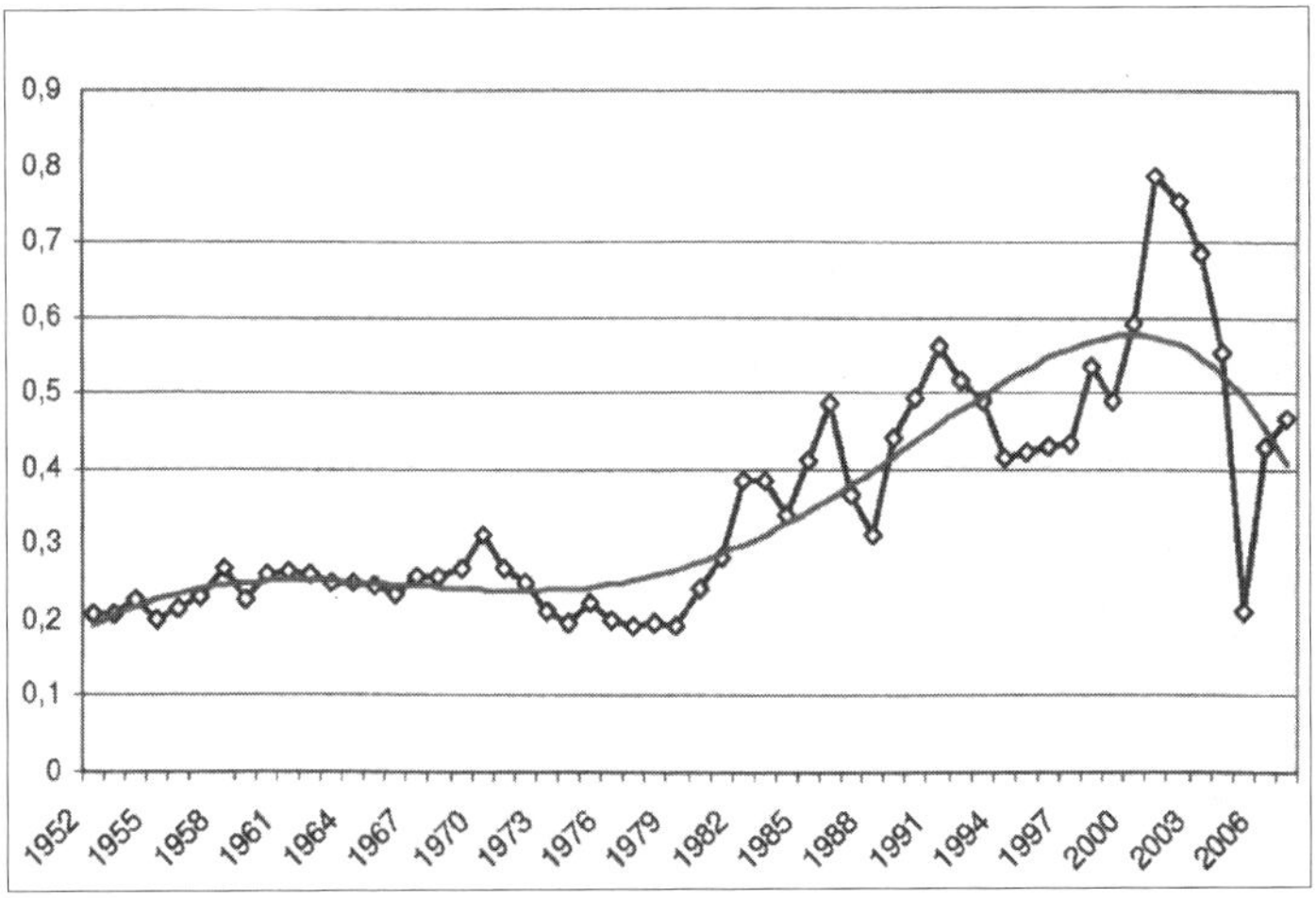

図表12 企業利潤に対する純配当額の比率．米国，1959-2007年．
出典：米国資金循環統計，2007年12月6日．表 F.102 非農業・非金融法人企業．年額，第4四半期の値．比率＝[純配当額／課税前企業利潤]．5次の多項傾向曲線．

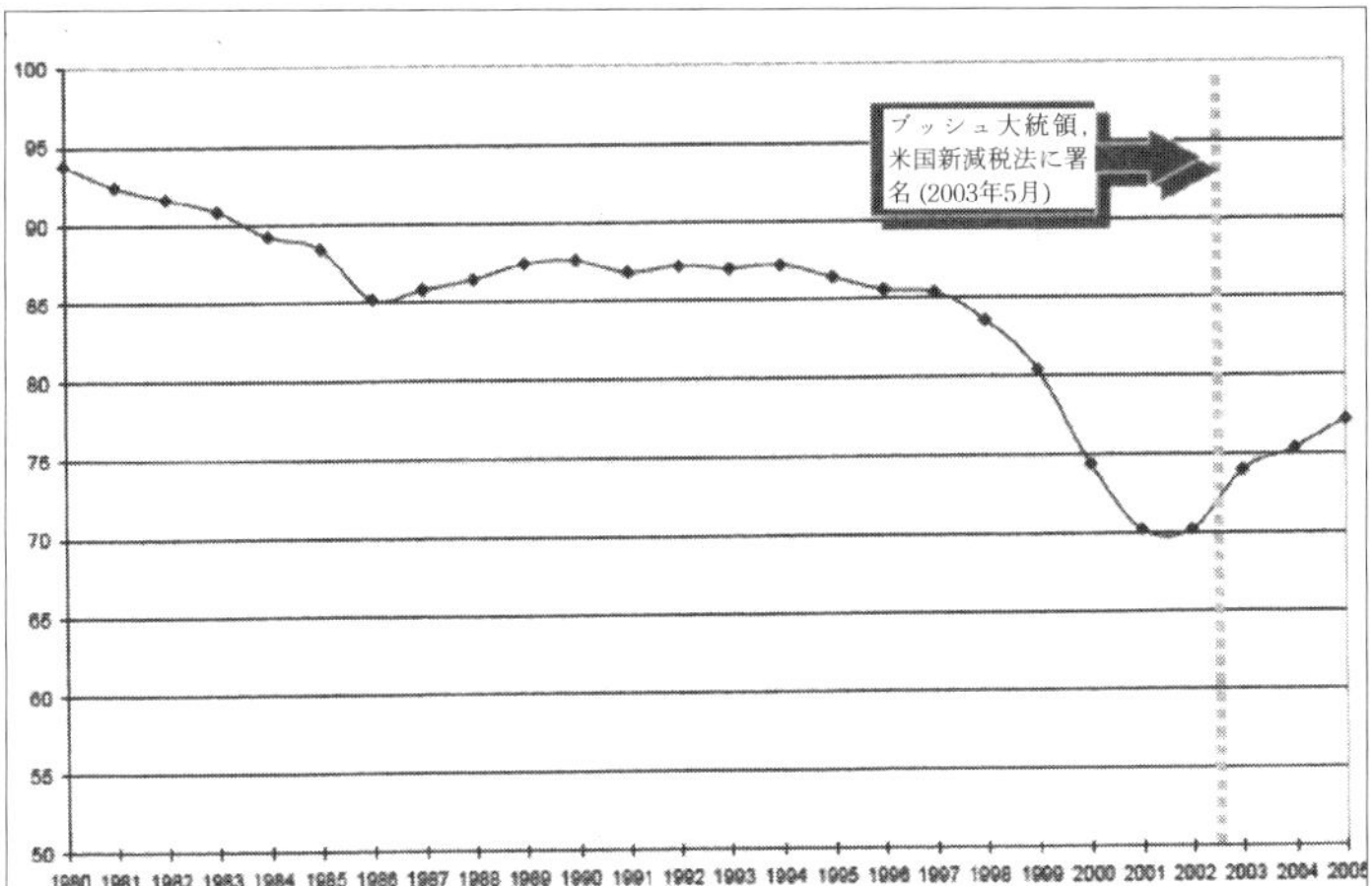

図表13 スタンダード・アンド・プアーズ500種指数に採用され，配当金を支払う企業の比率 (百分率)．
出典：スタンダード・アンド・プアーズ社．

能にする、長期的な視点に対する関心。

後者の分析的な価値は、金融化のプロセスが、ずっと以前、すなわちフォーディズムの危機が吸収されていった時代に根ざしているように思われるという点にある。金融資本主義出現説を主張する人々は、しばしば、その形成の鍵となる要素は一九九〇年代、とりわけ〈ニューエコノミー〉の時代に現れたと説くようだ。しかし、この種の資本主義の出現を意味する、または明らかにする諸現象のより重要な部分は、それほど新しくはない進化の道筋の延長上、とくに金融市場の自由化に組み込まれている。他にも重要な進化の道筋が観察されるが、それらはごく最近生じたものだ。なかには金融資本主義あるいは金融化について言われるようになって以降のものもある。

認知資本主義における金融の位置をめぐる四つの問題

a 金融化の問題

金融化という言葉は何を意味するのか？　わたしたちは量よりも質的な定義を提案する。つまり金融の論理が経済の論理に勝るという時代に金融化が起こるということだ。言いかえれば、経済的フローのもつ価値よりも、財産の増減項目の変化を基準に行動を決める時代である。金融化は、行動の「財産化」と翻訳される。これは観察される事項、すなわち賃労働関係の金融化および企業の金融化とよく調和している。(14) 金融化は広く普及した現象であり、マクロ経済のレベルでは、資産経済《アセット・エコノミー》の出現と翻訳される。このような形で問題を提示するのは、決して新しいことではなく、K・ボールディングが一九四〇年代の終わりに提案したアプローチを再利用するものである。

b 金融市場、統治性の新しい形態

生政治の概念に立ち戻ろう。それは権力が人々の統治に取り組む仕方をさしている。これは、認知資本主義論の推進者の一部にとってきわめて中心的な概念である。(15)

フーコーによれば、[16] 生政治は、資本主義の統治技術を明示するいくつかの原則に基づいている。それは教育、健康、食物摂取、性行動などの管理手段を通してあらわれる。生政治は生に関わる側面を拠り所とし、それらは福祉政策の対象となる。フォーディズム時代にはこの福祉政策が、B・テレが連帯の原則にもとづく「生の資本」[17] と呼ぶものの責任を引き受けた。すなわちフォーディズムと福祉国家との徳高き同盟である。逆に、それに続く時期は福祉国家の危機であり、報酬の個人化政策、また社会保障体制の誘導的な民営化を特徴とする。金融化は公の債務によって誘発された。

統治性という観点からみると、民営化と個人化は以下のように説明される。商業的な金融統治性が、フォーディズム型の国家的生政治にとって代わり、すべての個人は金融システムに依存している。クレジットや、年金や保険や賃金貯蓄を投資に向けることによって、ある金融のロジックに入りこむ。そのロジックは、個人の生に重くのしかかる制約を通して、またとらざるを得ない財産戦略のいくつかを通してあらわれる。これらの制約のために、創造的な能力を金にしようと思案したり、現在および将来における支払い能力を保証しようとするようになる。同時に、とくに賃金労働者たちは統合失調症的な状況に押しやられていく。

c 金融、新たな資本の流出と新しい対立の表象

金融の不安定化はフォーディズムの危機に次いで起こったのではなく、この危機の一部をなすものである。これまで展開してきた経験的な分析は、進化の道筋がはるか昔にその起源をもち、長い道のりを経てきたことを示唆している。最近になって目に見えるようになり、構造的に重要性を持つようになってきただけだ。

アントニオ・ネグリが提示した分析にもとづいて、この長期間におよぶ歴史的な発展をたどることができる。ポストフォーディズムへの長い移行の歴史のなかで、一番に位置づけられるのは労働者の新しい主体性と行動様式である。これらはフォーディズムの危機（ますます制御しがたくなっている）をひき起こし、再形成のプロセスを接ぎ木する創造

主的行為をうながすかもしれない。一九七九年の連邦準備制度理事会の決定は、当時安楽死に向かっていたフォーディズムの混乱に対する資本からの政治的回答とみなすことができる。[18] 連邦準備制度理事会の決定は、とりあえず、ポストフォーディズム時代の到来を特徴づける二番目の出来事と位置づけられるだろう。

重要なのは、ポストフォーディズムにおける金融資本の位置付けに関して、わたしたちがこの分析から引き出す解釈だ。すなわち、金融は資本の流出《エクソダス》と考えることができる。資本は、もはやこれまでと同じ方法、同じ規模で産業に向けられることはない。つまり、もはや長期的な展望を引き受けることはないということだ。金融市場と同じゲームに参加し、大きな移動性と可塑性を得る。こうして固定化が長引くのを避けるのである。資本は金融を介して、利潤の相当の部分を横領するようになり、一方で生産と競争をめぐる従来のルールは根本的に変化する。資本は「実物」からかなりの距離をおくようになり、ひとつの切断の形式が完成した。資本と労働の対立は新しい形をとるが、その構造は資金調達の長く複雑な道筋に左右される。

d 金融と〈コモン〉の評価

金融には多くの役割があるが、そのひとつが未来に関わる諸決定の象徴という役割である。ポストフォーディズムにおいては、金融は生産力を評価する立場にあるが、この生産とは認知的、すなわち共有され、協働する生産、つまり〈コモン〉であり、未来に投影された生産を意味する。グローバルな市場での資本の自由な動きを考慮すると、しばしば複雑な過程をへて直接・間接を問わずグローバル化する生産には、それ自体グローバル化された評価システムが対応する。

根本的な不確実さゆえに、新手のリスク管理手段が生みだされるに至った。なかでももっともよく知られているのは金融派生商品《デリバティブ》である。市場のリスクを社会化する効率は、生産物の基礎部分について伝えられた情報の明確さとその理解に応じて想定される。周知のことだが、今日では、金融市場自体の内因によって生まれる追加的リスクは高い。

金融市場は、決定基準や意見《オピニオン》、さらには信念に左右される評価をもとに動く。[19]本来、それらには真実に忠実な表象を生みだす力はない。金融の領域は基本的にさまざまな判断と正当化を生むが、それらは（もはや）「実物」に根ざした価値を反映するわけではない。それは一方で、評価が部分的に将来のパフォーマンスを表現するからであり、他方で、価値尺度の危機が存在するからだ。この危機は、生産性の要因を見きわめる上での創意と困難によって、すなわち生産性の源をたどることの難しさによって説明される。表明され、行使されるのは、グローバルな判断だけだ。

このように金融に関わる話はすべて、政治的な性質をもつ。一方で、金融の権威、専門家、経営者たち、すなわち「権限を与えられた」人々を巻き込む。その一方で、信頼を創出し、意見《オピニオン》を広めることを目的とする。金融市場は意見《オピニオン》の市場であり、そのあり方は決して民主的ではない。仲介者や専門家たちが、管理のメカニズムとメディアの空間とを独占するからだ。新しいテクノストラクチュアの主役は彼らだ。彼らだけが、規範としての機能を保証するのである。

金融が言葉のうえで〈コモン〉であるとしても、それが搾取の源泉になったことを認めなければならない。金融外的価値[20]を株式市場の評価に組み入れるのは、ある意味でそれらを管理下におくためのひとつの方法なのだ。

全体的な結論

この論考では、現代資本主義における金融の役割について、ケインズ主義にもとづく分析を展開した。この分析は、企業のガバナンスが作用する条件の研究を中心にしたより制度的な分析、とりわけ権力関係を中心とした分析を補完するものだ。認知資本主義は、金融資本主義の到来という仮定を代用する仮定ではない。金融化が正当化され、成長する機会を見いだすのは、認知資本主義の文脈においてである。認知資本主義によって、権力関係および諸制度の役割研究に立ちもどるアプローチが不利になるわけではない。というのも金融化の力は、企業の制度的なレベルを越えたよりグローバルな展望のなかで、再度位置づけられねばならないからだ。

注

＊ ここに掲載したテクストは、最近 Gabriel Colletis と Bernard Paulré 監修の著作 *Les nouveaux Horizons du capitalisme*, Economica, Paris 2008 に発表された“Capitalisme cognitif et financiarisation des économies”の短縮版である。部分的な翻訳を許可してくれた Economica 社に感謝する。フランス語からの翻訳は、ステファノ・ルカレッリによる。〔監修者注〕

（1）ここでは、フランス語の activités de l'esprit を、フランス語の表現に、イタリア語訳には持たせることのできないニュアンスがあることは承知の上で、attività intelletuali（「知的活動」）と訳す。〔イタリア語訳注〕

（2）多くの実証的な研究は、最近二〇年間に非物質的投資と知識管理の実践が明らかに増加していることを示している。わたしたちが注目するのは、現象の量的な重要性よりも、質的な中心性である。Bernard Paulré, “Le capitalism cognitif. Une approche schumpéterienne des économies contemporaines”, in *Les nouveaux Horizons du capitalisme*, a cura di Gabriel Colletis e Bernard Paulré, Economica, Paris 2008 を参照。

（3）「大危機」は、フランスのいわゆるレギュラシオン学派に典型的な概念である。イタリア人の読者には、アンドレア・フマガッリとステファノ・ルカレッリの解説論考を含む Robert Boyer, *Fordismo e Post-fordismo. Il pensiero regolazionista*, UBE, Milano 2007 が役立つであろう。また Bernard Rosier, *Le teorie delle crisi economiche*, a cura di Pierre Dockès, Bonanno Editore, Acireale-Roma, 2003 を参照のこと。〔イタリア語訳注〕

（4）ここで述べたことは、フランスのレギュラシオン学派のアプローチを想起させるかもしれない。しかしながら、むしろレギュラシオン学派の手法にとどまらない、基本的な方法論的原則に対応していると考えられる。

（5）「変曲点」とは、湾曲または凸状の変化があらわれる点——ある与えられた動きに関して——のことである。〔イタリア語訳注〕

（6）ここではとりわけ、弁証法の問題およびヘーゲルについて示唆している。同様に、この点に関連するのは、カタストロフィ理論などの数学的テーマや、スティーヴン・ジェイ・グールドの「断続平衡説」、あるいはイリヤ・プリゴジンの分析などである。

（7）参照、Girbert Colletis, *Évolution du rapport salarial, financiarisation et mondialisation*, Cahiers du GRES, n.15, 2004; Gilbert Colletis et alii, *La financiarisation des stratégies: transferts de risque, liquidité, propriété et contrôle*, Cahiers du GRES, Paris 2007-09; Laurent Batsch, *Le capitalisme financier*, La Découverte, Paris 2002; Roland Pérez, *La gouvernance de l'enterprise*, La Découverte, Paris 2003.

（8）Michel Aglietta, *Le capitalisme de demain*, Fondation Saint-Simon, Paris 1998.

（9）Paulré, Bernard, *Le capital-risque aux États-Unis*, Rapporto puor l'Institut CDC, 2001.

（10）わたしたちはこの点では同時に、ポスト・ケインズ派と一部のマルクス主義的分析に特徴的な不安を共有し、純粋なガバナンスに限定せず、より広い視野をとる。

（11）Gerald A.Epstein (a cura di), *Financialization and the World Economy*, Edward Elgar, 2005.

（12）著者が、市場における投機的取引をさすために使用している言葉は rotations である。〔イタリア語訳注〕

（13）二〇〇三年、ジョージ・・ブッシュは企業の利潤に対する二重課税の撤廃を提案し、キャピタルゲインと配当金に対する税金を、二〇〇八年まで一五％に引き下げる（二〇％の水準から）ことを決定した。もっとも低い収入への課税は一〇％から五％に引き下げられた。

（14）参照、Gilbert Colletis, *Évolution du rapport salarial, financiarisation et mondialisation*, cit. および Gilbert Colletis et alii, *La financiarisation des stratégies*, cit.

（15）Antonio Negri, *Fabblica di porcellana. Per una nuova grammatica politica*, trad. it. Feltrinelli, Milano 2008.

（16）Michel Foucault, *Nascita della biopolitica. Corso al Collège de France(1978-1979)*, trad.it. Feltrinelli, Milano 2005〔邦訳『ミシェル・フーコー講義集成８　生政治の誕生』慎改泰之訳、筑摩書房、二〇〇八年〕

（17）Bruno Théret, "État, Finances publiques et Régulation", in Robert Boyer et Yves Saillard (a cura di), *Théorie de la régulation, l'état des savoirs*, La Découverte, Paris 1995 を参照。

（18）ポール・ヴォルカーは、連邦準備制度理事会議長に任命されて後、二ヶ月足らずでフェデラル・ファンド金利を大幅に引き上げ、実質金利はプラスとなり、ほぼ三・五％に達した。

（19）参照、André Orlean, *Le pouvoir de la finance*, Odile Jacob, Paris 1999.〔邦訳『金融の権力』坂口明義・清水和巳訳、藤原書店、二〇〇一年〕

（20）持続的な発展、社会的責任等の倫理的配慮を指す。

グローバル危機、グローバルなプロレタリア化、対抗パースペクティヴ*

カール・ハインツ・ロート

序文

わたしたちが突入しつつある世界的な歴史状況においては、政治的生活と社会‐経済的生活をむすぶあらゆるメカニズムの布置がこれまでとは変わっている。わたしの世代にとってこれは、一九六七―七三年以来、二度目の時代を画す変化となるだろう。ここ数週間に起きた主なできごとと指標はことごとく世界経済危機の始まりを示しており、その規模は現時点ですでに一九七三年および一九八二―八七年の危機を超え、一九二九―三八年の世界恐慌（とそれに続く不況）に近づきつつある。

かくも巨大な難題を前に、わたしたちはいかに反応すべきだろうか？ これがいまや決定的な問いとなっている。そのためわたしは、二〇〇五年に「世界の状況」で提示した仮説に対する批判への返答として準備していた試論をすっかり書き直した。ここに発表するのは、これまで進めてきた思考と研究の成果である。このような成果は書籍として出版されるまえに、継続的な対話によって再検討に付され、修正され、敷衍されるべきものである。それゆえ本論は暫定的なものであり、概要に過ぎない。ここには二〇〇八年一一月二七日にショルンドルフ工場で行われた議論、インターネットサイト「ワイルドキャット」上で行われた集団討論、二〇〇八年一二月一三日に行われた「介入主義的左派」(1)セミナーの成果だけでなく、友人と交わした議論の成果も含まれている。その過程で、多くの弱点や曖昧な事柄、欠点が克服された。けれど時間の制限のため、いくつかの反論に答えられるのは次の著作のなかでということになるだろう。読者諸兄にはご理解頂きたい。ここに提示する主張が、それでもなお、わたしがどのような基盤に立って分析上のアプローチを行い、概念上の提案をしているかを明らかにするに足るものであればと願う。討論に参加してくれたすべての人に対して、批判による助けと大いなる激励に感謝したい。あれほどまでの連帯感に包まれた豊かで構築的な討論に参加したのは数年ぶりである。

1. 新たな世界経済危機

a これまでの展開

二一世紀最初の世界経済危機は、構造的な危機、すなわち生産過剰の危機——とりわけ自動車産業において——として、またアメリカ、イギリス、アイルランドおよびスペインでは不動産危機として二〇〇六年に始まった。それはグローバル規模で六年間続いた信じ難い好景気の終焉だったが、この好景気は資本関係をさらに拡大させ、新旧さまざまな投機上の副作用をもたらしてきた。およそ可能であるとは考えられていなかった展開である。高騰していた家屋、アパートおよびその他の財の価格は急速に下落し、この下落によりそうした所有財を担保とするローンやモーゲージ債の価値がどんどん危うくなっていった。さらに、アメリカの三大自動車会社およびヨーロッパ、日本の自動車会社がいくつか販売台数の劇的な減少を被ったことで、資本集約的な産業生産部門において世界規模の危機が始まった。

この危機は二〇〇六年末から二〇〇七年初頭にかけて金融部門を侵食し始める。住居用・商用不動産価格の下落が拡大し、世界的な不動産ローン危機にまで発展した。地方の抵当銀行は莫大な負債を抱えて赤字に陥り、二〇〇七年六月にはアメリカの投資銀行ベア・スターンズが傘下のヘッジファンド二社の清算を余儀なくされる。それまでは一度もなかったことである。こうしたアメリカの不良不動産抵当ローンは、世界中に捌かれたクレジットデリバティブ

（債務担保証券ＣＤＯ）に組み込まれていたため、その価格が下落し、つづいてリスクプレミアムが増すことで、グローバル規模で連鎖反応が生み出され、イギリス、アイルランドおよびスペインの不動産ローン危機と重なった。この〈サブプライムローン〉危機は、二〇〇七年夏に最初の頂点に達した。そのグローバルな性質は、事態の周縁に位置していた銀行が破綻するのを防ぐため対策が開始されるや否や明白になったが、その一方こうした状況を生み出してきた歪みは、アングロサクソンの危機にその起源があった。ドイツ産業銀行（ＩＫＢ）やザクセン州立銀行（SachsenLB）における流動性の不足、そしてスイスの〈総合金融機関《ユニバーサル・バンク》〉ＵＢＳの莫大な負債と営業損益がその例である。

二〇〇七年夏に五回ほど生じた衝撃波を皮切りに、不動産ローン危機は世界規模の金融危機となり、二〇〇八年九月にはすでに金融システム全体を覆っていた。二〇〇八年三月、アメリカの投資銀行ベア・スターンズと、同じくサブプライムを扱っていたイギリスのノーザン・ロック銀行が破綻。それを受けて、前年のドイツによる救済的介入に続き、アメリカとイギリスも大規模な公的介入を行った。ノーザン・ロック銀行が政府支援による包括的保証を受けた一方、ベア・スターンズはニューヨーク連邦準備銀行による緊急支援を受けたが、結局ＪＰモルガン・チェースに買収されることになった。

同年九月にはさらなるショックが訪れる。月初めにアメリカ最大の金融機関である連邦住宅抵当公庫（Fannie Mae）と連邦住宅金融抵当金庫（Freddie Mac）が、政府の大規模な支援によって破綻を免れたのだ。これに続き、同月半ばにはリーマン・ブラザーズが破綻した一方、メリルリンチは〈総合金融機関〉バンク・オブ・アメリカの緊急買収によって救済された。しかしながら、それに続く数ヶ月間で致命的な打撃を受け、商業銀行への転換あるいは商業銀行との合併により舞台から姿を消したのは、投資銀行だけではない。第一線の保険会社もまた、同時期にアメリカ最大の保険会社であるＡＩＧが事実上破綻したことが示しているように、危険な状態にあったのである。不良化したのはだいたいが特定のクレジット・デフォルト・スワップ（ＣＤＳ）だった。ＣＤＳは通常、世界規模で債券を購入する者が、市場外の双方向契約において、債券発行者の債務不履行に対する保険として使用するものである。その際、中央清算機関が存在せず、またCDS契約は伝統的な再保険（保険者がリスクを避けるため、自らの保険責任にさらに保険をかけること）規制に縛られないため、高いリスクに晒されていることになる。これまで、少なくとも六〇兆ドル分のCDSが世界に配布された。それゆえAIGのごとき主要軸が破綻すると、致命的な連鎖反応がもたらされかねない。実際AIGは、現在までに一五三〇億ドルに達する一連の政府支援によって救済されたのである。にもかかわらず、二〇〇八年九月、サブプライムローン危機がグローバルデリバティブ市場（最低でも六〇〇兆ドル、最大で一〇〇〇兆ドル規模と試算されている市場）の中心要素に対して与えた影響は、（先の拡大サイクルの決定的な推進力であった）金融部門が奈落に落ちつつあることを示した。二〇〇八年九月、商業銀行および七〇年代に生まれた投資ファンド（ヘッジファンド、プライベートエクイティーファンド、年金ファンド）を含む国際金融システム全体が激震に見舞われたのである。

その衝撃波が今も変わらず続いていることは、グローバルに活動しているあらゆる銀行の莫大な負債と営業損益から明らかである。増え続ける〈不良債権〉に対する政府による保証、銀行資本を補塡すべく投入される公的資本、そして拡大しつつある金融部門への国家の介入などは、ほぼすべての先進国で採用された救済策であり、まず確実に政府の議事録に載り続けるだろう。二〇〇七年の夏以来、各国政府は中央銀行による政策金利の一斉引き下げ、破綻したインターバンク市場への流動性の注入、さらに公的管理下での株式と不良債権の回収によって、貨幣・金融市場を前進させようとしてきた。最新のデータが示しているように、いまのところ世界規模の信用枯渇を止め、株主がファイナンシャルファンドから「安全な避難所」である「固い」外貨と国債に逃避するのを留めることはできていない。その理由は単純だ。サブプライムおよびクレジットデリバティブによる損失に続き、クレジットカード、キャッシング、そして百貨店信用による負債が信じ難いほど膨らみつつあるのだ。これらの規模はまだ大部分がはっきりしないが、現実問題としてすでに、かつてはアメリカ最大の商業銀行だったシティグループの事実上の崩壊をもたらしている。グローバル規模の金融・信用危機がいつ終わるのかは見えておらず、しかもこの状況と並行して生じている産業部門の構造的危機もまた悪化し、緩慢な火事のごとく世界経済システムのあらゆる部分を覆いつつある。

信用引き締めの広まりと資本逃避への動向につづき、二〇〇八年九月から一一月の「黒い」四半期に生じた出来事は、世界中の金融市場、つまり長期の資本信用を企業株、社債そしてエクイティ・デリバティブ（オプション、先物取引）として取引することで資本の再生産を行っていた業界にも到達した。株価の下落はまず構造的に脆弱だった企業（とりわけ自動車産業）の市場価格下落を引き起こし、それからあらゆる上場株式に広まった。二〇〇八年初頭以来、アメリカ、ヨーロッパそして日本の株価指数は平均で三五—四〇％下落した。九月と一〇月の騒乱は前世紀の世界経済恐慌を思い出させた。秋には新興諸国の株式市場が危機の影響を明白に被りはじめる。資本損失があまりに早く増大したため、あらゆる投機的割高株が駆逐されたのみならず、金融資産が大規模に破壊される状態が生じた。いわゆるBRIC（ブラジル、ロシア、インド、中国）の株式市場は前年比で六〇—七〇％の下落を記録した。

世界経済危機への転落をもたらした三番目の決定的要因は、二〇〇八年七月以来、食料品およびエネルギー価格急騰のあとで生じた一次産品価格の大暴落であり、これが投機バブルから正真正銘の危機への古典的とすら言える転換を印した。これまでに原油価格が最高一バレル一四七ドルから四〇ドル未満まで下がっている一方、工業用金属と農業で用いられる原材料（綿など）の価格は半減し、基本食材（米、とうもろこし、麦）の価格は三分の一ほどに下がっている。貴金属はまだ先物商品市場で安定を保っているが、金の価格ですら下降傾向を見せている。——こうした展開を念頭におけば、輸送コストもまた急激に下落していることは驚くにはあたらない。多くの場合それは一次産品価格の重要な要素だからだ。もっとも顕著なのは、世界的輸送網の主要手段である海上輸送が被っているデフレ傾向である。その価格がコストを大幅に下回っている部門も幾つかあり、下落の規模と進行速度に関して言えば、前世紀の大恐慌を越えてすらいる。ロッテルダム—台湾航路の料金は二〇〇八年初頭のコンテナあたり二五〇〇ドルから一〇月には四〇〇ドルまで下がり、コンテナ輸送用の最大船舶チャーター料は、一一月までに二〇〇七年のバブル時代に比べて一一分の一まで下がった。この事態は商品価格をさらに下落させたほか、いくつもの重大な影響を及ぼしている。海上輸送および物流網は、二〇〇八年夏まで規模とインフラストラクチャーを最大限拡大する方向にあったが、いまやその中心部を揺さぶられている。しかもここ数週間で中国、韓国、日本そしてベトナムの主要な造船工場は契約の八〇%をキャンセルされている。

それと並行して、自動車、建築および不動産業界において生産過剰という構造的危機が拡大しつつある。アメリカ自動車産業「ビッグスリー」のうちふたつ――ゼネラル・モーターズとクライスラー――が破綻寸前である。しかしクリスマス前、ブッシュ政権は緊急支援を約束することで両社に対して二〇〇九年三月までの一時的救済を与えた。それと同時にアメリカ自動車業界の労働者がこれまで獲得してきたものが消滅しつつある。自動車業界の危機はいまやそこに含まれるあらゆる企業に及んでいる。高い労働集約率と革新的な技術力をもつ生産を誇り、低排気ガス車を生産している「模範」企業にとってさえ、世界規模で取引高が二〇―三〇%減少している。多くの場合、臨時・契約労働者は工場から姿を消し、正規雇用労働者も長期のクリスマス休暇を取らされ、短縮時間労働が長期間続く見通しである。こうした一時的解決策はより低レベルの自動車業界では見られず、中小規模の下請け業者のあいだでは突然の工場閉鎖というニュースが相次いでいる。

こうした傾向はすべて、世界規模で上昇中の信用コストと連関して、悪化・全般化しつつある。二〇〇八年の第三四半期以来、北アメリカ、ヨーロッパそして日本という「トライアド〔三角〕」地域で景気が後退している。大規模失業がアメリカ、イギリスそしてスペインで大幅に増加し、いまや大西洋地域から世界中の先進国経済に広まりつつある。その経済上の対応物が利子率と利潤率の劇的な低下であり、信用コストの増加および注文の急激な減少とともに、投資計画の急激な減少をもたらしつつある。このことは翻ってめまぐるしい輸出の収縮を引き起こし、輸出の「トライアド」を形成する日本、ドイツそしてスイスは、輸出業での減少に対して不釣合いなまでの輸入縮小によって対応し、結果として世界経済の衰退という自己悪化スパイラルを開始させている。

こうして大幅に輸入が収縮したせいで、いまや高まりきったトライアドの危機は、二〇〇八年の秋以降、新興経済圏および発展途上経済圏を直撃した。このような事態が襲った時、新興国は主としてトライアド地域向けの輸出によって成長している段階にあり、その構造に付帯する経済的不均衡は（少なくともこの時点までは）莫大な外貨準備高の蓄積によって埋められていた。この不安定なバランスがいきなり消えたわけである。世界経済全体の信用引き締め、株価および一次産品価格の下落は、輸出業界の損失と混ざり合うことで一種の爆発物となった。それが一時的にバランスを保ったのは、外貨準備高という財源と国債増発によってである。

しかしBRIC諸国はアメリカではないし、メキシコ、韓国、インドネシア、ハンガリーあるいはウクライナなど第二陣の新興「経済圏」はなおさらである。アメリカは、いまだ唯一の世界基軸通貨であり続けているドルのおかげで、国際収支において莫大な赤字をだし、負債を山のように積み上げても、債権者によって清算を求められずに済んでいる。けれど新興経済圏に関しては、その外貨準備高が減少し始めるやすぐさま国際投資家が資本を引き上げたため、国際収支は悪化し、財政赤字が増大している。それにつづいて大幅な通貨価値の下落が生じ、国際通貨市場に爆発的な騒動を巻き起こした。さらに、とりわけ東南アジア、南アメリカそして中央・東ヨーロッパにおいて、構造的な赤字と多岐にわたる過剰債務が明らかになりつつある。前年の秋からこのことは実質上の中央銀行破綻を引き起こし、アイスランドだけでなく、ハンガリー、パキスタン、ラトビアそしてウクライナが影響を受けている。こうした国々では、社会的影響が急激に厳しくなりつつある。だがアメリカでも、持ち家や賃貸アパートから住人が強制的に退去させられているせいで、いくつもの街区がまるごと閉鎖されつつある。カリフォルニアでは、差し迫る債務不履行を回避すべく行われた資本増強計画が失敗に終わったばかりである。

グローバルな視点に立つなら、GDPの激減がこれまで回避されてきたのは、資本主義の中心で権力を握っている国々や経済ブロックが莫大な政治的金融支援を行い（試算によれば最低でも七兆ドル）、（中国、EU、アメリカそして日本が）反景気循環的対策を広範に採用したからに過ぎない。通貨の乱高下もまた、（瞬時に状況が変わりかねないとはいえ）ここまで驚くほどの安定性を見せているドルのおかげで、うまくコントロールされている。これは世界システムにおける債務者‐債権者の戦略的軸、すなわちアメリカと中国という軸が機能し続けるための前提条件である。しかしながら、今回の危機はすでに一九七三年の規模を越えており、たとえこれから数ヶ月でうまい具合に堰きとめられたとしても、新たな搾取サイクルと世界的な資本主義システムの新時代を導くだろう。とはいえ短期間での安定化はありえそうもない。マネタリスト的思想に基づく政治が主導した、金融救済政策の第一段階が失敗に終わったのは、経済的反革命の提唱者であるミルトン・フリードマンの結論を字義通りに解し過ぎたからである。この経済学者は一九二九年恐慌の拡大をほぼ完全に連邦準備制度（Fed）による誤った貨幣政策に帰してきたのである。株主と、その支配下にある企業、銀行そしてファンドのマネージャーによる貸し渋り・投資控えは、低金利政策や信用・資本市場にゼロ金利の流動性を投入するなどの手段で止めることはできない。少なくとも部分的にはケインズ主義的な経済刺激政策が何らかの効果をもたらすかどうかはわからないのである。そうした政策はグローバル規模で採用されてはおらず、とりわけ債権者／輸出者である国々（日本、中国、ユーロ圏の国々）によって、大規模かつ迅速に推進されるべきだろう。また「不良」債権と民間の債務を公的資金によってほぼ完全に回収したところで、ファンドと銀行のマネージャーが犯した失敗や戦略的過ちが追求されることなく隠されてしまうのであれば、やはり投資家は刺激されはしない。しかもこれでは危機のメカニズムを遅らせるだけで、止めることはできない。というのも、長きにわたり株主は連邦準備制度のことを、巨大な投資ブローカーとして振る舞う財務省から資金供給を受けている巨大な「ヘッジファンド」と見なしているからだ。彼らが「アンクルサム〔アメリカ連邦政府を擬人化した言い方〕」のことを信用するに足らないと考えるようになるのは時間の問題でしかない。そうなったらどこに投資できるというのか？　いまのところ新たな戦略的経済セクターはないし、新興国経済が彼らの先駆者、つまりアメリカの戦略的債権者である中国に倣って問題を終結させることができるという希望もとうに消え去ってしまっている。

b　今回の危機の本質的特徴

ここまで、今回の新たな危機サイクルにおいて、多様な危機要素がいかにしてだんだんと共鳴しつつあるかを示そうとしてきた。だがしかし、二年前に世界経済というビル群の屋根に引火し、いまやグローバル経済のあらゆる部門と領域に達した炎の主な原因とはなんだったのだろうか？　このプロセスにおける連結点に目を向けることで、それを三つの主な特徴に帰しうることが明らかになる。まず一つ目は、あらゆる様相と変形段階において資本が世界規模で陥っている過剰蓄積の危機である。生産工業は平均して二五％（自動車産業ではさらに高い）、グローバル輸送網は三〇─三五％、そして銀行・金融セクターは少なくとも五〇％の過剰蓄積を抱えている。つぎに、この過剰蓄積には、先のサイクルが進むなか大衆所得が大幅に減少したことに起因するグローバルレベルの過少消費、新興市場における最低賃金を基盤とするその平均以上の経済成長率、そして飢餓による大量虐殺に直面している「南」（スラム街や闇経済）の大規模な貧困を放置するという政策などが伴っている。今回の危機に見舞われた先進地域の貧困層は、債務を増やすさまざまな技術によってなんとか所得の損失を補填することができたが、最下層はそこから除外され続けた。社会的労働がもつ生産力の広範な拡大と比較すると、生産諸力の発展と所得のあいだの差は広がり続け、アメリカ、イギリスそしてスペインにおいてさえ、労働者階級に多大な不利益をもたらしている。最後に、低金利政策は世界の先進地域において過剰生産と過少消費のあいだの相互作用を相殺したとはいえ、危機の爆発を数年遅らせることができたに過ぎない。低所得層が拡大し、雇用状況の不安定化がいよいよ中流階級にまで及ぶにつれて、世界中で数百万の人びとが少なくとも総計一二兆ドルもの借金をしたのである（自己資産なしの不動産抵当《モーゲージ》負債、クレジットカード負債、分割払い・リース負債、奨学金など）。このメカニズムがこれだけ長く機能しえたのは、貧困層による負債が世界的に多様化したからである。しかしそれも二〇〇六年に限界を迎え、金融システム全体をますます深淵に引きずり込んでいった。つまりこのメカニズムは、すでに存在していた構造的歪みと主要経済セクター（建築および自動車産業とその下請けセクターだけでなく、情報テクノロジーおよび鉄鋼産業）における過剰生産を悪化させ、信用制限の段階的拡大、流通セクターにおける一次産品価格の下落および株価の下落とともに、新たな世界経済危機を引き起こしたのである。株主による世界的な投資控えはその帰結であり、資本の利子率・利潤率をわずか数ヶ月の間で次々に急落させることで、いまやあらゆる主要な資本領域に影響を及ぼしている。

2. 一九七三年―二〇〇六年の景気サイクル

現在の危機がいかなる内的力学をそなえ、どのような展開と帰結をもたらすかについてよりはっきりした理解を得るためには、ひとつ前の経済サイクル（一九七三年―二〇〇六年）の主な特徴を思い起こしておく必要がある。まずはこのサイクルに限定して始めよう。

a 典型的な長期波動の特徴

前サイクルは一九七三年に世界経済危機とともに始まり、その後数年間にわたる景気後退をもたらした。この危機の原因となったのは、世界通貨危機（ドルの金本位制からの離脱、変動相場制への移行）と一九七三年のオイルショック（第四次中東戦争）に加えて、一九六七年から一九七三年の間に世界規模で生じた労働・社会運動である。これに続く数年間、労働者階級の賃金の硬直性に対して主にインフレ政策がとられたことで、危機はいわゆるスタグフレーションへと変化した。その後三五年間以上、五年周期の好景気サイクルが交互に続き、それに差し挟まれて部分的な危機が生じた（そのうち深刻だったのは一九八二年の第二次オイルショック、一九八七年のアメリカ、一九九二―九三年の日本のバブル崩壊、一九九七―九八年の東南アジアとロシアの危機）。急激な変化が生じたのは一九八九年と九一年のあいだ、ソヴィエト連邦の内破と中国の台頭によってである。これらの出来事が突如として拡張主義を強力に推進しなければ、先の長期波動はもっとずっと早く終わりを迎えていただろう。さらに、とりわけ二〇〇一―〇六年の好景気期間に集中した信用拡大は、過剰蓄積と大衆所得減少の相互作用と重なり、危機の爆発を数年間遅らせた。

b 危機の襲撃とグローバル労働者階級に対する過剰搾取

「危機」の形をとった資本の襲撃は、七〇年代末まで世界中の労働者階級を後退に追いやった。八〇年代の熱を帯びた階級闘争にもかかわらず、労働者階級は明らかに（再）プロレタリア化のプロセスを被るが、それは周縁部においても、新興経済圏と先進地域の中心においても同じだった。この点についてはあとで詳しく触れる。ここではこうしたことすべてがもたらした経済的帰結に注目したい。大衆所得は資本および資本蓄積との関係において相対的にも絶対的にも減少し、このプロセスは組織的な過少雇用戦略によってサイクルの終わりまで継続された。一時的・地域的な景気停滞と、新興経済圏（とりわけ韓国および南アメリカの幾つかの国）で新たな労働者階級が自己組織を遂げつつ展開した激しい闘争にもかかわらず、資本活動の中心は好景気期間に莫大な利潤と高利回りを獲得することに成功した。労働者階級に対する抑圧と途方もない搾取、そして彼らのもっとも重要な部分が「ワーキングプア」に追いやられることで弱体化したことが、あらゆる抵抗運動にもかかわらず、先の長期波動の主要な特徴である。しかしこの特徴は、同じ長期波動が崩壊する原因ともなった。それが遅れたのは唯一、新千年紀最初の「狂った」一〇年間に起きた信用ブームのおかげである。

c ニューテクノロジー

資本がもつ技術上の支配力が再強化されたことは、さらに重要な内的要素である。一九七三年―二〇〇六年の「コンドラチェフサイクル」は、技術上の大掛かりな革新により戦略的分野における資本構成を下げる（と同時に継続的に賃金率も下げる）ことで、資本が利潤率を上げる助けとなった。具体的には、コンテナ利用による輸送網の変容と規格化、情報・テクノロジー科学によるコミュニケーション構造の変化、生産設備の超小型化・機械化、そして機械設備におけるNC加工〔Numerical Control machining。数値制御による機械の加工方法〕の採用などである。前サイクルにおいて、労働プロセスのさらなる圧縮、実質的包摂のための新たな技術的手段の導入、被搾取者にそなわる主観的創造性への委任とその活用、あるいは企業権力の組織的全体化（「総合生産管理」）などの手段により、どれだけ搾取率が上昇したかについては、まだ信頼に足るデータがない。しかし確実なのは、社会的労働力にそなわる生産性の全体が、前サイクルを通じて年平均二・五―三％成長することで少なくとも倍にはなっている一方、労働者の収入にはそれに対応するいかなる上昇も見られないということである。

d 世界市場および世界的分業の新たな拡大

先述したように、固定資産の領域と市場の拡大は、もうひとつの重要な外的要素であり、九〇年代初頭に頂点を迎えた。当時、コルカタ出身のスクラップ商の息子が、東ヨーロッパの投資の廃墟と周縁部の経済特区から、一大鉄鋼企業を設立することができたのである。これは数ある例のひとつに過ぎない。決定的だったのは、こうした地理上の拡大プロセスと、国際的分業の新形態との結合だった。こうした新形態を可能にしたのは、固定資本の小型化、新たな情報テクノロジー、そして輸送コストの大幅な低下だった。こうしてグローバル規模のネットワークをもつ会社の設立が可能となり、その価値創造網を、多くの場合大都市におかれる開発・計画・マーケティングの中心地が運営するようになった。つまり分断された労働プロセスは、まず世界で搾取率の最も低い地域に配置されたうえで、お互いが結び付けられるのである。

e 世界経済の新たな中心軸――ワシントン・北京

新たな国際的分業の諸形態が、前サイクルにおいて戦略上の決定的武器だったのだという事実は、一九九〇年代初頭から暗黙の共生関係に入ることで広範にわたる帰結をもたらした、二つの最も重要な国家経済に目をやれば一目瞭然だ。アメリカと中国である。この共生関係を成立させた、そして今もさせているのは次のような関係である。すなわち一方が貯蓄し懸命に働き、他方は獲得した商品と収入を惜しみなく消費するのである。もちろんこれはかなりぼんやりしたイメージに過ぎないが、決定的な事実を映し出してはいる。資本主義的発展に追いついてゆく過程で、中国の独裁政府は農業労働者と出稼ぎ労働者を世界規模に拡張された生産ラインに接続し、その製品を先進国の中心（とりわけアメリカ）にダンピング価格で輸出し、対価として支払いの約束（つまり国債）を受け取ったのである。これによりアメリカは信用の拡大（こちらは世界に広まった）を通じて、低賃金戦略の結果である貧窮化プロセスを隠蔽することができた。こうして中国の労働ラインはアメリカの主要銀行へと変容し、繁栄においても破滅においても——ドルの急落はこの両者を破滅に追いやることになるだろう——アメリカと緊密に結びつくことになった。実際、中国の中央銀行はその外貨準備の大部分をアメリカドル（二兆ドル）と米国債（およそ一兆ドル）で保有している。つまりドルが制御不可能な下落を見せた場合、債権者としての中国の立場は深刻な脅威に晒されるだろうし、一方アメリカはそこから生じる国際資本の流出により国家として破産することになるだろう。かくもおぞましいシナリオを描かなくとも、このような邪でグロテスクな債務者‐債権者関係を乗り越えるのは不可能に見える。簡単な計算をすれば、アメリカで進行中の相対的過剰消費の減少——それと同時にアメリカ国民は以前の貯蓄率（GDPの五％）へ逆戻りしている——を、それに匹敵する大衆消費を中国で増加させることで相殺し、両国間の国際収支における歪みを克服するのがどれだけ難しいかが明らかになる。これを機能させるには、中国の大衆消費——現在は非常に低い——をいきなり四〇％も増加させる必要があるのだ。そんなことはほぼ不可能だろう。とはいえ、このことは二つの事実に光を当ててくれる。すなわち、世界規模の射程をもつ（そしてシステムを強化しうる）反景気循環的な介入の要はどこよりもまず中国の手に握られており、また危機の推移とそこから生じかねない債務拡大による不景気は、革命的な代替案がない以上、まず「チャイナメリカ」の計画によって本質的に決定されるだろうという事実である。

f 金融市場と信用市場の世界的拡大

搾取網および価値創造網の再構築・国際化は、金融システムが国際的に拡大しなかったならば不可能だったろう。

変動相場制の導入は国際貨幣市場の構築を導き（ユーロ・ドル市場、石油・ドル市場、アジア・ドル市場）、そこでは、ドルの優位は動かなかったものの、外国為替相場や絶え間なく変動する商品価格、そして株式市場の乱高下からくるリスクを回避するために、さまざまな金融・信用手段が発達した。それまで銀行と生産会社のあいだには、中期の収益性に基づく「節度のある」信用関係が存在していたが、それが拡大しつつあった株主層の専制にとって代られていった。彼らは短期で利益を最大化しようとし、投資ファンドという新たな領域を創設した。その助けを借りた経営幹部たちは、あらゆる経済・商業セクターに、自己資本であれ外国資本であれ、短期での最大収益という首輪をはめた。このことは経済システム全体とあらゆる資本の変形段階を金融化へと導き、資本の平均利回りを二〇％—二五％上昇させはしたが、リスクと不安定さも同じだけもたらした。これと並行して、拡大傾向にある金融セクターは貸付けを中・低流階級にまで拡張したわけだが、彼らはそれまでの生活水準を維持するため、労働と所得が不安定化していたにもかかわらず、これを受け入れざるをえなかった。くわえて、新たな金融セクター主導により、資本拡大の新次元が社会的再生産の中心で展開し始めた。私はこれを「料金資本主義《フィー・キャピタリズム》」と呼びたい。つまり、人間を再生産する際の必需品（飲料水から燃料、健康、起こりうるあらゆるリスクに対する保護まで）を商品へと変え、そこから資本利得を引き出すために、公共の共有資源が収奪されたのである。

g　資本主義社会においてますます破壊されつつある生産・再生産の物質的基盤

前サイクルにおける最後の重要な外的要素は、経済システムの自然基盤が破壊されていったことである。この原因は、直接生産プロセスおよびその物流ネットワークが質・量ともに大規模な拡大を遂げたことにとどまらない。それと並行して、「南」の大規模貧困が周縁化され、生態系のいまだ汚染されていない隙間《ニッチ》にどんどん押し込められる一方で、新興経済圏の新たな政治体制と中流階級が、大都市の環境犯罪をなぞり始めたことにも原因がある。ふたつ前のサイクルが、労働力という世界的資源をなんら良心の呵責を覚えることなく使用したように、生態系の搾取は容赦なくその限界まで推し進められた。もちろん資本主義的再生産を「エコ化」すべく、いくつもの注目すべき行動がなされてきたが、それらはいまのところ大海の一滴に過ぎない。とはいえ、高まる環境問題への自覚がもたらした小さな行動は、この傾向への取り組みが遅れていたか、あるいは皆無だった自動車産業をはじめとするいくつかの産業セクターに、深刻な構造上の危機を生じさせるのに十分であった。

3. これまでの経済危機との相違点・類似点

現在の危機プロセスを正しく理解するためには、これまでのサイクルの主な内的・外的要素を考察することが不可欠である。だがそれも——次のような推測がともかく可能だとして——今回の危機が今後どのような展開をみせ、その帰結はどうなりうるかを考えるための道具は与えてくれそうにない。産業資本主義が形成されてゆく過程、つまりここ一五〇年間に生じた主要な世界経済危機を補足として眺めておくことが、助けになるかもしれない。それゆえ今回の危機とこれまでの危機を、その相違点・類似点を通して比較していくことにしたい。現代という時代の込み入った構造とその現れ方を扱うにあたり、これは思考の導きの糸を見失わないための重要な方法である。

a 一八五七—五八年の世界経済危機

一八五七—五八年の世界経済危機は、ある時代の資本主義を同時的に支配した最初のものだった。この危機はアメリカで始まった。鉄道、つまり資本主義的発展を牽引していたセクターへの広範な投機が、深刻な危機を爆発させたのである。危機はすぐさまイギリスと北ドイツの商業都市に加えて、スカンジナビア、フランスそして南東ヨーロッパに飛び火した。当初イギリスが景気循環を後押しする政策を広範に採用したことで悪化したこの危機は、世界貿易を破壊し始め、最終的には当時の産業・インフラストラクチャーの中心であった地点（シェフィールド、マンチェスター、ルール地帯、北フランス、世界中の鉄道建設計画など）にまで入り込んだ。それまでの数年間で、資本主義はクリミア戦争

（一八五三―五六年）に続く商業的拡大だけでなく、地理的拡大（カリフォルニア、メキシコ、オーストラリアの植民地化、インドにおけるイギリス支配の進行、中国の強制的開国）をも大幅に遂げていた。これらの理由からマルクスは、一八五七年から一八五八年にかけて、大西洋をまたいだ労働者革命を期待したのである。しかし彼はまもなく考えを改めなくてはならなかった。危機の帰結はその大部分が一八五八年中に乗り越えられ、新たな拡大と繁栄の期間が始まり、一八七〇―七一年まで続いたのである。当時の人びとはこの危機が孕む暴力性の広大な射程を強調したが、あとに続く危機に比べれば、これはいまだ萌芽状態に過ぎなかった。

b 一八七三―九五年の大不況

この大不況は、資本主義的蓄積が回復しつつあったいくつもの地で同時的に爆発した破産によって火がついた。まず建国直後のドイツ帝国とハプスブルク君主国で始まった不況は、イギリスを襲ったのちアメリカまで達し、一八七九年まで続いてから、長期不況へと変容し、ようやく終わりを迎えたのは一八九五年であった。その影響を各国経済はまったく異なる方法で乗り越えた。アメリカでは西部開拓が暴力的に完遂されたのち、巨大企業（トラスト）が生まれ、化学工業や電気産業など、当時の新たなハイテク分野が発展する際に主導的な役割を果たした。ドイツ帝国もまた、危機の原因となった破産の影響を克服したのち、科学の重要性を特徴とする工業化の第二波を遂げた。こうしてとりわけドイツとアメリカにおいて、産業による搾取と蓄積プロセスを全般的に再構築するための基礎が築かれ、労働者階級からその職人技術を奪い去り、「大衆労働者」という新たな装いのもと、彼らを機械と生産工程の単調なリズムによる専制に従属させることになる。つまりこれは、テクノロジーと労働の組織化に関して、産業における価値増殖プロセスの再構築を驚くほど加速させた最初の経済危機だったのである。まったく新しい基礎の上に置かれた資本と労働の関係に対し、労働者階級は一九〇五年に初の世界規模の抵抗運動を行い、また革命的労働運動（世界産業労働組合）を展開することで応えた。その一方フランスとイギリスは植民地帝国の境界を再調整した。とりわけヴィクトリア朝のイギリスは、当時帝国の周縁部であった地域の自給自足経済を破壊し、飢餓災害を引き起こすにまで到り、そのせいで数百万の命が失われると同時にいわゆる「第三世界」が生まれた。

c 一九二九—三二年の世界経済恐慌と一九三三—四〇年の不況

何十年にもわたる鋭い研究にもかかわらず、前世紀に生じた経済恐慌にはいまだ多くの謎《エニグマ》が存在している。とはいえその拡散する性質と規模の大きさが、一八九六年に始まった奇妙な成長サイクルの進行に起因することは間違いないだろう。第一次世界大戦はまさしく世界規模で景気後退の兆しが見えていたときに勃発したのである。こうしてこのサイクルは世界大戦景気によって引き伸ばされ、一九一六—二一年の国際的な労働者革命が敗北し、強烈なハイパー・インフレ期が克服されたのち、二一世紀初頭の狂った一〇年間に驚くほど似ている「黄金の」二〇年代に雪崩れ込むことになる。事実、一九二〇年代の特徴もまた、株式・貨幣投機の行き過ぎ、低い大衆所得、そして産業化された農業分野と合理化を経た産業資本分野における過剰蓄積だったのである。恐慌はまず最も重要な農業製品価格の下落にともなう国際的な農業恐慌として始まり、続いて一九二九年一〇月にアメリカの株式市場へと拡大し、アメリカが一九三〇年に事実上あらゆる経済セクターを覆う関税法によって保護貿易主義の波を全世界に広めてからのち、世界貿易の崩壊を引き起こしていった。それから恐慌は主要産業分野に飛び火し、一九三一—三二年以降、ヨーロッパで始まった金融危機と主要通貨の切り下げ政策によって悪化したのち、すべての産業国においてGDPを半減させるとともに、失業率を二五—三〇%も上昇させることになった。恐慌に続く不況を克服しようとする試みは、アメリカの「ニューディール政策」を含め、すべて失敗した。こうして訪れた国際的な経済戦争は、軍備拡張と独日伊枢軸の拡大主義政策によって激化していった。この恐慌がようやく乗り越えられたのは一九三八年以降、すなわち第二次世界大戦がヨーロッパで勃発し、一九四〇年以降はアメリカをも巻き込むなかで、国際的軍拡競争が起こり、軍事産業が発展したからであった。この恐慌がもたらしたかくも破滅的な結果はどうやっても避けようがなかった。それゆえ私たちはこの経験をふまえ、いま拡大しつつある危機について論じるにあたっての自分たちの責務とは、世界的な経済戦争を食い止め、世界システムを社会主義的に変容させるための要として利用しうる危機克服の方法を提示し主張することだと理解すべきである。

4. グローバル規模で生じているプロレタリア化

この問題に注目する前に、危機からの脱出路を発見できるのは誰なのかと問うてみるべきだ。またしても資本主義の野蛮へと導くのではなく、社会主義的な変容への展望を開く路を、である。それができるのは、生き抜くために自らの労働力を、資本主義が蓄積と管理を行うための機械に対して売り渡さざるをえないあの階級・社会層だけ、つまり何ものをも所有せず、絶え間なく変化を繰り返すグローバルな労働者階級の多元宇宙を形成する者たちだけである。

a 歴史的・方法論上の前置き

このアプローチは決して自明のものではないため、まずはより詳しく説明しておきたい。その基礎はグローバル労働者階級という概念であり、労働を「国家」と「ヨーロッパ」を中心とした視点から捉える歴史学への批判、そしてマルクス主義における労働・階級理解の発展に由来する。

i グローバル規模で生じているプロレタリア化と脱プロレタリア化のプロセス　グローバル労働史は労働史学の非常に若い一分野だが、重要な成果をあげている。いまや了解事項となっているのは、労働者階級の形成が初めからグローバルな文脈において生じたということである。このプロセスが始まった一八世紀後半には、海と大陸をまたいでさまざまな社会的反抗運動が生じており、強制的に徴募された商船および海軍の船員とともに、奴隷労働者（カリブ人）、植民地の移住自営労働者（小規模農民と職人）、そして作業場と工場のプロレタリアが闘った。こうした平民《コモナーズ》の蜂起はアメリカにおいて、一七七五―七六年に母国イギリスの植民地支配に対する独立戦争を開始しただけでなく、労働者階級の形成にも多大な影響を及ぼした。こうした要素を認識することで、E・P・トンプソンのごとき最も優秀な研究者たちまでもがこれまで捉われていた、ヨーロッパ中心主義の限界と環大西洋的《トランスアトランティック》視点への固執を克服することがようやく可能となった。一八世紀末に初めてグローバル労働者階級が形成されてからのち、世界中の従属《サバルタン》階級のあいだでは、プロレタリア化と相対的な脱プロレタリア化の段階が明確に生じてきた。そのなかには資本の拡大に先んじていたもの（大陸を横断する政治的・社会的移住）もあれば、そのあとで生じたものもあった。相対的な脱プロレタリア化が最後に生じたのは二〇世紀の五〇年代から六〇年代にかけて、つまり福祉国家の統治下で蓄積と調整が行われていた時代であり、周縁地域の一時的な脱植民地化を伴っていた。一九七三年以降、再プロレタリア化の新たな波がそれに取って代わった。これについては言うべきことが多くあるだろう。危機が生じた初期にグローバル労働者階級がどのような内的構成にあったかは、現時点で彼らがもっている行動の可能性に関する洞察を与えてくれるからである。

ii　グローバル労働者階級の多元宇宙　グローバル労働者階級の特徴は、従属賃金労働者であるということだけではない。それは一八世紀後半以来、多層的な多元宇宙を構成している。この多元宇宙において、大規模産業の賃労働は重要な役割を演じ、政治的に見て支配的だったこともあるが、プロレタリアを構成する残りの要素を同化し、そして／あるいは、彼らを純粋な産業予備軍に変容させると予想されたことはこれまで一度もない。グローバル労働者階級は今日まで次のような五角形のなかで構成されてきた。（一）大規模貧困・大規模失業、（二）小規模な自給自足農業、（三）自営労働（小作農、職人、小規模商人、形としては自営の知的労働者）、（四）産業労働者、（五）あらゆる種類の非自由労働関係（奴隷、賦役、苦力《クーリー》あるいは契約労働、軍隊・監獄における強制労働から、たとえばドイツにおけるハルツIV[2]受益者のごとき、移動の自由を奪われた大都市のワーキングプアに到るまで）――である。世界中のさまざまな地域において、グローバル労働者階級を構成するこれらの各部は互いに異なった量的関係にあるが、そのあいだには流動的な移動とネットワークが存在し、その網の目は一方ではプロレタリア家族／小規模農家間の、他方では大陸横断的な下位文化間の大規模移住にとりわけ収斂している。若きマルクスに触れるならば、わたしたちは無産者階級こそが社会的、経済的、性別的そして民族的平等を推進する主な主体であるという前提から出発することになる。というのもこの階級だけが、所有の全般的な撤廃によって、二重の疎外、つまり生の実践的プロセスからの、そして外的な力（資本）として人類の前に現れる物象化された労働からの疎外を乗り越えることができるからだ。本論考の最も重要な参照点が、〔グローバル労働者階級の〕均質化プロセスと、そのプロレタリア多元宇宙への収斂であるのはこのためである。つまり問題となっているのは賃労働だけでなく、大多数の人間が生存のためにみずからの労働力を売り渡さざるをえないという事実に起因する、あらゆる種類の搾取と抑圧を撤廃することなのである。

b グローバル労働者階級の現状

ここまで述べてきたことは、すべて概念上の前提に関わるものである。いま問われるべきはつぎのことだ。前サイクルにおいて戦略的な過少雇用と搾取の強化が進められていくなかで、階級形成と階級分裂の内的プロセスはどのような形態をとったか？　グローバル労働者階級の生活上の基本的要求はどのようなものなのか？　この階級はそうした要求を現在起こりつつある大規模失業・大規模貧困という状況においてどのように守ることができるのか？　この階級――少なくともそのうちの有力な部分――は現在の守りの姿勢を乗り越え、平等な社会による社会的富の奪還を議論の俎上に載せるだけの力をもちうるか？

i　グローバル・サウスの自給自足農家　グローバル・サウスと有力な諸新興経済圏の自給自足農家は、いまだにグローバル労働者階級の大部分を占め（総計で二八億人、そのうち七億人は中国）、カヤノフ型〔ロシア人経済学者アレクサンドル・カヤノフ（一八八八―一九三九）が自国の農業経済について論じた際に用いたモデル〕の家族を基盤とする自給自足経済のなかで再生産を行っている。村落共同体と保護《パトロナージュ》／支配システムで編み上げられているその複雑な構造は、ますます危機にさらされており、非農業セクター（大陸内・大陸横断的出稼ぎ労働）における期間／常勤労働から得る所得なくしては生き残ることができない。前サイクルを通して、彼らが生存するうえでの基盤が、肥沃な耕作地の機械化された大規模農業経営への変容、気候変化の影響、土地の収奪により崩されていった。

ii　大規模移住と出稼ぎ労働　ここ数十年間、自給自足経済を直撃した大規模貧困や残酷な内戦から逃れるため、あるいは出身地で農家を営む家族を養うため、数億の人間が内陸部や別の大陸へと移動した。中国国内で、南・東南アジアからペルシャ湾地帯へ、アフリカから地中海地域を通ってヨーロッパへ、東ヨーロッパから西ヨーロッパへ、中南米から北米へ大規模な移住が生じている。先進国および多くの新興経済圏の下層階級は、その一〇％から二〇％が移民によって構成されている。時を経るにつれいくつもの移住の波が重なり合い、越境的、多言語的そして高度に知的な日常の文化が創造されつつある。その内部では多文化アイデンティティへと向かう傾向と、民族アイデンティティを自己肯定しようとする努力が重なり合っている。ここ数十年間、こうした発展はプロレタリア化プロセスを形作る決定的なものとなり、今日ではグローバル労働者階級構成の最も重要な基準点のひとつを形成している。

iii　大規模貧困とスラム街の地下経済　自給自足農業と内戦地帯をあとにする者がみな、新興経済圏や先進国において恒常的に、あるいは一時的にでも、定住できるわけではない。今日、こうした過剰人口は新興経済圏の周縁地帯に存在するスラム街に暮らしている。スラム街に暮らす貧民大衆は、飢餓による大量虐殺や深刻な伝染病を、闇経済の助けによってなんとか凌いでいるが、非自由労働や形式的「自営」の労働関係が支配する、極度の過剰搾取に直面している。これは都会の巨大な人口密集地で生きている一〇億もの人間の現実であり、彼らはグローバル・サウスの大都市の輸送幹線路や河川近辺でなんとか生き延びている。こうした貧困層は、自然災害の危険に晒されながら、どんどん沿岸や砂漠地帯に追いやられている。自給自足農業と大規模移住経路のあいだの移動はますます不安定になりつつある。今回の経済危機がこうした大規模なスラム化の動きに拍車をかけるのではないかという尤もな危惧もある。しかもすでに都市の大規模貧困が、グローバル・ノースの都市をも特徴づけるようになり始めているという兆候（ホームレスの収容、貧者および失業者への食料配布）も存在している。

iv　新興経済圏における新たな産業労働者階級

新興経済圏における新たな産業労働者階級の展開は、ここ二〇年間、グローバル階級の構成を決定的に変えてきた。過去ふたつの経済サイクルを通じて、この階級は急速に技術的能力を獲得してゆき、少なからぬ収入の増大を勝ち取った。一九八〇年代から九〇年代にかけて、ローテク分野はかつての産業の中心から続々と近隣の周辺諸国へ移転され、「拡張された生産ライン」の労働力もまたこうした分野、とりわけ繊維・消費財産業に沿って移転されていった。かつての産業の中心とこうした新興経済圏のあいだの技術的差異が縮まってゆき、それと同時にいまや重要分野（造船、自動車産業、電子産業、化学産業、繊維生産）の移転がほぼ完了したことで、新興経済圏と世界システムにおける先進地域のあいだの階級構成もまた近づいていった。これは労働者の多元宇宙のなかで不安定な境遇におかれている者についても同様である。その数は新興経済圏では減っている一方、先進国では少なからず増大しているのである。

v　かつての発展の中心における相対的脱産業化と労働者階級の臨時雇用化

ここ数十年の間、アメリカ、ヨーロッパそして日本という「トライアド」地域において賃金労働の分野はかなり縮小してきた。と同時にその技術的構成は、あらゆる製造とサービス業を飲み込み完全に変容させてしまった科学技術上の革新の結果、劇的に変化した。こうした変化のなか、闘争における抵抗の継続によって経験を積みあげてきた労働者階級の一部（印刷工や昔ながらの港湾労働者）は消え去るか、あるいは先進国の経済においても数十万人にまで減ってしまった。それと並行して、不安定で形式的にのみ「自営」の労働が大都市の階級構成における本質的な要素となった。ここ数年は、労働所得の減少が大規模産業のいわゆる中核労働力を含むすべての部分に及んでおり、従属労働契約を結ばされている人びとの四分の一が、何時間もの残業をしても、もはや貧困ラインを越える生活水準を維持できないでいる。

vi　グローバル労働者階級の均質化と分裂への傾向

先のサイクルにおいて、グローバル労働者階級の均質化傾向と分裂傾向は、全体としてみれば互いにバランスを保っていた。世界システムのすべての地域で、自給自足小農経済は最終的とも言える危機に突入し、大規模移住プロセスと世界的な過剰人口の形成を開始させた。こうしたプロセスは、大陸横断的・文化横断的なメンタリティをもたらすことで、グローバル労働者階級に新たな一面を加えた。反対の方向から均質化プロセスを開始させたのは、労働者階級のなかでも工業分野の賃金労働者であり、工業大規模生産の「周縁化」がいまや完遂されたことがその主な理由だった。

しかしながら分裂傾向もまた目を見張るものがあった。生と労働の状況が世界規模で悪化した一方で、プロレタリアートの生活水準における地域格差は少なからず拡大していった。排水路やスラム街のゴミ捨て場に生きる者たちが生き延びる可能性は、たとえば〈キーツ〉[3]のごとき大都市近郊に暮らす多文化出身の不安定労働者のそれからははるかに隔たっている。さらに均質化の望ましからぬ要素も見られ、宗教的な救済の約束に対する執着や、マフィア式の上下関係に基づく保護形態への従属のように、家父長的で民族政治的な退行への傾向が強まりつつある。こうした傾向を決して過小評価してはならない。これらの傾向は、未来においてわたしたちが行動する可能性を少なからず損ないかねないのである。つまりこれは非常に重たい遺産なのだ。例を挙げよう。一九七九年から八〇年のイランでは、イスラム教シーア派の社会革命派が、アヤトラ・ホメイニ率いる復古的神権政治派によって根絶やしにされた。数年後、イスラム主義組織は左派幹部の残党を虐殺し、家父長が支配する反動的な社会政策構造によって地域の貧民を宥めたのである。また今日、アメリカのさび地帯《ラスト・ベルト》の最下級階層は福音派によって支配されており、スラム街における最低限度の教育と社会保障は、一億人を越える信徒を擁する千年至福説の教会によってようやく維持されている。ヨーロッパにおいても、労働運動は労働者階級を見捨ててしまった。その帰結をマルセイユに見出すことができる。この町では、社会党が脱出《エクソダス》してからのち、移民労働者の第二世代がますます「国民戦線」の福祉局を訪れるようになっている。一抹の疑いもなく、こうしたことすべては、左翼勢力が労働者階級の日常の現実に戻ることがいっそう困難になっているということを意味するが、それでもこの帰還は、現在の危機の発生により差し迫った問題となっている。それがどんなに困難であろうと、代替策はないのである。

とはいえこの余儀ない選択は展望を欠いてはいないようだ。危機が始まる少し前、闘争と抵抗運動の復活がはっきりと見られたのである。その中心人物はお互いに固く結びつき、平等主義的な介入形態を発展させ、また危機の社会的コストを払わされることへの拒否を強めていった。中国は珠江のデルタ地帯で生じた企業労働力全体の大規模抵抗運動では、従業員たちが工場の突然の閉鎖と、自分たちが権利をもつ給与支払いの遅延に対して激しく抵抗している。中国西部の農業地帯でも状況は加熱しつつあり、土地の横暴な収奪や自然と生活手段の破壊に対する地域・地方レベルでの蜂起がその頻度を増している。さらにグローバル・ノースにおいても再出発の機運が高まっている。シカゴやシュレースヴィヒ・ホルシュタイン州では、自動車産業における供給会社の突然の閉鎖のあと生じた工場の占拠が注意を引く。フランス、イタリアそしてギリシャでは、若者が自分たちの教育機会が破壊されることに対して闘っている。それも当然のことで、教育機会の破壊とともに、身につけるべき能力と結びついた職業上の展望もまた大きく悪化するのである。こうした抵抗運動すべてにおいて、今回の危機に対する強い自覚が形成されつつある。それを要約しているのが、「わたしたちはお前たちの危機のツケは払わない！」というスローガンである。連帯の基礎となるべきこの感覚を大工場の労働力に伝え、非正規労働者から「中核労働力」へと階層的に進んでゆく解雇通告（労働組合および工場評議会の大部分がこれを支持している）の鎖を粉砕することができるだろうか？　少なくとも次のようなスローガンを掲げてチャレンジはしてみるべきだろう。「週に三日の労働日？　素晴らしい！　だが職種に関係なく全員に完全賃金を払ってもらおう。機械設備の引継ぎをし、自主運営していくためには週に二日必要だから！」

まとめておくなら、今回の危機によって、アメリカ、ヨーロッパ、東アジアといった危機のまさに中心で生じつつある大規模失業の波に続き、グローバル規模でさらなるプロレタリア化の波が起こるだろうと予測するのは当然のことである。またしても数百万もの人びとが社会的に失墜するだろう。彼らはどんな反応をするだろうか？　失うものがなくなったとき、プロレタリア家族、彼らを取り囲む社会グループ、そしてプロレタリアが形成する多元宇宙の各層には幾つかの選択肢がある。まず生存する権利を確保し、平等な社会を要求するために叛乱を起こすかもしれない。

だが個人・家族・社会をめぐり自己破壊的な道を選択し、家父長的な暴力を再興させたり、民族紛争を再燃させ他のプロレタリア集団を犠牲にすることで自己の生存を確保することもありうる。三番目の道は、政治的に後退し、自分たちの苦しみと苛立ちを新たなカリスマ的リーダーや専制政府に投影することで、自分たちの社会的潜勢力を非プロレタリア階級の利害を保護するために悪用されてしまうというものだ。この三つのように事態が推移する可能性とは対照的に、彼らが国家による危機克服のための改良計画で満足することももちろんありうる。こうした改良計画は、資本主義的社会形成にそなわるいまだ巨大な再生能力に依拠することで、プロレタリアの最低限の利害を――限られた形ではあるが――考慮に入れることができるだろう。ではグローバル経済危機という現状において、どうすれば〔労働者階級の〕均質化と解放を目指す傾向を推し進めることができるのだろうか?

5. 移行計画の概要

a 予備的考察

わたしたちは極左的視点に立つ者たちに合流してはなるまい。彼らはその希望を、危機の力学が加速・深化してゆき、失うものを持たないすべての者たちの集団化という革命プロセスが自動的に発生することに託している。だが危機と革命が自動的に進行するという考えは、少なくとも「大恐慌」の帰結以来、反駁されてきた。しかもわたしたちは脱植民地化プロセスの研究から、批判という武器がアヴァンギャルドを自称する立場によって武器という批判に変容すると、かならずしも期待されていた解放をもたらしはせず、むしろ多くの場合、新たな「支配層《ガバメント・ピープル》」を生み出し、血腥い内戦に雪崩れ込むことで、解放への期待がその反対のものに転化されるだけでなく、数十年にわたりその物質的基盤を奪われさえするということをすでに学んだ。避けられるべきなのは、世界経済危機が多極的な超巨大権力のあいだの経済戦争に発展し、その最終的な結末が新たな世界大戦になってしまうことだ。それと同時に、暴力に執着する感情的・終末論的な革命への期待からも距離をとらなければならない。というのも、プロレタリアの解放という要求が階級闘争に引きずり込まれ、内戦に変わりかねないからだ。社会的失墜という現実と危険に直面している者には白紙委任状は存在しないのである。だがこうした視点は、ガンディー流の「非暴力・市民的不服従」という道への賛同と混同されてもならない。存在の物質的基盤を確保し、生産手段、家屋、そして公共財を取り戻すための大衆闘争を自己組織するには、プロレタリアの暴力を用いることが不可欠である。とりわけこの側面は、これから準備すべき新たな階級闘争におけるその他の要素と同様に、しっかり考慮され、また集団によって管理されなくてはならない。

以上すべての理由から、解放の展望は分析に基づく社会的変容という視点を必要とし、それを直接的な行動計画に結び付けなくてはならない。今回の危機によって、資本主義の改良や先に述べた三つの蛮行――自己破壊、内戦、そして新たな世界大戦を導く内戦と世界経済戦争――がもたらされないようにするためには、プロレタリアによる自己解放の展望を二つの行動レベルに配置し、その連結効果により展望を有効なものにしなくてはならない。一つ目はすでに進行中の反景気循環的な計画をさらに推し進めうる行動の枠組、二つ目は資本主義社会を革命的に変容させる計画の開始である。

b 今回の危機を乗り越えるためにはより抜本的な改良計画を課すべきである

i 危機のツケを払うべきなのは資本所有者だ！　行動の第一のレベルに関しては、政府が金融システムに与えてきた保証と、現在EU、中国、アメリカそして日本で進行中の莫大な景気刺激政策を反転させる必要がある。投下されようとしている七兆ドルの大部分を、世界中の貧民、「南」の自給自足農業経済と小規模農、新興経済圏および大都市の失業者と不安定労働者、そして産業労働者階級の生存を保護するべく路線変更しなくてはならない。この転換は、賃金カットを伴わない労働時間の大幅な削減と、労働条件の均質化に結び付けられなくてはならない。社会保障システムもまた、中国およびその他の発展途上国と先進国それぞれの現状に応じて整備されるべきだ（失業手当を平均賃金の四分の三まで拡大、ここ数年で大幅にカットされてきた年金およびその受給権の回復、教育の拡大、大衆のニーズに合わせた保健分野の再構築）。

こうした移行はさらなる赤字財政支出によってではなく、大規模な資本資産〔五千万ドル以上〕の押収と、一〇〇万ドル以上の資本資産および一五万ドル以上の年収に対する累進課税によって実現しなくてはならない。

上から下へと向かうこの大規模な富の再分配は、危機サイクルを全般的に安定させることを目指すものでは決してなく、ケインズ主義的手法により大衆所得を増やすことで過剰蓄積と過少消費のあいだのバランスを整え、結果として危機を克服しようとするものである。労働者階級のニーズおよび欲求と、「大衆の購買力」という経済学上のカテゴリーの間には、乗り越えられない質的な差異があり、この差異は貧困層が均質化を遂げるなかで、経済政策の決定権を現時点で握っている権力グループに反景気循環的な介入政策をさらに推進させる可能性を秘めている。このためには大衆行動を世界規模で統合する必要がある。しかし同時に、世界規模でネットワークを構築しうる情報キャンペーンを張ることで、現行システムの内部で危機を乗り越えるべく反景気循環的政策を支持する計画や政党とのあらゆる制度上のつながりをも避けなくてはならない。

ii 新しいグローバル通貨と固定相場制の再導入

それと同時に新たなグローバル通貨を導入し、貧富にかかわらずあらゆる通貨を代表する通貨バスケットによってそれを形成すべきである。これを起点とすれば、固定為替レートを再建し、貨幣価値の過小／過大評価を避け、通貨準備高に規準を与え、さらに〔各国間の〕貿易収支を相互に安定させることができるだろう。そうすれば世界金融システムの過剰蓄積は大幅に是正され、ワシントン・北京という、世界システムを深淵に追いやりつつある破滅的な共生関係をも乗り越えられるだろう。

iii 経済再建プログラムの民主化

三番目に、グローバルな規模で展開しつつある大衆闘争に繋げるかたちで、民主的に選出された労働者評議会を、世界経済システムにおける大企業の規模縮小・再建プロセスに参加させることを主張すべきである。こうした労働者評議会は、官僚機構的な労働組織〔労働組合や労働評議会〕の指導部に取って代わることになるだろう。これからの数週間・数ヶ月中にはまず自動車産業の再建が最重要課題となる。とすれば――予期しうる工場占拠を基盤として――世界中の自動車産業で働く労働者たちを世界規模で結びつける労働者連盟を創造し、労働時間の大幅な削減と平等な労働条件（なかでも中核労働力と外部の非正規労働力のあいだの格差の是正）を求めて闘争を展開すると同時に、大気を汚染しない「再社会化」された輸送手段を、加速的に発展させるよう要求していくことが緊急の課題だろう。この計画がどれだけ成功するかによって、労働者階級がどの程度まで危機を自発的に乗り越える方法を見出せるか、そして世界的な資本主義システムにおける資本集約的分野で進行しつつある保護貿易主義的プロセス（脱グローバリゼーション）に先んずることができるかどうかの大部分が決まる。自動車産業の労働者によるこうした動きは、同時に周辺セクター（エネルギーや運送セクター）において大衆主導の計画に着手し、その行動目的を統合する際の雛形ともなるだろう。こうして当初からグローバル規模の繋がりをもった大衆の学習プロセスが開始され、それはおそらく社会的生活と再生産を集団によって自主運営していくための準備期間として役立つことだろう。

c　地域・国際・グローバルという三つのレベル――革命的変容プログラムのための要点

i　三つの基本的前提

反景気循環的な改良プログラムを抜本的に推進することで、革命的変容プロセスへの道筋を開かなくてはならない。この道筋を通じて集団による学習プロセスを実現し、解放と自律した社会に向けて抜本的な変革が必要だという感覚を広めるべきだ。社会主義への移行が実現可能だとすれば、それが世界中で必要なこととして、放棄しえない要求として展開される時のみである。

もちろんこのプロセスには時間が、何年もの時間が必要だ。しかしこの変容プロセスそのものが何十年にもわたって継続されることで、もはや戻ることのできない地点にまで達するだろう。そしてその頃には、生産手段を奪還した生産者による直接の自己運営が、平等かつ草の根民主的（わたしが「民主的」と言うときは常にこの意味である）な構造を創造し、階級による支配の再建を不可能にしていることだろう。

ii　地域と地方――民主的基盤に立った社会の奪還

一つ目の根本的な前提とは、基盤となる民主的構造（労働組合を刷新し、いつでも不信任を出しうる直接代表制という原則の採用へ向かわせること、官僚主義を脱し指導部の賃金を削減すること、そして地方自治体とその行政機構を民主的に再組織し、下から上に向かって段階的かつ全般的に国家を解体してゆく際の足がかりにすること）を実現することである。

次に、税収の大部分を地方自治体の構造へ向けなくてはならない（たとえばスイスでは、税収の六〇％が地方自治体に入る）。これが実現される頃には、税金を自己運営することへの人びとの関心が高まり、民主的学習プロセスが個人の利益と結びついているだろう。

三番目に、民主的な自治を構築するのに必要な自由時間と資源を確保するため、労働時間を大幅に削減し、所得の増大と均一化を同時に進める方向を目指さなくてはならない。この民主的自治の参加者《アクター》は、社会化プロセスを推進するだけでなく、権力構造を下から廃止してゆくプロセス（国家の解体）において、「政治階級」をお払い箱にしなくてはならない。

これら三つの基本的前提から出発すれば、地域あるいは地方における自治を目指す運動を実現し、それらを各々に対応する労働力と結びつけ、さらに階級構成が地域・地方でもつ特殊性を調査する計画を開始することができるはずだ。

ここまでくれば、今なら不可能に思えていることが大多数の要求となるだろう。地域の民主制に参加する者はその地域の生活に必要な生産手段を自己のものとし、それを自分たちのニーズに適応させ始めるだろう。具体的には、スラム街の上下水道、小規模農・土地をもたない者のために地方自治体が行う土地の社会化、さらに家屋・地域企業の社会化などである。それと同時に、公共財（社会基金、交通機関、教育、健康分野、貯蓄銀行など）が地域・地方レベルで社会化され始めるだろう。こうした地域・地方レベルの相互依存に基づく社会生活の自治という基盤があって初めて、エリートの力を借りずに機能しうるだけでなく、専門家・官僚階級の新たな勃興を阻止しうる自治社会の構造が生じてくるだろう。それと同時にこうした地域ごとの社会化プロセスは、地方・亜大陸・大陸レベルで互いに結びつくことになるだろう。

iii 労働者国際連邦の構築

とはいえ国際的な共通領域《インターフェイス》を同時に作り上げないことには、おそらくこうした地域・地方の変容プロセスは長続きしえない。このような共通領域が生じうるとすれば、それは先に触れた国家の枠を越えた労働組合が、グローバル経済における戦略的分野をその自己組織のうちに取り込んでゆくことによってだろう。こうした労働組合ははじめから、地域・地方レベルで展開されるさまざまな民主制をグローバルレベルで結びつけ、ゼネストを用いて彼らを反革命勢力から守るという責務を負うことになるだろう。

自治へと変容していく中で、国家の枠を越えた労働組合は次の経済領域に専念すべきである。すなわち、地方レベルの生産・再生産システムの尺度には収まらないグローバルレベルで活動する一方、地方レベルの評議会民主制に物質的基盤を与えるとともに、世界システムにおける中心産業、すなわちグローバル輸送網からマスメディアや情報テクノロジー産業で働く者の対抗権力を構築する経済領域のことだ。

自動車産業の再構築・社会化に続くべきモデルケースとしては、グローバル輸送網が役立つだろう。というのもこの業界は組織と闘争について非常に豊かな経験をもっているからだ（国際運輸労連（International Transport Worker's Federation）、トラック運転手・パイロットや鉄道産業におけるスト）。ＩＴＦを民主化し、すべての輸送産業に拡大すればいいのである。

iv 自治の世界連邦

最初の評議会民主制と労働者連邦は、確立されればすぐに社会自治の世界連邦を構築することに着手し、これが評議会民主制と国際労働者連邦のあいだの共通領域として機能するだろう。この世界連邦において、各大陸（と亜大陸）の評議会民主制型・連邦型の代表者は同等の権利をもつものになるだろう。それは第一次資源（食料、エネルギー、収入、教育および健康）を分配する際の地理的不均衡を撤廃するべく、再建・変容のための機関をひとそろい創設すべきだろう。他にも世界規模の軍縮、生態系の回復、生産の物質的プロセス（人類の活動的生活プロセス）を自然のプロセスと調和させることなどを目的とする機関が必要だろう。それに加えて、特別な機関をひとつ創設し、それを資本主義システムの外部においても現れうる支配構造（家父長的権力、民族紛争、人種差別）を乗り越えるために用いなくてはならない。

v 自治を目指すグローバルな連盟　散々悩んだが、地域・国際・グローバルという三つのレベルすべてに同時に働きかけるグローバル規模のネットワークをそなえた連盟として、この組織の実現形態を予示しておくことにする。これは前衛たることを主張するような組織構造ではなく、この概念の有用性をプロレタリアの多元宇宙との対話において証明すべく、それを批判し、修正し、拡大したのちに自分のものとした者が形成する自由で民主的な連盟となるべきである。そこから生まれる経験と学習プロセスは、このモデルを継続的に修正していくことになるだろう。そしてプロレタリアの多元宇宙が、グローバルな自治への移行をもはや取り消せないものにしたとき、この連盟はふたたび解消されるだろう。

この意味で、こうした連盟を構築するため同時に進行すべき三つの道筋は、次のような方向へ向かうべきだ。まずはじめに、すべての大陸に地域・地方レベルの活動家グループを創設し、そのあいだにコミュニケーション・宣伝の共通ネットワーク（インターネット、地方メディア）を構築しなくてはならない。つづいてこの連盟は、生産上の鍵となる最重要セクターにおいて、国家の枠を超えた労働者連邦を創設することに参加すべきである。最後に、今回の危機をグローバルな視点から分析し、とりわけその社会的影響（グローバル社会関係）に注意を払うべきである。それと並行して、理論的枠組みとそこから引き出される活動の選択肢を練り上げ、継続的に発展させてゆくべきだろう。

6. これからの展望

こうした提案は誇大で理想主義的に思われるかもしれない。だがわたしは、具体的な理想は、根本的な変化が生じている歴史的状況に対する正しい答えであると考える。なぜならこう考えることで、「いま生きている者の頭に悪夢のようにのしかかり」、わたしたちが突如として現れる行動の機会を捉えることを妨げる「死せる世代の伝統」（マルクス『ルイ・ボナパルトのブリュメール18日』植村邦彦訳、平凡社、二〇〇八年、一六頁）から自由になれるからだ。しかしそうした機会を実行に移すのは誰なのか？　新たな「政治」階級の構成を概念・組織の観点から予見したものと、無産者からなる多元社会の社会的・文化的構成のあいだに新たな弁証法を示唆することなどどうしてできようか？　過去のサイクルでは何十年も敗北と戦略上の過ちを重ね、信頼を失ってしまったわたしたちに、誰がその権利を与えてくれるというのか？

だが、わたしたちが入り込みつつある世界的な歴史状況においては、新たな戦略上の機会が生じているということも考慮しなくてはならない。カードはシャッフルされたのだ。今日、わたしたちの子供や孫が、一九六七年から一九七三年のあいだにわたしたちは何をなしたかを尋ねるように、未来の世代が、二〇〇八年から二〇一二年の危機と不況の時代にどこにいて何をなしたのかを、いま最も若い世代に尋ねるだろう。不可能なことは何もない。つぎの春を迎えた中国の農民が、一九九〇年代初頭から自分たちを世界経済装置の中心軸、すなわち債務‐債権関係に縛りつけてきた国家の専制を排除しないと誰に言えるだろう？　そうなればドルは即座に暴落し、わたしたちは二つの事態に直面することになるだろう。まず今回の世界経済危機が、二〇世紀の大恐慌が達したレベルを越えていきなり深刻化するということ。つぎに、危機の第一段階においては脇に退けられていた新たな役者が、世界史の舞台に現れるということ。グローバル労働者階級である。だが中国あるいは別の場所で起こる大衆蜂起が失敗し、一九七〇年から七一年のトルコ、一九七三年のチリ、一九七六年のアルゼンチン、あるいは一九七九年のイタリアの時よりさらに激しく反革命によって圧殺されるということもあるかもしれない。そのとき開かれるシナリオでは、多極権力間の世界経済戦争の昂進を「超帝国主義的」方法で抑えることはもはやできず、あらたなグローバル世界大戦の時代を招かずにはおかないだろう。おそらくそのような展開は生じず、ワシントン・北京という軸が危機を管理し、国家の介入による階級間の妥協がふたたび導入されるかもしれない。だがこの場合にはまた新たな行動の選択肢が生まれることになる。なぜなら労働‐資本の対立関係は新たな段階に突入するからだ。今回の危機の帰結がこのように「穏健な」ものだったとしても、わたしたちは説得力をそなえた議論を準備しておかなくてはならない。社会的な平等・進歩という計画からは切り離しえない議論を。

イタリア語訳注

＊　サンドロ・メッザードラによる序文でも述べられているように、本論考はもともとドイツ語と英語でドイツのインターネットマガジン「ワイルドキャット」(http://www.wildcat-www.de/) 上に掲載されたものである。

(1)　介入主義的左派 (Interventionistiche Linke) とは、二〇〇五年にドイツで生まれた諸集団、個人そして行動の計画からなるネットワークである。ＩＬ (自主的あるいは「ポスト自主的」な同人雑誌、反ファシスト雑誌・グループ、反帝国主義集団が参加している) は、二〇〇七年六月にハイリゲンダムで開催されたＧ８に対する反対運動の推進者のひとつであった。次のサイトを参照 (http://www.dazwischengehen.org/)。

(2)　「ハルツ計画」とは、ペーター・ハルツが議長を務める諮問委員会が行った労働市場を改革するための一連の提案のことである。委員会は二〇〇二年八月、ゲアハルト・シュレーダーのドイツ社会民主党政府に報告書を提出した。四つの部分 (ハルツⅠⅡⅢⅣ) からなる提案の大部分は、二〇〇三年から二〇〇五年のあいだに法制化された。二〇〇五年一月に施行されたハルツⅣは失業者に対する保護を全体的に改革するものである。

(3)　「キーツ Kiez」とは、北ドイツ、それもとりわけベルリンに存在する地区のことであり、行政区分とは独立の、非常に強い社会・文化的な繋がりとネットワークを特徴とする。その例としては、ハンブルクのザンクトパウリ地区、ベルリンのクロイツベルクなどがあり、ここ数十年間、偉大な文化的・芸術的展開だけでなく、自治闘争とプロレタリア大衆による抵抗運動の驚くべき舞台にもなっている。

もはや何もこれまでどおりには行かない
金融危機をめぐる10のテーゼ*

1. 今回の金融危機は資本主義システム全体の危機である

今回の金融危機はシステムの危機である。つまり前世紀の九〇年代このかた形成されてきた資本主義システム全体の危機なのである。これは、いまや金融市場が認知資本主義の脈打つ心臓であるという事実による。金融市場は蓄積活動に資金を供給している。つまり金融市場に引きよせられた流動性の援助により生産が再構築され、知識を搾取し、企業の外部にある空間を支配することへと向かうのである。

つぎに、金融市場は所得の増大に際して、フォーディズム時代にケインズの言う乗数効果が（〈赤字財政支出〉を通じて）担っていたのと同じ機能を果たしている。しかしながら――古典的な乗数効果とは異なり――この機能は歪んだかたちで所得を再分配している。このような乗数効果が機能する（つまり「1より大きくなる」）には、金融基盤（つまり金融市場の規模）が継続的に拡大すること、そして所得の増大分が平均賃金の減少（一九七五年以降はおよそ二〇％）を平均で上回っていることが必要である。その一方で所得格差の拡大は、当の金融基盤の成長を支えている債務が返済不能に陥るリスクを増大させ、平均賃金レベルを下げる。こうして最初の矛盾が生じ、その結果が今わたしたちの目の前にある。

さらに、金融市場はさまざまな労働所得（社会国家を通じて健康や公教育を守る諸機関へとわたるはずの所得だけでなく、退職金や年金など）の向かう先を無理やり変えることで、これまで社会を保障してきた国家に取って代わりつつある。この視点からみると、金融市場は生が再生産される領域の私有化／民営化を表しており、それゆえ生権力を行使する。してみれば、金融の危機とは現代資本主義が行使する生権力構造の危機である。

最後に、金融市場は、今日の資本主義が価値増殖を行う場、つまり社会的協働と〈一般的知性《ジェネラル・インテレクト》〉のレントが搾取される場である（第二テーゼを参照）。

これらの考察をふまえ、「実物」領域と金融領域を分離することの難しさを心に留めておかなければならない。その証拠に、利潤と金融レントを区別することは実質的に不可能である（第八テーゼを参照）。

2. 今回の金融危機は資本主義が価値増殖を行う際の尺度の危機である

認知資本主義の到来とともに、価値増殖プロセスは物質的生産に結びついた単一の量的尺度を失った。こうした尺度を何らかのかたちで規定していたのは、商品を生産するのに必要な労働内容だが、これは生産そのものの物質性と生産に必要な時間をもとに計測可能だった。だが認知資本主義の到来とともに、価値増殖はさまざまな労働形態と結びつくようになり、労働は明確に定められた時間から溢れ出し、ますます生の時間全体と一致するようになっている。現代の資本主義的蓄積を支える労働価値は、知識、情動と関係、想像的なものおよび象徴的なものの価値でもある。こうした生政治的変化の結果、労働価値という伝統的な尺度とともに、利潤という形態が危機に陥っている。それに対して資本が見つけだしたひとつの解決策が、市場価値の力学を、社会的協働と〈一般的知性〉を搾取する際の尺度とすることだった。こうして利潤はレントに変容し、金融市場が労働価値を決定する場となり、労働価値は金融価値へと変わる。だがこの価値は、金融市場が主観的に将来利益の期待値を表現したものに他ならず、このやり方で彼らは一定のレントを掠め取るのである。現在の金融危機は、少なくとも現代の認知資本主義による〈ガバナンス〉が失敗したという意味で、金融が労働の計測単位を作りだせるという幻想に終わりを告げている。それゆえ金融危機は資本主義的価値増殖の危機でもある。

3. 危機とは認知資本主義が発展する地平である

資本主義的生産様式の危機という現象は、伝統的にふたつの主要カテゴリーに分類されてきた。すなわち、ひとつの歴史的段階が終わったことに由来し、いまだ潜在的な変容の展望を開くための条件を表す危機、あるいはひとつの歴史的段階が変化し、新たな社会‐経済的パラダイムがなんとかして支配的になろうとする結果として生ずる危機である。前者であれば「飽和の危機」が、後者であれば「成長の危機」が論じられる。

このモデルに従えば、現在の危機は一九七〇年代の危機ではなく一九二九年の危機と同じもの、つまり「成長の危機」と定義することができるだろう。今回の危機の前兆は一九九〇年代初頭、つまり認知資本主義のさまざまな特徴が形作られ始め、フォーディズム‐テイラー主義的パラダイムの危機から抜け出す段階が終わりつつあった頃に見られる（ポストフォーディズム）。

事実、一九二九年の大恐慌と第二次世界大戦を経て生まれた、大企業型の生産モデルとケインズ主義的政策を基盤とするフォーディズム‐テイラー主義パラダイムが、取り返しのつかない危機に見舞われ始めたのは七〇年代後半からである。

八〇年代、つまりいわゆる「ポストフォーディズム」の時代には、いくつもの社会・生産モデルがフォーディズムの超克を準備はしたが、支配的パラダイムが生まれることはなかった。

一九八七年の金融崩壊《クラック》と一九九一年から一九九二年の景気後退（このあいだにベルリンの壁崩壊と第一次湾岸戦争がある）に続く一九九〇年代初頭、認知資本主義という新たなパラダイムが、その力を遺憾なく発揮すると同時に、不安定さも見せつつ広まり始めた。こうした状況のなか、生産と労働の変容とともに、金融市場の役割がその性質を変え、国民国家とケインズ的な〈福祉《ウェルフェア》〉の構造もまた変化した。つまりそれ以前の歴史的段階で見られた形の公的介入が衰退していったのである。

今回の金融危機——ここ一五年間に生じてきた危機に続くもの——は、蓄積と分配を調整すべくこれまで認知資本主義が構築しようとしてきたメカニズムが、システムとして構造的に不安定であることを明らかにしている。

だがはっきりさせておこう。現在の危機を「成長の危機」という言葉で語るしても、現況をともかく前向きかつ社会的に納得のゆくかたちで「自動的に」乗り越えうると主張するわけではまったくない。事実、いまのところこのような危機から抜け出す方法は見つかっておらず、しかも危機そのものが性質を変えつつある。これまでとは異なり今回の危機は、発展‐危機‐闘争という直線的な経済サイクルに位置づけることはできない。一九二九年の大恐慌は、〈ニューディール政策〉と第二次世界大戦の助けを借りてフォーディズムパラダイムが行った調整により乗り越えられた。今日、そのような展望は与えられていない（第九テーゼ参照）。資本主義的蓄積がコモンを捕獲することで再生産されるとき、危機は永久に続くプロセスとなるのである。このような状況においては、労働に生じたさまざまな変容、資本が生産サイクルをその頂点から組織するのが不可能になったこと、そしてグローバリゼーションがもたらした空間‐時間座標の変化などに照らして、経済サイクルというカテゴリーそのものを根本的に見直さなくてはならないだろう。そのことを明らかにしているのが相次ぐ経済・金融危機（いくつか例を挙げれば、一九九七年の東南アジア危機、二〇〇〇年のナスダック指数暴落、そして金融システム危機と〈サブプライム〉危機）である。こうした危機はあまりに短期間に生じたため、たとえ事後であっても、景気循環の力学を再構築することは不可能になってしまった。ということは、いくつもの道筋が開かれたわけである。正しい道を見つけ出せるかどうかは、さまざまな運動が変化を求め政治的に行動をおこす意志にかかっている。

4. 金融危機は生政治的管理の危機、つまり〈ガバナンス〉の危機であり、そのシステムが構造的に不安定であることを明らかにしている

今回の金融危機は、金融を基盤とした蓄積・分配プロセスの制度的〈ガバナンス〉が不可能であることを示してい

る。ここ数ヶ月間に――遅ればせながら――開始された〈ガバナンス〉の試みは、進行中の危機にさしたる影響を及ぼしえていない。だが、流布しているデリバティブの価値を国際決済銀行（BIS）が五五六兆ドル（世界GDPの一一倍）と見積もっていることを考えれば、それも仕方ない。二〇〇八年だけでその価値は四〇％以上も減少し、二〇〇兆ドル以上の流動性が破壊されたのである。しかも〈不良資産〉はウィルスのごとく広まり、どこに潜んでいるかを知るのは文字通り不可能である。

　これまで世界中でなされた新たな流動性注入による貨幣介入は五兆ドルに満たない。まさに大海の一滴、この額では損失を補填し、下落傾向を反転させるには構造的に不十分である。してみると、唯一可能な〈ガバナンス〉政策は、信用環境を改善すること、つまりいわゆる「世論」の力学に影響を及ぼしうる現実の、そして／あるいは、ヴァーチャルな制度／組織を十分に考慮しつつ、さまざまな言語と〈共有信念《コンベンション》〉に働きかけることだということになる。だがしかし、金融市場力学の最深部にいる投資家ですら測りきれないほど「度を越した」危機の重みを実際のあたりにすると、詐欺師紛いの行動を非難したり、一定量の信用を注入するといった考えは、まるで場違いで実践不可能なものに思える。

　つまり〈ガバナンス〉の危機は技術上の危機にとどまらず、なによりまず政治的危機なのである。第一テーゼで示したように、金融市場が拡大と実質成長の段階を維持するためには、金融基盤が継続的に拡大することが必要となる。言い換えるなら、金融市場そのものに振り向けられる世界の富が継続的にその量を増すことが必要なのである。このことは、債務を抱える人の数を増やすこと（金融市場の拡大レベル）によってであれ、新たな金融手段を発明し、すでに存在する金融取引から糧を引き出すこと（金融市場の強度レベル）によってであれ、債務‐債権関係を継続的に増やすことを含意する。デリバティブ商品は、強度を高めることで金融市場を拡大する古典的な手法である。だがいかなる要因を想定しようと、金融市場の拡大には必然的に、債務と投機活動、そしてリスクの増大が伴う。これは、認知資本主義の根本要素として金融市場が果たす機能に内在する力学なのである。経営陣や銀行の貪欲さが過剰投機をもたらしたのだ、などと論じたところでまったく意味はなく、今回の危機を引き起こした本当の構造的原因から目を逸らすのに役立つだけだ。最終的に行き着くところは、増大する債務を抱えきれなくなるという状況でしかありえない。より高い債務不履行のリスクを抱えた人口層、つまり労働が不安定化した後に、いわゆる資産効果――市場における儲けによって最富裕層が得ていたもの――の恩恵に浴することができずにいた社会層までもが債務を抱えるようになればなおさらだ。してみれば、不動産抵当貸付が破綻する危機は、現代認知資本主義が抱える矛盾、すなわち不平等な所得分配と、蓄積プロセスを展開し続けるために金融基盤を拡大する必要性とは両立し得ないという矛盾に起因するのである。この矛盾点は、大部分の社会的主体の生は（彼らがその特異性において分断されていようと、階級の部分として定義可能であろうと）包摂しえない（つまり常に過剰であり続ける）ことが明らかになったものに他ならない。今日いくつもの行動のなかにその姿を現している過剰（企業ヒエラルキーへの不服従から、領域的〈ガバナンス〉に反対するコミュニティの存在、そして支配的な社会慣習が強要する生の掟から逃れる個人や集団。労働の世界ではさまざまな自己組織形態が発展し、南側諸国のメガロポリスに存在する〈スラム〉や西洋の大都市、南米と東南アジアの産業化されて間もない地域などでは、新旧の搾取形態に対する抵抗が広く展開されている）。この過剰は地球の四隅からいまいちど声をそろえて宣言している。危機のツケを払うつもりはない、と。現代資本主義が救いがたく不安定なのはこうした過剰の賜物でもある。

5. 金融危機とは単独主義《ユニラテラリズム》の危機であり、地政学的見地からするとバランスが回復される時である

今回の危機により、金融化プロセスにおけるアメリカの金融ヘゲモニー、そしてアングロサクソン株式市場の中心性が改めて疑問に付されている。今回の危機が終わるときには、必然的に金融の重心がアジア、そして部分的には南（アメリカ）へと移行するだろう。すでに生産および商業取引の支配というレベル、つまり現実のレベルでは、グローバリゼーションの進行により、生産の中心が世界の東と南に移動していることがいっそう明らかになってきている。この観点から見れば今回の金融危機は、認知資本主義の第一段階を特徴づけてきた、ある意味で異常な事態に終

わりを告げている。つまりテクノロジーと認知的労働の中心はインドと中国に移動しているにもかかわらず、金融へゲモニーは西洋が握り続けているという事態である。東洋諸国（中国とインド）、ブラジルそして南アフリカの発展を牽引するのが、西洋の〈大企業〉による外部発注・海外移転プロセスだった頃には、認知資本主義において支配権を握るふたつの主要な変数――一方の貨幣・金融支配、他方のテクノロジー支配――のあいだに空間的乖離を見出すことは不可能であった。新たに産業化を遂げた国々が、知識を模倣し普及させる能力に基づく生産モデルから、知識の創出・領有・蓄積プロセス――「人的資本」の形成もまたそのひとつである――を推進しうる生産モデルへと移行することで、西洋と日本のテクノロジー上のリーダーシップを危機に陥れ始めるのは、一九九〇年代終わり以降のことである。タイ・バーツの暴落に始まる一九九七年の金融危機は――旧ソヴィエト連邦圏のアジア諸国にくわえ――とりわけアジアと南アメリカの株式市場を直撃し、グローバル規模でアングロサクソンの金融市場の復権を可能にしたとはいえ、技術‐生産上のリーダーシップが東へと段階的に移行するのを止めはしなかった。こうして世界の地‐経済学《ジオ・エコノミック》的バランス内部に最初の矛盾が生じる。金融においては西洋、実物経済と国際貿易においては東洋が優位になるという矛盾である。この不安定なバランスは、新世紀最初の五年間はアフガニスタンとイラクにおける恒常的な戦争によって事実上凍結されたが、その一方で国際貿易をめぐるサミットが何度も（二〇〇一年一一月のドーハ、二〇〇三年九月のカンクーン、二〇〇五年一二月の香港）失敗に終わった本質的な要因でもあった。

しかしアメリカの国内・対外債務が増大し、危険を知りつつも、さらなる債務‐債権関係によって金融市場の拡大を加速させざるをえなくなったとき、すでに不安定だったこのバランスは長くは続きえなかった。今回の金融危機はこのような地理的不均衡に終止符を打ったのである。テクノロジー・金融それぞれの優位性は、地‐経済学《ジオ・エコノミック》レベルにおいてもふたたび一致する傾向にある。その結果、生経済的蓄積パラダイムとしての認知資本主義が中国、インドそしてグローバル・サウスにおいても支配的になりつつある。しかしだからといって、さまざまに異なる空間と時間のあいだに存在する、根本的なまでの差異が意味を失ったわけではないことは、はっきり言っておこう。こうした差異を通じて、資本主義の価値増殖プロセスが拡張されている一方、資本の支配・搾取を被っている労働の構成もまたいまなお分節され続けている。また、ナイロビ、ニューヨークそして上海に分け隔てなく適応可能な、万能鍵のごとき概念をひとそろい鍛え上げることが可能になったわけでもない。むしろ重要なのは、さまざまな場所、地域そして大陸のあいだに存在するいくつもの根本的な差異が帯びる意味そのものを、認知資本主義を構成している生産体制、時間性そして主体的な労働経験からなる多種多様な編目のなかでまとめなおすことである。

6. 金融危機はEUを経済的、政治的そして社会的に構築するプロセスがいかに険しいかを余すところなく示している

ヨーロッパにおける通貨統合の試みが目指したことのひとつに、金融危機が生じた場合に盾となりうる強い通貨を構築し、ユーロ圏の国々を為替市場の投機的乱高下から保護するということがある。事実、ユーロの存在は一九九六年―一九九七年および二〇〇〇年の危機に際して、国際的な投機が反ヨーロッパを目的に提携することを阻止した。だがしかしこのような議論は、アメリカヘゲモニーの中心部に端を発した今回の危機が、西洋の主要な投資企業に破産（のリスク）をもたらすにとどまらず、「実物」経済にまで影響を及ぼし始めると、もはや意味をなさない。

世界中の通貨当局と、大きな影響を被った各国政府は、できるだけ多くの流動性を供給し、金融・不動産セクターに生じた亀裂を塞ぐことで対応しようとした。だがこのような介入は、莫大な額の公的資金を動かしはしたものの、ヨーロッパレベルではまとまりを欠いていたため、その協力体制はほぼすべてが技術上のレベルに留まり、政治的なものはひとつもなかった。その結果、EU各国はそれぞれ異なる方法で独自に行動することになった。実際のところ、通貨統合を実現することにかまけて、加盟国の影響からは独立した予算により、ヨーロッパレベルで財政政策を行うための前提作りが疎かになっていたという現実に直面しているのである。現在、金融危機による現実の影響を和らげるために、各国が協力して行う財政介入の手段はない。この事実は、ヨーロッパの経済・社会的統合（政治については言わないとして）が失敗したことのさらなる証である。

7. 金融危機は新自由主義理論の危機を示している

今回の金融危機は、資本主義システムが構造的に不安定であり、自由市場の理論ではその不安定性に対処できないことを示している。自由主義思想の支配的通俗版によれば、市場の自由な働きは効果的な蓄積プロセスだけでなく、各個人の貢献と働きに応じて、適正で平等な所得分配をも保証するという。社会的な差異が存在するとしても、それは自由に表明される好みをもとに経済主体が行う選択の事後的な結果なのである。このような発想はふたつの主要な前提に基づいている。

一つ目は、経済プロセスはただ取引活動（配分）においてのみ行われるものだという考えである。非人工的な自然資源に依拠する生産能力は、その定義からして限界を抱え、稀少性に従属するという前提のもと、取引活動において供給を規定するのは消費者（要求する＝需要をもたらす者《デマンド》）であるとされる。

配分プロセスが生産プロセスに対して優位であるということは、「消費者主権」という原則により、市場こそ経済活動が決定される唯一の場だということを含意する。このような原則はまっすぐに「個人主権」へと翻訳され、各個人は自己を判定する唯一の存在であり（自由意志の原則）、社会的評価は各個人が表明する評価にのみ基づくべきだ（個人主義の優位）ということになる。しかしこの消費者主権は、個人主権を消費行動に矮小化してしまう。新自由主義が称揚する個人の自発的行動《イニシアティブ》は、こうして単なる消費の自由に翻訳されるが、これとてどのみち絶対的自由ではない。個々人によって異なる購買能力と購入可能な商品に制約されているからだ。その結果、市場において財もしくはサービスを要求するための貨幣資源を持たない者（たとえば移民の一部）は、経済的視点からすると存在しないことになる。

事実、重要なのは各個人が己のニーズを満たすべく手に入れようとする財やサービスの総体としての需要ではなく、支払い能力をもつ需要、つまり金銭を手に表明される需要であり、金がないため市場において表明されえないニーズは、事実上存在しないのである。可処分所得が人類の大部分にとって、（所得により制約されるがゆえに）労働の対価に左右されることを考えれば、「個人がどれだけ自由であるかを実際に決定するのは労働条件である」という結論——結局は否定されるものだが——に達することができるだろう。

第一点と緊密に結びついた第二点は、フォーディズム型の産業資本主義が危機に陥り、生経済資本主義に変容した結果として、所有による個人主義の優位を主張する。各経済主体は消費や投資の選択に、自分だけで責任を負うべきものとされる。こうした理論上のアプローチは、金融に関して言えば、国家の負債を各個人の負債に変えるということであり、経済政策という面では、景気変動に応じた金融政策を放棄し、個人が負債により行う私的消費を正当化するために役立つ。蓄積を行う経済としての資本主義システムは、すべからく債務に依拠する貨幣経済であるという認識を前提に、一九二九年の大恐慌以降、国家は債務の管理・運営を責務とすることで、最終段階の貸主という役割を担うことになった〈ケインズが主張した〈赤字財政支出〉政策〉。それに対し、フォーディズムから認知資本主義への移行にあたり、所有による個人主義の名のもと、第二次世界大戦以降に獲得されてきたさまざまな社会権が金融によって民営化／私物化されることで、公的債務が個人債務へと変容しつつある。

新自由主義イデオロギーの危機とはまさに、生産と資源の配分を効果的に行うメカニズムとしての自由市場が、そして所得を再分配するメカニズムとしての金融市場の役割が失敗したことにある。前者については、自由競争の名のもとに、テクノロジーと金融が資本主義の歴史において類を見ないほど一極集中していった。後者については、金融市場による再分配〈ガバナンス〉はまるで機能しないことが明らかとなった。

8. 金融危機は認知資本主義に内在するふたつの主要な矛盾を明るみにだしている。労働に対する伝統的な報酬形態が不適正であること、そして所有という構造が卑劣だということである

今回の金融危機に現れているように、現在の認知資本主義が構造的に不安定であるという観点に立つならば、再分配における諸変数の定義を再考し、それらを認知資本主義の価値生産に結びつけうるようにすることが必要となる。

まず労働の領域について言えば、認知資本主義における労働の報酬は、生の報酬になるべきだということを認識する必要がある。それゆえ、来るべき《イン・フィエリ》闘争とは、もちろん必要なことであるとはいえ、（ケインズの用語で言えば）高賃金を求めての闘いであるにとどまらず、何らかの労働契約によって承認される労働活動からは独立した所得の継続性をめぐる闘いとなる。フォーディズム－テイラー主義パラダイムが危機を迎えてからのち、生の時間と労働時間のあいだの区別はもはや容易には維持しえない。労働の世界でもっとも搾取されている者とは、その生のすべてが労働に捧げられている者である。この状況はまず、サービス業界において、それもとりわけ移民労働力にとって、労働時間の拡張を通じて生じている。第三次産業における労働時間の大部分は、労働の場では行われないからだ。賃金が生産的であると承認・認識された労働の報酬である一方、個人所得は生きていることや、ある領域におけるさまざまな関係（労働、家族、補助金、場合によってはレント）に由来し、生の水準を決定するすべての収入の合計である。労働と生が分離しているかぎり、賃金と個人所得もまた概念上分離しうるが、生の時間が労働に捧げられるようになると、所得と賃金の差異は消えてゆく。

しかしだからといって、賃金闘争と所得闘争を対置することで、前者を各労働部門における抵抗に、後者を単なるイデオロギー的提議に託すことが問題なのではない。政治的問題とはむしろ、生産の変容と新たな労働構成の主観的物質性を出発点に、これらふたつの正しい組み合わせを改めて考えることである。

だが現実には、労働と生、そして賃金と所得が重なりあってゆく状況を、制度的調整の場はいまだ考慮していない。さまざまな観点から、生存所得（ベーシックインカム）が、認知資本主義の新たな傾向に相応しい、制度的調整の一要素になりうると主張されてはいる。しかしわたしたちが関心をもつのは、社会正義の理論に横滑りすることでも、生産の合理性が認識されていないと不平を言うことでもないし、資本主義がみずからの危機を乗り越えることを可能にする調整手段がないと嘆くことではなおさらない。所得［について論じること］はなによりまず、現代資本主義に起こっているさまざまな変化のなかにひとつの戦場を、すなわち対抗的主体性を構成してゆくプロセスのなかに政治的計画の一要素を特定することである。この観点に立つなら、〈ベーシックインカム〉は再分配ではなく、直接分配の変数として現れてくる。

つぎに生産領域に関して考慮すべき側面は、知的所有権が果たしている役割である。これは資本が社会的協働、とりわけ〈一般的知性〉を横領することを可能にする手段の代表である。知識とは社会的協働が生産する共有財であるがゆえに、革新的活動を行い、労働の生産性を向上させるためにそれが使用されることから生まれる剰余価値は、物理的・個人的な株式《ストック》資本投資の産物である（つまり人であれ企業であれ、単独の存在として定義される資本家に帰することができる）にとどまらず、むしろ企業家個人の自発性からは独立したかたちで、ある領域そのものに蓄積される社会的資産（経済学者の言葉を使えば「人的社会資本」）の活用に依拠している。してみると知識から生じる利潤率とは、企業価値を決定する株式資本と投資レベルのあいだの関係にはとどまらず、むしろ既存の「社会」資本によってもその値が決定される「なにか」なのである。言葉を換えるなら、知識のごとき共有財を私的目的で搾取し収奪することから生み出される割合がいっそう高くなっているがゆえに、利潤の一部もまた〈レント〉――ある領域や学習プロセスから生まれるレント、つまり知的所有権の行使や知識の所有に由来するレント――と見なしうるということだ。

ここで『雇用、利子および貨幣の一般理論』の結論におけるケインズをもじれば、こう主張することができるだろう。「知識の所有者は、土地の所有者が土地の希少性のゆえに地代を獲得することができるのと全く同様に、知識が希少だから利潤を得ることができるのである。だが土地の希少性には本来的な理由があるかもしれないが、知識の希少性にはもともとそうした理由は存在しない」[1]と。

とはいえ近年では何人もの自由主義の理論家が、長い目で見れば革新プロセスを阻害しかねないという理由から、特許と著作権の縮小（場合によっては撤廃すら）を主張し始めている。彼らの考えによれば、認知資本主義は、ウェブ2・0が予兆し、グーグル・マイクロソフト間の対決に代表されるモデル、すなわちある種の「所有権のない資本主義」になるべきだという。社会的協働をその出発点で組織することがうまくいかない場合、資本は終着点までそれを追いかけて捕獲せざるをえなくなる。こうして蓄積と剰余価値が一番最初に金融化プロセスを通過する。これはまさに金融資本のそばにいるグループが「資本のコミュニズム」と定義したものである。とはいえ、所有権なしで機能することが可能だとしても、資本主義は当然のことながら支配を放棄するわけにはいかない。たとえこのことで、認知的労働の潜勢力が継続的に阻害されるとしてもである。ここには、生産諸力と生産諸関係の間の古典的な矛盾が、まったく新しいかたちで現れている。

　認知資本主義において利潤とレントが入り混じっている事態は、蓄積プロセスが蓄積の基盤そのものを拡大することで、フォーディズム型産業資本主義の時代には剰余価値を生産せず、抽象的労働になることもなかったさまざまな人間の行為があらたにその内部に取り込まれたことに由来する。

　この観点からすると、一九二九年の大恐慌直後にケインズが提示した経済政策上の指摘を、認知資本主義への移行に内在する新たな要素を考慮に入れつつ、書き直すことができるだろう。

　具体的には、高賃金政策を〈ベーシックインカム〉という手段と換える一方で、ケインズの主張した〈金利《レント》生活者〉の安楽死を、知的所有権に由来するレントを獲得する立場（認知的〈レント生活者〉）の安楽死へと逸らし、それと同時に、現在の価値増殖において空間、知識そして金融の流れが果たしている役割を考慮しつつ、課税の際の基盤を定義しなおすことのできる財政政策を採用することになるだろう。この提案にしても理想的な地平を描いているわけではないが、新しい〈コモンの諸制度〉を組織するためにはどのようなかたちで闘争を遂行すべきか、そしてその条件とは何なのかを再考するための、対立の場を特定してはいる。

　投資を社会化するというケインズの提案に関していうと、認知資本主義の特徴とは、テクノロジーと金融の流れ――すなわち今日、柔軟に外部化されている生産活動の管理と支配を可能にしている要――がますます集中していくなかで生じている生産の社会化である。それゆえ投資の流れの基盤にあるこのような集中に影響を及ぼそうとする政策はすべからく、所有構造を直接的に揺るがし、資本主義的な生産関係そのものを根本から脅かすことになる。

認知資本主義における社会契約を定義しうる「改良主義的」提案が可能だとしても、それは〈ベーシックインカム〉を採用し、知的所有権の重要性を下げることをもとに、賃金を調整する新たな手段を導入し、それを知的所有に由来するレントが安楽死する方向へと段階的に進めてゆくことにとどまるだろう。

9. 今回の金融危機を、新たな〈ニューディール〉を定義する改良主義的政策によって解決することはできない

現在、新たな社会契約（〈ニューディール〉）を実現するための経済・政治的前提は現実には存在しない。つまりそれは幻想に過ぎないのである。

フォーディズム型の〈ニューディール〉とは、以下の三前提の存在に基づく制度的〈寄せ集め《アッサンブラージュ》〉（〈大きな政府〉）の結果だった。まず、協力するとはいえ、他国からは独立したかたちで自国の経済政策を展開しうる国民国家。次に、生産性の上昇率を計測し、そのあとでそれを利潤と賃金に再分配しうること。最後に、社会を構成する各部分に、明確な自己認識をもち、制度によって正当性を保証された産業関係が存在し、それが十分に均一なかたちで――もちろん恣意性が完全に排除されるわけではないが――企業家と労働者階級の利害を代表しうること。これらの前提はどれひとつとして現在の認知資本主義には存在しない。

第一の前提、国民国家の存続は、生産が国際化し金融がグローバル化してゆくプロセスにより危機に陥っている。こうしたプロセスは、技術や知識、情報や軍備に対する国民国家の支配力が弱まりつつあるなか、超国家的な〈帝国〉権力が決定される基盤を表している。

突き詰めれば、認知資本主義においては――経済・社会政策の基準となる単位として――地理空間的に国家の枠組みを越えた存在を想定できる（それゆえ今日世界レベルで中心的な役割を果たしているアメリカ、ブラジル、インドそして中国といった国々が、実際にはヨーロッパの古典的な国民国家とはまるで異なる大陸的空間であることは偶然ではない）。この観点から見ると、EUは、新たな〈ニューディール〉を実現するための社会－経済的な公的空間が新しいかたちで定義されたもの

だと言えるかもしれない。しかし現状においてヨーロッパの構築を導いている貨幣・財政政策上の路線は、金融市場の力学に左右されない、自律・独立した公的社会空間を創りだす可能性を否定するものである（第六テーゼ参照）。

第二の前提、生産性の力学は、非物質的生産と、人間にそなわる認知的能力を巻き込むことにますます左右されるようになっているが、これらはどちらも量という伝統的な規準によっては計測しがたい。社会的生産性の計測が困難になったことで、いまや賃金と生産性の関係を基盤とする賃金調整は不可能になってしまった。

〈ベーシックインカム〉という提案は、さまざまな方面からの反対と不信に出くわしている。企業家たちはそれをまず秩序転覆的であると見なす。なぜならそれは、必然的に働かなくてはならないという状況により〔労働者を〕脅迫する際の効果を減少させかねないからだ。さらに、〈ベーシックインカム〉があらかじめなされた生産活動の直接的な報酬として適切に――実際こうあるべきなのだが――理解され、いかなる条件にも従属しないということになると、もちろんその財源は一般税であるにも関わらず、経営者による管理を免れることにもなりかねない。その一方、社会保障システムを改良するという提案は、たとえ――フレクシキュリティ〔flexibility と security を組み合わせた造語。解雇規制を緩和する一方、社会保障を手厚くすることで、労働市場における柔軟性と保障を同時に実現しようとする政策〕の対象に「不安定労働者《プレカリアート》」も含めることで――範囲が拡大されることになるとしても、経営者の側から異なる反応を得るだろう。というのもこの場合、現実に問題となるのは〈ベーシックインカム〉のごとき直接的な分配ではなく、「再分配」政策だからだ。言い換えるなら、このような補助金は所得の直接的分配がいったんなされたあとでそれを移動するものであり、対象の拡大により改良されたところで、労働の報酬力学に傷をつけはしないのである。また支給される際、非常に厳密な決まりごとと条件に従属するがゆえに、このような補助金は労働力を差異化し分裂させる要素となるのみならず、〈勤労福祉制度《ワークフェア》〉的発想をもつさまざまな社会政策と完全に一致してしまう。

その一方、労働組合にとって〈ベーシックインカム〉は、彼らの一部がいまだにその存在基盤としている例の労働倫理に反する。

第三の前提もまた重要なものである。今日、企業と労働組合双方において、社会的代表の諸形態が危機に陥っている。単一の組織モデルがなくなったことで、資本と労働双方に分裂がもたらされているのである。資本の場合には、小企業——その多くは下請け契約に縛られている——の利害、巨大多国籍企業の利害、そして金融・為替市場における投機活動、流通・輸送・エネルギー・軍備および研究・開発（R&D）分野における独占に由来する利潤とレントの横領に分かれている。なかでも、戦略と時間的展望が多様化することで生じている産業資本、商業資本そして金融資本のあいだの矛盾、そして地ー経済学《ジオ・エコノミック》・地政学《ジオポリティック》上の影響をめぐり国家資本と超国家資本のあいだに生じている矛盾によって、資本家階級の均一な意図と、彼らが共有する目的の定義が疑わしくなっている。さまざまな資本の利害をもっともよく結び付けている要素は、短期間で利潤を追求する（その源泉はことなるが）ことだが、このせいでフォーディズム型資本主義の時代には実践可能だった、段階的改良を目指す政策の形成が実質的に不可能となっている。

その一方、労働の世界もまた、法的観点からのみならず、とりわけ質的観点から見ていっそう分断されつつある。産業賃金労働者という形象は、惑星上の多くの場所で興隆しつつある一方、西洋諸国においては凋落しつつあり、非正規／不安定雇用、出稼ぎ労働、雇われ人、半自営業／自営業など多様な形象から成るマルチチュードが優位になっている。また彼らが組織を形成し代表者を出す可能性は、個人契約が優勢となり、フォーディズム時代に発展した労働組合の構造が〔現在の状況には〕適応できていないがゆえに、阻害されている。

これら三つの前提が失われた結果、認知資本主義には、その特徴である不安定さを軽減しうる改良のための制度的政策を行う場がなくなってしまった。新たな〈ニューディール〉は、私的利害によって破壊され公的空間のなかでは凍結されている〈福祉《ウェルフェア》〉の奪還を通じて、自主的な制度をそなえた運動と実践がおこなうものでないならば、どれも不可能である。〈ベーシックインカム〉に基づく賃金調整から、知の自由な流通に基づく生産まで、わたしたちが明確にしてきたいくつかの方策はたしかに、新自由主義の理論家たちが指摘する通り、必ずしも資本による蓄積・捕捉の仕組みと相容れないわけではない。だがそうした方策は、共有の富を取り返すための戦いの場を切り開き、その場を通じて資本主義システムの本質そのもの、つまり労働の強要や、ある階級が別の階級を脅迫し支配するための手段として用いられる所得、そして生産手段（以前は機械設備だったが今日では知識も含まれる）の私的所有という原則をその根本から脅かす可能性も秘めている。

言葉を換えるなら、ケインズの流れを汲むと同時に、新たな蓄積プロセスの特徴にも適合する社会的妥協など、認知資本主義においては理論上の幻想に過ぎず、政治的な視点から見れば実践不可能なのである。

今日、認知資本主義パラダイムの構造に安定性を保証することのできるような、正真正銘の改良主義的政策（つまり資本と労働のあいだに、そのどちらをも満足させるような仲介形態を見出そうとする政策）は描きえない。

つまり、わたしたちがおかれている歴史的文脈においては、実践的見地からして、またとりわけ理論的に見て、社会の力学が改良主義に発展の余地を与えないのである。

となれば、理論を導くのは〈実践《プラクシス》〉なのだから、闘争とマルチチュードの運動を創造する能力だけが――これまで同様――人類の社会的進歩を可能にするということになる。

国家の枠を越えたレベルで強力な社会闘争を再開することによってのみ、現在の危機的状況から抜け出すための前提を創りだすことが可能になるだろう。いまわたしたちは明らかなパラドクスに直面している。資本主義的システムを改良し、それを相対的に安定させるための展望をふたたび開くためには、他でもない資本主義の指令構造が依拠している基盤を修正しうる、革命的な協調行動が必要なのである。

必要なのはポスト資本主義の社会を思い描くこと、より具体的に言えば、コモンの諸制度を直接組織したものとして、危機に陥っている〈福祉〉を巡る闘争を再考することである。これで政治の果たす仲介としての役割が完全に失効するわけではないが、そうした役割は代議制の諸構造から解き放たれ、自治の実践にそなわる構成的潜勢力に完全に取り込まれることになる。

10. 現在の金融危機は新たな社会闘争のシナリオを開く

社会主義が伝統的に課題としてきたのは、より高度な発展の合理性を提示し、資本主義に内在する不安定性を弁証法的に克服することで、資本主義を景気循環危機から救うことであった。別言すれば、資本主義が構造的に果たせずにいる進歩の約束を実現しようとしてきたのである。だがついに、労働、技術そして生産ヒエラルキーの客観性という想定のもと、社会主義と資本主義が互いを映し合っていた時代はめでたくも終わりを迎えた。

わたしたちがそのなかで生きることを強いられている不当な社会システムを破壊し、平等と自由の旗印のもと、コモンのなかに生の物質的基盤を打ち立てることができるのは、いまも変わらずわたしたちの行動である。いまや経済の危機的状況は手で触れられるほどだ。そして数ある支配のかたちに、これから先も否を突きつけてゆくのは、抵抗の企てである。ローンを支払うことができなくなり、パニックに陥ったのち、三年間は住まいから立ち退かされることはないのだと気づく者がいる。株式市場の幻想を信じず、金融市場に投資した場合の豊富な収入をマスメディアや労働組合が大規模に喧伝したにもかかわらず、退職金を投資銀行に託さないことにした者もいる。

このような行動は——抵抗と不服従を表明しているその他の行動とともに——多大な重要性を獲得している。なぜなら所有による個人主義というレトリックが、特定の行動に特典を与えそれを囲い込むことで、社会的結束という偽りの幻想を生み出しながら構築してきた、触知不可能な社会的支配の亀裂を表しているからだ。

これと同じ方向性をもつ重要な信号は、イタリアにおいて学生たちが始めた〈異常な波《オンダ・アノマラ》〉の運動から届いている。さらに重要なのは、この運動において、所得やコモンの〈福祉〉といったテーマがますます好意的なかたちで受け入れられているということだ。こうしたテーマは、理論的に練り上げられたり、前衛的政策として提示されるにとどまらない。所得というテーマは、知の生産をめぐり、また社会的凋落と生の不安定化プロセスに対抗して、いくつもの闘争が新たな社会構成を形作ってゆくなかで、常識《コモン》／共通感覚《センス》となったのだ。こうしてこのテーマはイデオロギーを脱し、具体的な目的（たとえば実習・見習い期間や非常勤研究者が行う授業など、大学が企業化する際の基盤となっている、すでになされた無償労働に対する金銭、つまり賃金の要求）とひとつになった。この運動にとって、所得のテーマは危機における政治的計画となり、「私たちは危機のツケを払わない」というスローガンに具体性を与えているのである。

知識が商品化されることへの批判。勉学と生産のあいだの区別が不明瞭になっているがゆえに、学生である期間も報酬を受け取るべきなのだという認識。今日、社会的協働と〈一般的知性〉の領域を構成している物質的・非物質的サービスにアクセスする権利の要求。「公‐私」という使い古された二項対立を越えたところへ社会関係と協働を導く、新たな筋書き‐地平としてのコモンの生産。こうしたものが、現在のシステム危機を行動と提議の可能性を秘めた空間に転覆させうる政治プロセスを描き出すうえで、強力な助けとなる計画の素材である。

ヨーロッパを眺め渡してみるだけでも、蜂起の合図がここ数ヶ月のあいだ数多く表明されている。ギリシャにおける大規模な蜂起や、スペイン、フランスそしてドイツにおいて教育の場で表明されている運動にくわえ、コペンハーゲン、マルメ、リガその他ヨーロッパの大都市でさまざまな社会階層に影響を与えつつ現れてきている闘争の気運だけでも思い起こしておくべきだ。

重要なのは、「資本のコミュニズム」を「〈一般的知性〉のコミュニズム」へと転倒させ、それが現代社会の生きた力として、〈コモンフェア〉の構造を発展させ、人間が実際に効力をもつかたちで自由と平等を選択する際の条件となるようにすることである。「資本のコミュニズム」とコモンの諸制度のあいだには、いかなる鏡像関係も、直線的な依存関係もない。言葉を換えれば、重要なのは生産された社会的富をコモンに属すものとして奪還し、生きた労働がもつ潜勢力を捕獲する仕組みを破壊することだ。この仕組みはこれまで、公的なものと私的なもの二つの顔をもっていたが、危機が永久化した今日、資本主義はこの両面を支配している。

コモンの構築へと向かうこのプロセスでは、さまざまな運動の果たす自律的役割がますます重要となっている。彼らはその活動を通じて政治的提議を行うにとどまらず、なによりまず、今回の危機により詐取され傷つけられた主体性、特異性、あるいは階級が参照しうる存在にもなっているのである。

生を労働・生産プロセスに実質的に包摂する〔資本の〕能力、〈所有による個人主義〉をはじめとする個人主義やセキュリティを巡る扇動《セキュリタリズム》に毒された文化的・象徴的幻想の蔓延などは、労働者とプロレタリアの行動を社会的・認知的に管理するプロセスの重要な要を形成している。それゆえ、すでに抵抗を実践し、新たな階級構成をそなえたコモンを構築しつつある自律的な主体を擁護し組織することは、現行の社会・経済的ヒエラルキーを改善しうる闘争プロセスを開始するための必要条件なのである。こうした観点からすれば、ノマドの主体性が実現し、活性化させうるあらゆる過剰と蜂起が歓迎される。彼らの行動によってのみ、無数の小川が一本の川に流れ込むように、あるいは無数の蜂が群れをなすように、いくつものかたちで富と知の奪還を開始し、再分配の力学を逆行させ、危機のツケをその責任者に払わせ、社会的〈福祉〉とコモンの構造を新たに考え直し、この惑星に住まうすべての人間の尊厳と環境に敬意を払う、そんな自己組織と生産を想像する可能性が開かれる。

王は裸だ。わたしたちの前につづく道程は険しいが、とにもかくにも、すでに始まっている。

＊注

このテーゼは、UniNomadeネットワークが二〇〇八年九月一二、一三日にボローニャで開始し、いまも進めている金融危機をめぐるセミナーにおける集団討論の成果である。参加者は以下の通り。マルコ・バシェッタ、フェデリコ・キッキ、アンドレア・フマガッリ、ステファノ・ルカレッリ、クリスティアン・マラッツィ、サンドロ・メッザードラ、クリスティーナ・モリーニ、アントニオ・ネグリ、ジジ・ロッジェーロ、カルロ・ヴェルチェッローネ。起草者はアンドレア・フマガッリである。

（1）「資本の所有者は、土地の所有者が土地の希少性のゆえに地代を獲得することができるのと全く同様に、資本が希少だから利子を得ることができるのである。だが土地の希少性には本来的な理由があるかもしれないが、資本の希少性にはもともとそうした理由は存在しない」John Maynard Keynes, *Teoria generale dell'occupazione, dell'interesse e della moneta*, trad.it. a cura di T. Cozzi, Utet, Torino 2006, p.570〔邦訳『雇用、利子および貨幣の一般理論　下巻』間宮陽介訳、岩波文庫、二〇〇八年、一八三頁〕。わたしたちは「資本」を「知識」に、「利子」を「利潤」に変えたのである。

あとがき

「大危機」におけるレントについての考察

アントニオ・ネグリ

レントとはなにか、金利生活者《レンティエール》とはだれか、だれでも知っている。だれもが少なくとも一回は、アパートの大家の顔を面と向かってながめたことがあるだろう。かれをうらやんだか、憎んだか。いずれにせよ、わたしたちは——少なくともわたしたちの場合には——かれを働かずに金を得る者と考える。旧制度《アンシャン・レジーム》はレントの法が効力をもっていた時代であった。バークやヘーゲルにならった反動主義者たちはその法を自然法とみなして称讃し、ルソーの信奉者である革命家、啓蒙主義の流れをくむ改良主義者、人権の開祖たちは憎悪した。イギリスの自由主義者とカント派の哲学者たちは、自由は相続した富の搾取の上には成立しないし、発展することはないと考えた。つまり自由に値する富は労働の上に築かれるべきであると。「国富論」の理論家たち、経済学の発案者たちはどうかといえば、彼らはこの問題に対してあいまいな態度をとった。つまり、一方で、資本主義的な富はレントと対立するもの（そしてこのプロセスを論証することに経済理論の真実があった）として構築されねばならないと考えていたのは確かだが、他方で、資本主義的な発展が、暴力的かつ本源的な横領によって始まったのでなければ、力強く形成される、もしくは飛躍的な発展をとげる可能性をもたなかったということを隠そうとしなかった（読者に対しては時々隠していたが）。それが、歴史上囲い込み《エンクロージャー》の時代に起きた〈コモン〉および土地、労働の横領であった。さて、それではこの「絶対的レント（絶対地代）」とはなにか。それは暴力的で本源的ではあるが、必要な蓄積であり——しかしそれは隠す必要があった。恥ずべきことだったからだ――、そのあり方は専制的で邪悪、そして残酷である……。もちろん絶対的レントは、ふだんの、日常的なレント享受のプロセスのうちに生き残っていたが、富を生産する他の形態にいわば付随するものとしてであり（経済学者たちはそう言い、おそらくそれを期待していたが、分析のなかではもちろん矛盾していた）、結局のところ所有者間（土地および／または貨幣の）の競争の報償として現れるときのみ目につく存在であった。「相対的レント」は、こうして労働によって生産される剰余価値をあらわすひとつの表象となり、剰余価値は、耕作された土地の生産性が場所によって異なるように、商業的ファンド間の生産性の違いを通してあらわれるようになった。「相対的レント」を通じて、経済学者は、一方で改良主義者に同意し、彼らの根拠になんらかの妥当性を見いだそうと試みた。実際には、あからさまに資本主義的発展と歩調を合わせて、本源的な横領、原始的蓄積の暴力を正統化した。経済学が創始されて以降、現代にいたる道の半ば、ケインズ（ほぼ一世紀前）が「金利生活者の安楽死」を唱え、まだレントに呪詛を投げつけていた頃には、だれも想像してはいなかったであろう。二一世紀の初頭を特徴づけるのが、またしても（さらに、またしても）レントをめぐる論争であり、レントが有効であることによる政治的影響であり、レントから生じる派生物のうちでも最悪なもののイデオロギー的かつ反動主義的な礼賛であるとは。

近代的な法秩序の形成過程における民主的な構成権力〔憲法を制定する権力〕を研究する際、それがつねに触れる、というよりも、まず最初にぶつかるのが資本主義的秩序の所有構造である（批判的な見方をすれば、すでに構築された所有関係への攻撃であり、改良主義的および／または革命的な視点からみれば、所有の新しい社会的秩序への願望をあらわす）ことに気づかざるをえない。構成権力にこうした強い意図があったのだから、ブルジョアの法科学が近代全般にわたってその概念を孤立させようとし、構成権力から、その母胎である社会的関係――当初は社会的所有関係であり、のちに資本主義的横領の社会的関係となった――の物質性をむしりとろうとしたという事実は驚くにあたらない。構成権力は法が始まるところで終わりを告げた。テルミドールは、構成権力が実現されたとたん否定され、抹消された時期であった。構成＝憲法の理論からすれば、この中和が無駄なことは明らかだったが。構成権力が形式的に孤立したとしても、法学者と政治家は、みずからの仕事に方向性を与えるために、すぐさま「物質的構成」の分析を全面的に引き受けざるをえなくなる（それはすなわち、法律的または「形式的構成」の基礎となる社会的関係を、その複雑さと生じうる敵対関係の局面において研究することである）。こうして、かつてない状況が明らかにされていった。構成権力の反乱を支えた問題の原因は所有関係にあった。反対に構成された権力は所有関係を神聖な、変更できないものとして引き受けた。現代の司法における形式主義的な偽善のなかで、構成権力は、取り戻されることがあったとしても、決定の強さとなるはずの内実を欠いた「例外的な権力」としてしか見なされてこなかった。それに抗して、構成権力は具体性のなかに姿を現し、所有というテーマをよみがえらせるたびに、構成＝憲法の時代のなかで広がり、そこに、今日における司法改革および社会参加の要素として自己を提示しつつ、民主制度への可能性を開いた。そこでこそ構成権力は、長期にわたる物質的構成のなかで、自己を――民主主義的関数として――構築しつつ、「絶対的レント」と衝突し、また「相対的レント」の法的形態の内部で闘っていた。

今日、民主主義が前にして（そして立ち向かって）いるのは土地による（土地所有と不動産による）レントだけではない――とりわけ金融によるレント、すなわちマルチチュードを統治《ガバナンス》する基本的な手段として、貨幣がグローバルに動かす資本のレントである。金融化は、資本主義的な指令の現在形である。それはまだ明らかにレントに組み込まれており、その暴力的な志向も、資本主義的搾取のあらゆる形象のもつ両義性と矛盾も相変わらず備えている。ところで金融資本がそれ自体、ひとつの敵対関係ではないと考えるのは愚かであろう。金融資本は、資本の生産者であると同時に敵対者でもある労働力を、必要な要素としてつねに内包しているのだから。金融資本が敵対関係を包摂する形態は、いくつかの決定的な特質によって規定される。それは労働の、また市民権の身体的性質を強力に抽象化するという特質であり、カムフラージュされた世界かつ／またはゆがんだ欲望の、残酷な搾取共同体（労働力がマルチチュードになり、労働が認知的かつ協働的になったとき、資本は個々の労働者を搾取するのではなく、協働的であるかぎりにおいて本質的に労働力全体を搾取し、それが生産する〈コモン〉を収奪するという意味での〈コモン〉の搾取）の資本主義的な構築という特質だ。〈コモン〉

の搾取が、すなわち、金融のレントとしてあらわれる。

絶対的レントか、相対的レントか？　徹底的な横領、剥奪の身ぶりの上に打ち立てられたレントか、あるいは生産された価値、〈コモン〉の価値増殖を軸に一般化され、組織化された搾取か？　現代の、ポスト産業社会の経済学者なら、わたしたちの疑問に対して率直に、ほぼ間違いなくこう答えるだろう。我々は相対的なレントの世界に生きていると。しかしそれならば、利潤自体がレント（グローバルな市場では、この資本の実存的形態に即刻転換されるのであるから）としてあらわれるとき、金融レントと金融フロー――レントの世界――はすぐさまマルチチュードの闘争に干渉され、それに左右される。しかしながら、相対的レントの世界があらためて私たちの前に現れるとき、同じ相対的なレントが見せる相違がいかに大きいか！　それ――すなわちレントの世界――は、〈コモン〉と対峙し、〈コモン〉のなかに、搾取の一般化のなかに姿をあらわす。（たとえば中国のように）このプロセスがまったく「純粋な」形であらわれる国もあり、指令の中央集権化と、福祉や社会賃金、さらには富の分配一般の次元との間に結ばれる社会関係が、即時に闘争関係としてあらわれる。賃金さえも、金融によるレントのもつ普遍性に到達したのだ。レントと利潤との複雑な結びつきが「純粋でない」形で生じる国々、米国やヨーロッパにおいても（もしくはレントによる「寡頭制支配者」が残っているすべての――元は第三世界だった――国々でも、といった方がよい）、社会的再生産の関係が形成される過程で、レントの再領有がいかに激しいかに気づかされる。いずれにせよ、どこであろうとレントに対する抵抗は非常に強い。その一方で、どこであろうと、レントを守ろうとするがゆえに、絶対的レントと、これまで系譜をたどりつつ見てきた例外状態とを融合させる案が再度浮上するにいたる。そこでレントが、民主的なプロセスと激しく対立しながらふたたび姿をあらわすのだ。これこそ絶対的レントが、権利回復を要求する瞬間である。利潤を保証するために、資本主義的発展の歴史的な流れはひっくり返される。

レントが利潤の動態を吸収するか、ひとまず取りこんだところで、「相対賃金」をめぐる闘争を定義することはできるだろうか？　すなわち、レントに対する内部闘争という装置の特徴を明確にすることはできるだろうか？　レントをめぐる闘争とはなにか？　「レント賃金」とはなにか？　これらの疑問に答えるために、まず最初にしなければならないのは、主体をふたたび導入することだ。つまり、レントが社会的生産の〈コモン〉をおおい隠すとき、誰と誰の間に闘争が起こるのか？　主体である。それは敵対する力、マルチチュード的な力であり、絶対的レントの名で行使された生権力の強固さをくつがえす能力をもつということだった。しかし、この主体はどのように構築されるのか？　相対的レントを基盤とし、それによって構築され、方向付けられた闘争の場を強要することよってのみだ。しかし、どうすればそれをやり遂げることができるか？　唯一の方法は、闘争する主体を構築することだ。レントは、闘争の民主主義にさらされたとき、絶対的なものから相対的なものへと変容した。したがって、主体の構築へと導く闘争が必要になる。不安定雇用者や、排除された者たちをまとめ、物質的労働と知的労働とを再編成する。前者は工場と大都市《メトロポリタン》の複雑な接合の内部で、後者はその接合の同じ空間、同じ複雑性のなかで（コールセンターから大学まで、工業生産からコミュニケーションまで、リサーチセンターから社会・衛生・教育サービスまで）。これが、政治的主体を構築する力を備え、金融に支配されたレントの領域に積極的に入っていくマルチチュードであり、（フォーディズム体制下の工場労働者たちにとって賃金をめぐる闘争が持っていたのと同じ力で）所得をめぐる闘争を導き入れることができるマルチチュードである。これが「レントの賃金」が形成される次元だ。

よく注意してほしいのだが、どんな場合でも、レント（まず絶対的、のちに相対的レント）からもぎ取られた賃金の大きさが、なんらかの方法で資本主義的指令の危機を決定づけるというわけではない。レントをめぐる（ここで問題になっているのは「ベーシック・インカム」をめぐる）闘争は、なによりもまずひとつの手段――政治的な主体、政治的な力を構築するための手段である。目的なき手段〔ジョルジョ・アガンベンの同名の著書が念頭に置かれている〕？　そうだ、その目的は権力の奪取ではなく――まだそれを目的とすることができないのだが――、資本主義社会の再生産メカニズムを継続的に変容させることでもないからだ。闘争によって可能なのは、所得という領域での効果的な動き方を会得したある力の実体を構築し、認知させること、それだけだ。このプロセスから、すなわち政治的主体の定義と認知のための闘争をこのように構成的に利用することから出発すること――このプロセスから始めることによってのみ、将来的に市民権に属する賃金＝給与の論究に限定されない、〈コモン〉を取り戻し、民主的に管理することをめざす闘争の端緒を開く可能性が出てくる。

階級闘争は、展開できる場所がなければ起こらない。今日、その場所とは大都市である。かつては工場であった。今日でも工場ではあるが、工場といっても、今そう呼ばれるのは、昔とは違う意味においてだ。今日の工場とは大都市である――それは生産における諸関係、調査・研究の会社、直接的な生産の場、流通／コミュニケーションの流れ、輸送手段、分離と境界、生産と流通の危機、多様な雇用形態等を内包する。大都市とは、価値増殖のプロセスにおける認知的労働の優越があればこそ生じるものという意味で、最新の工場である。しかし旧態依然とした工場でもあり、そこでは奴隷、移民、女性、不安定労働者、排除された者たちが等しく労働につかされ、搾取は生のあらゆる局面と瞬間を攻撃する。大都市とは産業化以前の工場であり、搾取の度合いを変えながら、文化と地位《ステータス》の違い、性と人種の違いを階級の違いとしてもてあそぶ。しかし、産業化以後の工場でもあり、これらの相違が、大都市的な出会い、創造的な、文化と生の交配のような〈コモン〉を問断なく形成する場所を構築する。大都市でこそ認知され、明るみに出される〈コモン〉である。レントは、この〈コモン〉を覆い隠す。レントは摩天楼の高層階を起点として〈コモン〉を構築し、株式市場でそれを支配し、〈コモン〉の生産者自身からそれを隠蔽する者たちに対してのみ、そのベールをはいでみせる。それに対して、透明性への、「情報公開《グラスノスチ》」への闘争という絶対的民主主義は、〈コモン〉に参加するためのひとつの道を示してくれる。それはレントのあらゆる流れを攻撃することだ。不動産のレント（金融による利潤の接合を通して）から著作権《コピーライト》によるレント、情報科学分野における生産まで。我々がここでカッコのなかにいれた闘争、この「通して」が今日、資本主義の核心を構成する。民主主義は絶対的レントを打破することができるし、打破しなければならない。それは相対的レントに対する闘争を発展させるために必要な力、その強さを得るためだ。絶対的レントは、資本主義の飛躍《エソール》の初期における、しかも暴力的な形象であったが、今となっては、発展のもっとも高い段階に入った資本主義的搾取の形象、すなわち〈コモン〉の搾取の形象である。指令と〈コモン〉の関係を矛盾に陥れること、矛盾が限界を超えるまで。これが進むべき道なのだ。この問題を解決できる、いかなる弁証法も、もはや存在しないことはわかりきっているのだから。それができるのは民主主義だけであり、それが絶対的なものになるとき、すなわち一人ひとりが他者のために必要な存在である、〈コモン〉においては皆平等なのだから、という認識が民主主義のなかに生じるときだ……

大危機は大都市の内部で始まったが、それは新しいプロレタリアート――主体性の資本主義的生産によって所有する個人として構築され、続いて福祉国家《ウェルフェア・ステート》が新保守主義に転換するなかで、世襲的立場へと押しやられた（しかし同時に、不安定な生によって疲弊し、その一方で、労働闘争の前世紀はプロレタリアートを認知的労働者へと引き上げ、その資格を与えた）――ともかく、この新しいプロレタリアートが反乱を起こした。新たなプロレタリアートは社会所得の便宜を阻まれ、家を取り上げられ、資本主義的指令の均衡が緊急事態に直面しているときでも、資本主義的レントは譲歩などするものではないということをあらためて示した。抵抗すること、反乱すること……そこにこそ、プロレタリアートの側から働きかけていく主体性の新たな生産がある。

本書の母胎となったセミナーを終えるにあたり、この主体性の生産プロセスの根本的な逆転を決定づける条件はすべて、ここに明快な言葉で述べられたとわたしは思う。あとは次なる議論を開くことだ。すなわち資本がレントへと変身させた〈コモン〉的な主体性をどのように取りかえすか。これは、グローバルなレベルで「革命」の情熱、知性、実践が場を活気づけるべく戻って来つつある時代にふさわしい問いである。本書のなかで得られた危機の分析とそれに基づく政治的思考は、現在の歴史的移行を描き出し、批判するのみならず、欲望の新たな地平を開くものである。

二〇〇九年二月

解説

中山智香子

本書はアンドレア・フマガッリ、サンドロ・メッザードラ編著による『グローバル経済の危機――金融市場、社会闘争、そして新しい政治的シナリオ』の邦訳である。原著はイタリア語で二〇〇九年刊行、二〇一〇年に英訳が刊行されている。メッザードラによる序文に続く冒頭にはクリスティアン・マラッツィが単著『燃え尽きた金融』として二〇〇九年に刊行した論考(*Finanza bruciata*, Edizioni Casagarnde)の原型「金融資本主義の暴力」が収録され、これと内容的に呼応する形でフマガッリ他七名が論考を寄せて、最終章はフマガッリがネグリを含む著者数名とともに起草した「金融危機をめぐる10のテーゼ」という、一種のマニフェストで締め括り、またアントニオ・ネグリがあとがきを寄せている。本書の内容と関連する『燃え尽きた金融』については、マラッツィ『資本と言語――ニューエコノミーのサイクルと危機』(人文書院、二〇一〇年)邦訳への解説(水嶋一憲)のなかにも、比較的詳細な紹介があるが、本書の序文が示すとおり、諸論考は二〇〇五年以来、イタリアのオペライズモ(労働者主義運動)の伝統を受け継ぐ研究者や活動家たちが行ってきたUniNomadeのセミナー、特に二〇〇八年、二〇〇九年に行われた二つのセミナーにおける報告と議論に端を発し、本書がUniNomade叢書の一冊目であるという。

UniNomadeとは何か。おそらくUniは大学、Nomadeはノマド(遊牧民)であり、移動し越境する大学、遍在する知のあり方を想起させる。実は二〇〇八年にイタリアでは国立大学が民営化される危機に直面して、学生を中心に社会運動の波が広がり、それが同年以来の金融危機、経済不況とともに、本書の成立を強く特徴づけているという。こうした問題関心の広がりは、日本の読者にとってもなじみのあるものだろう。そして、知の生産と金融という二つの領域が密接に関わるという主張こそ、実は本書全体を貫くテーマである。ところが、マラッツィについては先に言及した『資本と言語』のほか、『現代経済の大転換――コミュニケーションが仕事になるとき』(多賀健太郎訳、青土社、二〇〇九年)の邦訳があるとはいえ、その思想が十分に知られているとは言い難く、まして他の論者については（ネグリを除いて）日本でほとんど紹介されたことがない。そもそもイタリアの現代思想や経済思想について知見のある日本の読者は、一部の専門家を除いてごく僅かだろう。かくいう解説担当者も、いわば素人の部類に属している。それでも、民営化にさらされる制度と知のありかたも金融危機も、今日見過ごすことのできない大きな問題であり、本書の面白さと重要性は疑うべくもない。以下では、各所で提示されるマルクス、ケインズ、レギュラシオン理論、ジョヴァンニ・アリギなどの経済思想との関わりを手がかりとして、一つの読み方を提示してみたい。

デトロイトのマルクス

すでに述べたとおり、本書の著者たちを結びつける絆は、イタリアのオペライズモ（労働者主義運動）の伝統である。著者たちはみずからをとりあえず「ポスト・オペライズモ」の集団と位置付ける。オペライズモとは、一九五〇年代初めに北イタリアで生まれ、一九六〇年代半ばから後半にかけてアウトノミア（労働者の自立）運動として結実したものであり、その頃できた諸組織や機関はやがて、七〇年代半ばには分裂し諸派を生んだ。(1) 代表的な理論家としてネグリの他に、その師であるというマリオ・トロンティが挙げられる。トロンティはマルクス主義に関して、社会民主主義や共産党の展開がみられるなど、イデオロギー的に擁護されているヨーロッパよりもむしろ、それがきわめて少数者的地位に留め置かれたアメリカの労働運動に注目すべきであると主張した論者である。多くの者がそれを通じてオペライズモを学び始めたというトロンティの著作の中にある通り、「デトロイトのマルクス」が重要であると。(2) この視点は本書にも受け継がれている。なお、マラッツィが編著者の一人となってまとめた『アウトノミア』でも、イタリアでは六〇年代から七〇年代当時、労働運動を扱ったアメリカの社会学者たちの著作が盛んに読まれ、アメリカの労働者主義を学んだと紹介されている。(3) もちろん、マラッツィがレギュラシオンの理論家たちとともに、七〇年代をフォーディズムからポスト・フォーディズムへの転換期と位置付けたのも、アメリカのフォード社その他の労働運動の経験に学び、概念化したものである。さらに、当時同じくアウトノミアの運動に関わったというジョヴァンニ・アリギは、トロンティの「デトロイトのマルクス」を踏まえ、やがて『長い二〇世紀』や『北京のアダム・スミス』という作品に結実させた。(4) それは、世界システム分析の用いる長期的波動とグラムシのヘゲモニー概念を継承し、ジェノヴァ、オランダ、イギリス、アメリカへと移行した中核的ヘゲモニーの変遷を追って、ヘゲモニー諸国が実物経済の危機を金融経済によって克服し、やがて衰退してきたサイクルを明らかにする。(5) しかし本書が標榜するのは、そのような世界システム分析的な循環テーゼの批判的な乗り越えであり、またかつてのオペライズモからの新たな展開である。こうして本書は、もっとも最近のヘゲモニー、アメリカの危機の特異性に着目する。

たしかにアメリカもまた一九七〇年代の経済危機を、それに続く金融拡大によって克服し、ヘゲモニー国として延命してきた。しかし本書の見方によれば、その「金融化」は従来とは質を異にし、マルクス主義であれ新古典派であれ、経済学の根幹をも揺るがす根本的な変革を迫っている。本書の分析の起点は、まさにこの一九七〇年代から一九八〇年代の経済危機の時期であり、終点はここ三十年あまりの方向性の矛盾が表出したという、昨今の進行中の危機である。著者たちは、これらの危機の様相をヘゲモニーの側から、つまり所有者や権力者の側から描くのではなく、もっぱら労働者とのグローバルな共闘という立場から描き出す。いわく、「わたしたちは危機のツケを払わない。ツケを払うべきなのは資本所有者だ!」と。

金融化・知識労働・都市化

ここで、「グローバルな共闘」の意味を確認しておこう。フォーディズムはおもに機械的な単純労働をこなす労働力を高賃金で包摂し、戦時と平時を貫く「動員」を成功させてきたマネジメントのシステムである。ところが七〇年代の危機の時代に至ると、それが立ち行かなくなり、たとえば日本のトヨティズムを一例とするように、より人間的な組織原理が求められ、知識・感情労働の重要性が増大した。この、ポスト・フォーディズム時代の認知資本主義と名付けられる事態とほぼ並行して、金融化の領域が拡大し、個人すなわち労働者をも取り込むニューエコノミーのプロセスが進行したのである。(6) 金融市場の手数料その他の自由化、金利引き上げによる資金調達の株式市場への依存傾向の増大、新たな金融手段の激増、公的債務の補塡への個人の年金や貯蓄の投入などは、もちろんヘゲモニー論から見ればアメリカの生き残り策であるが、個人の側から見ればそれは、公的権力や企業が私的資産に手を伸ばし、個人の赤字支出によってマネジメントを賄う「新しいケインズ主義」(本書ルカレッリ論文)の到来であり、そこでは労働者の資産や生活も、金融市場の影響を強く受けるようになる。それは労働者にとっての賃金の重要性の相対的な低下を意味しており、もし労働者というカテゴリーが賃金生活者を意味するとすれば、従来型の純粋な労働者の存在は希薄になったといえる。ポールレ論文の各種データが示すとおり、企業による製造（ものづくり）や一国の国民総生産のどれだけ多くの部分が、文字通りの生産ではなく株式などの金融投資や金融蓄積にとって代わられてきたかの推移は、数値的にも明らかであり、その動向は、必ずしも大資産家でない小口の個人にも、いわゆる広義のレント獲得の機会のすそ野を広げたのである。こうして、かつて闘いの場の典型であった「工場」は、人間主義的マネジメントによって生命・生活全般を管理するバイオ（生）資本主義の普及と、金融化という表裏一体の流れによって、いわば社会の時-空間全体に広がった。

それらはもちろん、一九八〇年代以降に加速したグローバリゼーションの「ドットコム」的展開（本書テッラノーヴァ論文）、そしてニューヨークやロンドン、東京から香港、シンガポールへと連なるグローバル・シティにおける二十四時間体制の金融市場など、グローバルな技術的基盤によって可能になったものである。しかしそこにはまた、バイオ（生）資本主義の地《ジオ》-金融的、地《ジオ》-政治的、地《ジオ》-経済的な側面がある。つまりここでの金融化は、きわめて個別、具体的な地理的場所を対象とした権力の戦略として、展開されたのである。たとえばD・ハーヴェイの分析とも呼応するものだが、ニューヨークの年金革命が都市の変質と連動し、ニューヨークのインナーシティ化と下層階層の人々の締め出しを意味したように、金融権力はジオポリティカルに個別、具体的な場所の特定の人々の生を圧迫しながら、空間の編成を変えていく。ただし「特定の」とは、従来のカテゴリーでいう労働者であり、相対的に豊かでない人々のことである。それは空間が飽和し「外部」がなくなったグローバル世界の中で、なおも価値生産を「外部化」しようとする資本主義的論理の一部分である。金融化が実物資本の対立物ではないとされるのは、この意味においてである。そして「外部化」の標的となるのは、たとえばアメリカの人々の家計であると同時に、より大きなレベルでみれば、新興諸国やグローバル・サウスと呼ばれる地域の人々である。つまりここ三十年来の金融化・知識労働・都市化の資本主義は、一見、利潤機会のすそ野を幅広く拡大するかに見せながら、むしろ貧しい人々や貧しい地域に、危機を転位しようとしてきたのである。これに抗する本書はグローバル化の「外部」との共闘を目指し、「デトロイトのマルクス」に、新たな位置づけを与える。そしてこの点において、新自由主義批判と足並みを揃えている。ただし異なるのは、たとえば金融工学と呼ばれる知の領域にも踏み込み、それがいかに先の動向を支えてきたかを、量的、質的に立ち入って検討するところである。

イタリアからの誘い

ところで最終章の10のテーゼとその前のロート論文が示す通り、従来型のガバナンスは構造的に不安定で、危機への対処法としては無効であり、新たな処方はまだない。この点に関して、本書はケインズ主義や制度的リベラリズムに批判的である。現行の経済危機は、「新ブレトンウッズ体制」や現代版ニューディール政策の採用など、従来の枠内でガバナンスを整備したとしても、乗り越えることができない。たとえば中国の潜在的ヘゲモニーの可能性も含んだグローバル世界の問題点には、米中間の経済戦争に対処する「新たなヤルタ体制」(フマガッリ論文)が必要であるという。しかしもちろん、そのような調停を可能とする超越的な権威や機関が存在するわけではない。この一例だけでも、打開の難しさは明らかだろう。

そこで著者たちはむしろ、書物や継続的な議論の場がひらくコミュニケーションという知的〈コモン＝共有〉の場に、究極的な期待を賭けている。オペライズモがポスト・ポリティカルな時代を主張したのに対し、さらにその後にくる新たな「政治」の復権である。またそれは同時に、経済と資本に関する新たな認識論的枠組を必要とする。地代(レント)・賃金・利潤という従来型の区分は、あらゆる流派の経済学に共通するものであったが、ここ三十年あまりの金融化の動向によってすっかり意味を失っており(ヴェルチェッローネ論文)、たとえ現行の危機からの脱出が可能になった後でも、有効性を取り戻すとは考えにくいからである。さらにここに、個人の生を全般的に取り込んで活用、発展させようとした人間主義的マネジメントの限界が交錯し、次なる一歩を容易に構想することを阻んでいる。たとえばベーシック・インカムを支援ではなく一般的知性への報酬として支給するなどの経済的ガバナンスの構想においても、人間らしさを謳って呼びかける権力の声と、生死ぎりぎりの淵からの声を聞き分ける耳の確かさが求められるなど、状況は厳しく対応は難しい。が難しくとも、これ以上放置はできない、ともに闘おうと本書はイタリアから誘うのである。この誘いが少しでも多くの日本語読者に届き、いつか呼応する誘いがこちらの側からも発せられることを、切に願うばかりである。

注

（1）アウトノミアについて、英語、日本語で読むことのできる参考文献はかなり限られているが、ここではSteve Wright, *Storming Heaven: Class Composition and Struggle in Italian Autonomist Marxism*, Pluto Press, 2002; 同 *Children of a Lesser Marxism?* in "Historical Materialism" 12:1 (2004), pp. 261-276; S. Lotringer & C. Marazzi, *Autonomia: Post-Political Politics*, The MIT Press, 2007を参照した。

（2）それはトロンティの著作 *Operai e capitale*, Turin: Einaudi, 1971 第二版のあとがき（pp. 267-311）のタイトルである。同書の重要性についてはWright 2004, p. 266など。

（3）マラッツィはFox Piven,Richard Cloward, James O'Connorらの著作が読まれたこと、労働者主義の源はJames Boggs, Martin Glaberman, G. P. Rawickらであることを指摘している（Lotringer & Marazzi 2007, p. 12）。

（4）アリギの初期のイタリアでの活動については、晩年のインタヴューに詳しい（G. Arrighi, *The Winding Paths of Capital: Interview by David Harvey*, in "New Left Review" 56, Mar/ Apr. 2009, pp. 61- 94.）。G. Arrighi, *The Long Twentieth Century*, Verso, 1994（『長い二〇世紀：資本、権力、そして現代の系譜』土佐弘之監訳、柄谷利恵子・境井孝行・氷田尚美訳、作品社、二〇〇九年）；*Adam Smith in Beijing: The Lineages of the Twenty-First Century*, Verso, 2007.（作品社より邦訳近刊、インタヴュー邦訳も収録予定）

（5）本書の序文で、フマガッリもアリギの著作の重要性を明示しており、またマラッツィも『資本と言語』でこれを参照している。

（6）ここで興味深いのは、マラッツィが経営学のピーター・ドラッカーを参照することである。もちろん知識労働のマネジメントの重要性は『マネジメント』（一九七四年）の主要テーマであったが、『資本と言語』の中にはドラッカーの年金革命論への直接的な言及がある（邦訳一七頁）。P. F. Drucker, *The Unseen Revolution*, 1976（後に*The Pension Fund Revolution*と改題。『新訳　見えざる革命：年金が経済を支配する』上田惇生訳、ダイヤモンド社、一九九六年）。ただしドラッカーは同書で、それが個人の結果的資本所有であるとして「アメリカの社会主義化」を強調するのに対し、マラッツィや本書はむしろ資本主義権力の深化を警告する。

訳者あとがき

本書は、A cura di Andrea Fumagalli e Sandro Mezzadra, *Crisi dell'economia globale. Mercati finanziari, lotte sociali e nuovi scenari politici*, ombre corte, Verona 2009 の全訳である。すでに二〇一〇年四月に英訳が出版されており、つづいて一〇月にドイツ語訳も出版予定である。訳出にあたっては英訳を適宜参照したこと、ベルナール・ポールレとカール・ハインツ・ロートの論考に関しては、イタリア語版との異同がある場合、それぞれの原語版（フランス語／ドイツ語・英語）に依拠したこと、引用に邦訳がある場合はそれを参照したが、文脈にあわせて変更を加えたものもあることをお断りしておく。翻訳はルカレッリ、テッラノーヴァ、ポールレの論文とあとがきを長谷川が、残りを朝比奈が担当した。訳語の調整は行ったが、複数の著者による論文集であることを考え、文体の統一は行っていない。もとより経済学の専門家ではない訳者が悪戦苦闘を重ねながら訳出したものであるため、思わぬところで誤訳や勘違いが見つかるかもしれない。その点は読者諸兄のご指摘・ご批判を俟ちたい。

さて、経済学的な視点から見た本書のもつ意味については中山智香子氏の解説を、個々の著者については筆者紹介をそれぞれご覧頂くことにして、ここではあとがきにかえて、本書とともに日本に初登場することになるUniNomadeプロジェクトを簡単に紹介しておきたい。

本書はフマガッリとメッザードラを編者とする論文集の体裁をとっている。だがその一方で、「金融危機をめぐる10のテーゼ」に結実しているように、UniNomade（Università Nomade ノマド大学）を名乗る集団をその「作者」と見なすこともできなくはない。というのも、本書は彼らが繰り返し交わしてきた議論、なかでも二〇〇八年の金融危機をめぐって開催されたふたつのセミナーを下敷きにしているからだ。二〇〇四年に誕生したこの集団――日本でも名前の知られているところを挙げれば、そこにはジョルジョ・アガンベンやパオロ・ヴィルノも名を連ねている――は、従来の固定的な大学の枠や国境を越え、大陸を跨ぎ、まさしく遊牧民《ノマド》のごとく移動を続けながら、現在もさまざまな国と場所でセミナーを開催している（詳しくはメッザードラによる序文を参照）。

彼らは自分たちを「ポストオペライズモ」、すなわちイタリアの「オペライズモ（労働者主義運動）」の系譜に連なるものと位置づけている。一九六一年に創刊された雑誌『赤色ノート Quaderni Rossi』(雑誌創刊メンバーのひとりマリオ・トロンティもまた、UniNomade セミナーに参加している)に始まり、理論と組織の両面で紆余曲折を重ねながら、六八年の学生運動と六九年の「熱い秋」を準備することになるこの運動の特徴をひとつ挙げておくなら、共産党や社会党から無党派まで、政治的出自を異にする推進者のあいだに共有されていた認識、すなわち、戦後の経済ブームがもたらした資本主義経済の変容、とりわけ階級構成に生じつつあった変化に、教条主義的な従来の党や労働組合では対応しえないという批判がある。『資本論』を字義通りに読もうとするあまり「資本主義の崩壊」を自明視し、結果として現実の労働者をなおざりにすることになった党に対し、運動の担い手たちは自分たちの生きる時代の現実に照らしてマルクスを読み直し、労働者が自律的主体として展開する闘争こそが資本主義の発展を規定すると考えた。そして工場の実情をより直接的に分析し、労働者との継続的な対話を通してその理論を練り上げていったのである。

本書を読めば、それに連なる UniNomade もまた同様の視点に立って現代世界を読み解こうとしていることは明らかだが、では、彼らの「ポスト」たる所以はどこに見出すことができるだろうか? その鍵は、UniNomade の目指す連帯のありかた、つまり「ネットワーク」にある。この語が、〈帝国〉と化した現代世界における中心の不在を描き出すにあたり、ネグリ＝ハートによって用いられたイメージであることはいうまでもない。〈帝国〉が従来の国民国家を失効させせつつ、ネットワーク状の主権として現れているとすれば、対抗勢力もまたそれに呼応するかたちで構築されなくてはならない。本書の内容に即して具体的に言うなら、「認知的・非物質的労働」の認識をもとに、オペライズモ以来闘争の中心的基盤として想定されてきたいわゆる産業労働者階級を脱中心化し、これまで闘争から排除されてきた者たち、とりわけ都市の社会的労働者を結びつけるネットワークを構築することが課題となるのである(彼らのこうした視点には、党や国家の独善的権威主義に対する批判から出発しながらも、相互に自律した複数のグループをひとつの組織にまとめあげることができなかったオペライズモの経験も反映されているだろう)。ネグリ＝ハートはさまざまな特異性を孕みつつもひとつの集団を形成するこの対抗勢力を「マルチチュード」と呼ぶ。ここで、「マルチチュード」という概念を彼らがいかに定義しているか、少し長いが引用しておきたい。

だがグローバリゼーションには、国境や大陸を超えた新しい協働と協調の回路を創造し、無数の出会いを生み出すという、もうひとつの側面もある。(…)したがってマルチチュードもまた、ネットワークとして考えることができるだろう。すなわち、あらゆる差異を自由かつ対等に表現することのできる発展的で開かれたネットワーク、言いかえれば、出会いの手段を提供し、私たちが共に働き生きることを可能にするネットワークである(ネグリ＝ハート『マルチチュード(上)』幾島幸子訳、日本放送出版協会、二〇〇五年、一九頁)

ここでネグリ＝ハートの言う「出会いの手段」のひとつとして、UniNomadeプロジェクトが構想されていることは明らかである。つまりノマド大学は、移動を重ねながらより多くの人間を議論に巻き込み、特異性が集合する拠点をいくつも設置するというかたちで、マルチチュードのネットワークを構築し拡げようとする試みなのである。

だがこのプロジェクトを理解するためにはもうひとつのキーワード、「コモン comune(伊)common(英)」(前掲『マルチチュード』では「〈共〉」と訳されている)にも触れておかなくてはならない。形容詞としては「共有の/共通の/共同の」、名詞としては「共有のもの」を意味し、コミュニケーション communication やコミュニズム communism などに共通して含まれるこの語は、具体的にはまず、人類すべてに共有されるべき水や空気、あるいは時代を遡って、一七世紀イギリスの「囲い込み」によって収奪された共有地(コモンズ)を指す。だが UniNomade はさらに踏み込んで、本質的に人と人のあいだに生まれ、蓄積され、たえまなく生成変化を続ける言語や知識さえもコモンと見なす。本書ではこの第二のコモンが、ポストフォーディズムにおいては固定資本としての機械に代わり中心的基盤となり、わたしたちの生そのものと生産が重なり合う領域を拡大しながら、労働の認知的・非物質的次元を形成していること、その意味で現代の生産は「コモンの生産」という意味合いを強く帯びること、そして新自由主義によるコモンの私有化/民営化がさまざまな歪みをもたらしていることなどが、今回の金融危機にとどまらない広い視点から論じられているわけだが、こうした内容については実際に本書を読んで頂くことにして、ここではマルチチュードとコモンの関係に触れておきたい。この点を理解することで、UniNomade の試みに別の角度から光をあてることができる。

いまいちどネグリ＝ハートのことばに耳を傾ければ、マルチチュードを構成する特異性は、たとえば国家のごとき主権のもとに差異を奪われて統合される人民、あるいは「所有による個人主義」のなかで相互に分裂した状態に留まり、結果として箇単に差異を欠いた塊と化してしまう大衆とは対比されるべきだという。いわばそれは「公」とも「私」とも異なる、新たな連帯を目指すものとして想定されているわけだが、では、さまざまな特異性を結びつける紐帯となりうるのは何なのだろうか？この役割を担うとされるのが、上述した意味でのコモンである。つまりマルチチュードとは「共有するものにもとづいて行動する、能動的な社会的主体」（前掲書、一七二頁）、もうすこし具体的に説明すれば、コモンを基盤にコモンを生み出すこと、すなわち「コモンの生産」に能動的に参加するなかで、その運動の主体として形成される存在だといえる。ただしこれはマルチチュードを理論的に説明したものに過ぎない。それゆえUniNomadeの課題とは、まさしく本書が行っているように、いまコモン（の生産）がおかれている状況の分析を、とりわけそれが資本の私的論理に従属させられていることに起因する問題点を中心に深めてゆき、と同時に〈帝国〉がわたしたちを主体化する仕方と対比させつつコモンを分かち合うマルチチュードの主体性を描き出し、「公-私」を乗り越えるオルタナティヴとして、コモン／マルチチュードが密接に絡み合いながら発展していく道筋を具体的に提示することだろう。〈帝国〉時代の対抗勢力マルチチュードを実践しながら、みずからの存立基盤であるコモンを問う開かれた知の場、それがUniNomadeである。

オペライズモの長い歴史をその背景にもつとはいえ、運動としてのUniNomadeはまだ始まったばかりだ。これからどのような展開を見せるのか注目されるが、おそらくそうした傍観者的態度は本書と向き合ううえでもっとも相応しくないものである。グローバル経済危機を中心に据えた本書の多角的議論を、わたしたちが自分たちも共有するもの、つまりコモンとして受け取り、そこに日本の状況をひとつの特異性として加えながらコモンの生産とネットワークに参加すること、いいかえればマルチチュードになることを彼らは望んでいるに違いない。

最後になったが、この本の出版に尽力してくださった以文社の勝股光政さんと宮田仁さん、経済用語のチェックだけでなく、解説まで引き受けてくださった東京外国語大学の中山智香子先生、そして翻訳の機会を訳者に与えてくださった和田忠彦東京外国語大学副学長に感謝の念を捧げる。

二〇一〇年九月二〇日　東京にて

朝比奈佳尉

筆者紹介（姓のアイウエオ順）

カルロ・ヴェルチェッローネ Carlo Vercellone

パリ第一大学ソルボンヌの助教授、マティス - イシス研究所所員。認知資本主義およびベーシックインカムをテーマとする評論を多数執筆。*Capitalismo cognitivo. Conoscenza e finanza nell'epoca postfordista* (manifestolibri, 2006) を監修したほか、A・フマガッリと *Le capitalisme cognitif. Apports et perspectives*, in "European Journal of Economic and Social Systems" vol.20, 1/2007 を共同監修。最近の著書に *L'analyse "gorzienne" de l'évolution du capitalisme*, in Christophe Fourel (a cura di), *André Gorz un penseur pour le XXIème siècle* (La Découverte, 2009)。

フェデリコ・キッキ Federico Chicchi

ボローニャ大学政治学部で労働社会学および組織・企業論を教える。Sapere2000 社が出版するポイエーシス&プラクシス叢書の監修者であり、研究センター Palea（精神分析と社会科学に関する常設セミナー）のメンバー。近年、アメンドラ、バッツィカルーポ、トゥッチと共同監修で *Biopolitica, bioeconomia e porocessi di soggettivazione* (Quodlibet ,2008) を出版。

ティツィアナ・テッラノーヴァ Tiziana Terranova

エセックス大学社会学科にてメディア論および文化社会学を教える。デジタル文化をテーマに、イタリア語と英語で小論・評論を多数出版。

アントニオ・ネグリ Antonio Negri

元パドヴァ大学教授。同大学でかつて国家論を担当し、ヨーロッパ各地の大学で教鞭をとった。かれが生みだした多くの理論は国際的かつ多様な領域で認められている。最近の著書に *Goodbye Mr socialism* (Feltrinelli, 2007)〔邦訳『未来派左翼 グローバル民主主義の可能性をさぐる 上・下』広瀬純訳、NHK出版〕、*Fabblica di porcellana* (trad. it. Feltrinelli, 2008)、マイケル・ハートとの共著 *Impero* (trad.it. Rizzoli, 2002)〔邦訳『〈帝国〉――グローバル化の世界秩序とマルチチュードの可能性』水島一憲・酒井隆史・浜邦彦・吉田俊実訳、以文社〕、*Moltitudine* (trad. it. Rizzoli, 2004)〔邦訳『マルチチュード 上・下』幾島幸子訳、NHK出版〕。また ombre corte 社から *Dall'operaio massa all'operaio sociale. Intervista sull'operaismo* の新版を上梓。

アンドレア・フマガッリ Andrea Fumagalli

パヴィア大学経済学部、政治経済学および定量的方法論学科でマクロ経済学と企業理論を教える。また同大学のマルチメディア・コミュニケーション専攻コースで政治経済学を担当。著書に *La moneta nell'impero*（クリスティアン・マラッツィ、アデリーノ・ザニーニとの共著）(ombre corte, 2002)。また *Il lavoro autonomo di seconda generazione. Scenari del postfordismo in Italia* (Feltrinelli, 1997) の監修（セルジョ・ボローニャとの共同監修）および *Bioeconomia e capitalismo cognitivo* (Carocci, 2008) がある。

ベルナール・ポールレ Bernard Paulré

パリ第一大学パンテオン・ソルボンヌ経済学教授、マティス-イシス研究所所長。産業経済学および認知資本主義をテーマに多数の評論を執筆。最近の著書に、*Le capitalisme cognitif. Une approche schumpétérienne des économies contemporaines*, in, Gabriel Colletis e Bernard Paulré (a cura di), *Les nouveaux horizons du capitalisme. Pouvoir, valeurs, temps* (Economica, 2008)。

クリスティアン・マラッツィ Christian Marazzi

スイス・イタリア語圏専門大学校教授。著書に、*Il posto dei calzini. La svolta linguistica dell'economia e i suoi effetti sulla politica* (Bollati Boringhieri, 1999)〔邦訳『現代経済の大転換——コミュニケーションが仕事になるとき』多賀健太郎訳、青土社〕、*E il denaro va. Esodo e rivoluzione dei mercati finanziari* (Bollati Boringhieri, 1998)、*Capitale & linguaggio. Dalla New Economy all'economia di guerra* (DeriveApprodi, 2002)〔邦訳『資本と言語——ニューエコノミーのサイクルと危機』柱本元彦訳、水嶋一憲監修、人文書院〕、アデリーノ・ザニーニ、アンドレア・フマガッリとの共著 *La moneta nell'Impero* (ombre corte, 2006) がある。

サンドロ・メッザードラ Sandro Mezzadra

ボローニャ大学の政治学部でコロニアル／ポストコロニアル研究、ならびに市民権の境界を教える。著書に *Diritti di fuga. Migrazioni, cittadinanza, globalizzazione* (ombre corte, 2006), *La condizione postcoloniale. Storia e politica nel presente globale* (ombre corte, 2008)。また *I confini della libertà. Per un'analisi politica delle migrazioni contemporanee* (DeriveApprodi, 2004) を監修。

ステファノ・ルカレッリ Stefano Lucarelli

ベルガモ大学経済学科「ハイマン・P・ミンスキー」の政治経済学研究者。また同学科で財政学も教えている。ロベール・ボワイエの著書 *Fordismo e Postfordismo. Il pensiero regolazionista* (UBE, 2007) のイタリア語版をアンドレア・フマガッリと共同監修し、序文を執筆。

カール・ハインツ・ロート Karl Heinz Roth

医師、歴史家。一九七〇年代、新左翼《ニューレフト》および西ドイツにおけるアウトノミア（アウトノーメ）運動の重要人物の一人。一九七四年に出版された著書 *L'altro movimento operaio. Storia della repressione capitalistica in Germania dal 880 a oggi* (trad. it. Feltrinelli, 1976) は、労働運動史における古典となっている。雑誌“Autonomie”の創刊メンバーであり、一九八七年から二〇〇二年にかけて雑誌“1999. Zeitschrift für Sozialgeschichte des 20. Und 21. Jahrhunderts”でも活躍。最近の著書に *Intelligenz und Sozialpolitik im “Dritten Reich”. Eine methodisch-historische Studie am Beispiel* (K.G. Saur Verlag, 1993)、および *Der zunstand der Welt. Gegen-Perspektiven* (VSA-Verlag, 2005) がある。

訳者紹介

朝比奈佳尉（あさひな　かい）
1979年生まれ。東京外国語大学外国語学部卒業、東京外国語大学大学院博士前期課程修了。現在、同大学院博士後期課程在籍。イタリア文学専攻。

長谷川若枝（はせがわ　わかえ）
1968年生まれ。東京外国語大学外国語学部卒業。東京外国語大学大学院博士前期課程修了。現在、同大学院博士後期課程在籍。イタリア文学専攻。

解説者紹介

中山智香子（なかやま　ちかこ）
1964年生まれ。早稲田大学大学院経済学研究科博士後期課程単位取得退学。社会・経済学博士（ウィーン大学）。東京外国語大学総合国際学研究院教授。経済思想史・社会思想史。著書に『経済戦争の理論 ――大戦間期ウィーンとゲーム理論』（勁草書房）ほか。

金融危機をめぐる10のテーゼ
金融市場・社会闘争・政治的シナリオ

2010年11月30日　初版第1刷発行

編　者　アンドレア・フマガッリ
　　　　サンドロ・メッザードラ
訳　者　朝比奈佳尉
　　　　長谷川若枝
発行者　勝股光政
発行所　以　文　社
〒101-0051 東京都千代田区神田神保町2-7
TEL 03-6272-6536　FAX 03-6272-6538
http://www.ibunsha.co.jp
印刷：シナノ書籍印刷
装　幀　岡　孝治

ISBN978-4-7531-0284-6

〈帝国〉——グローバル化の世界秩序とマルチチュードの可能性

グローバル化による国民国家の衰退と，生政治的な社会的現実のなかから立ち現われてきた〈帝国〉.「壁」の崩壊と湾岸戦争以後の，新しい世界秩序再編成の展望と課題を分析する.

アントニオ・ネグリ＆マイケル・ハート著
水嶋一憲・酒井隆史・浜邦彦・吉田俊実訳　A 5 判 600 頁　定価：5880 円

無為の共同体——哲学を問い直す分有の思考

共同性を編み上げるのはなにか？　神話か，歴史か，あるいは文学なのか？　あらゆる歴史＝物語論を越えて，世界のあり方を根源的に問う，〈存在の複数性〉の論理！

ジャン＝リュック・ナンシー著　西谷修・安原伸一朗訳
A 5 判 304 頁　定価：3675 円

イメージの奥底で

虚偽としてのイメージからイメージとしての真理へ——「神の死」そして「形而上学の終焉」以降の今日，新たな「意味のエレメント」を切り拓き，「世界の創造」へと結び直す。

ジャン＝リュック・ナンシー著　西山達也・大道寺玲央訳
A 5 判 272 頁　定価：3360 円

侵入者——いま〈生命〉はどこに？

現代フランス哲学の第一人者ナンシーが，自らの心臓移植後 10 年にして「他者の心臓」で生きる体験を語る．人間は人体の「資材化」や「わたし」の意識の複合化を受け容れられるか？

ジャン＝リュック・ナンシー著　西谷修訳　四六判 128 頁　定価：1890 円

ホモ・サケル——主権権力と剝き出しの生

アーレントの〈全体主義〉とフーコーの〈生政治〉の成果を踏まえ，主権についての透徹した考察から近代民主主義の政治空間の隠れた母型を明かす，画期的な政治哲学.

ジョルジョ・アガンベン著　高桑和巳訳　A 5 判 288 頁　定価：3675 円

人権の彼方に——政治哲学ノート

スペクタクルな現代政治の隠れた母型を暴く，フーコー以後の〈生政治〉の展開.

ジョルジョ・アガンベン著　高桑和巳訳　A 5 判 176 頁　定価：2520 円

過去の声——18世紀の本の言説における言語の地位

「私が話し、書く言語は私に帰属するものではない」. この意表をつく視点から、18世紀日本〈徳川期〉の言説空間の言語を巡る熾烈な議論がなぜ日本語・日本人という〈起源への欲望〉を喚起してしまうのか，を明らかにした「日本思想史」を塗り替える丸山真男以来の達成.

酒井直樹著・酒井直樹監訳　A 5 判 608 頁　定価：7140 円

希望と憲法——日本国憲法の発話主体と応答

多義的な日本国憲法の成立の国際的背景を解析し、いま国際的な視野から読み解き，未来へと拓いて行くために必要な要件を，新しい歴史の大きな語りを模索する画期的な憲法論.

酒井直樹著　四六判 288 頁　定価＊2625 円

永遠と夜戦——フーコー・ラカン・ルジャンドル

フーコー、ラカン、ルジャンドルの不穏な共鳴が導く「永遠の夜戦」の地平とはなにか？　圧倒的な理論的射程から、生き抜き、戦い抜くための武器を磨くため現代思想の更新.

佐々木 中 著　A 5 版 664 頁　定価 ;6930 円

正戦と内戦——カール・シュミットの国際秩序思想

一回的な場所に根差すことの不可能性に否応なく繰り返し直面し，一回性と普遍性とのはざまで揺れ動き続けたシュミット．このアポリアへのこだわりこそがシュミットの可能性の中心.

大竹弘二著　A 5 判 528 頁　定価 :4830 円

国家とはなにか

暴力についての歴史を貫くパースペクティヴから，国家が存在し，活動する固有の原理を〈暴力の運動〉に求め，その運動の展開として国家をとらえた壮大で，画期的な国家論.

萱野稔人著　四六判 296 頁　定価 :2730 円

増補〈世界史〉の解体——翻訳・主体・歴史

〈壁〉の崩壊から 9•11 にいたる 10 年間は，まさに世紀転換の国際関係の激変であった．変容する世界編成のなかで，新たな多元的な〈世界性〉をどのように編み直して行くのか？

酒井直樹＆西谷修　四六判 384 頁　定価 :2730 円